P9-ANZ-277

PIKNIK
Z NIEDŹWIEDZIAMI

BILL BRYSON

Tłumaczył
Tomasz Bieroń

ZYSK I S-KA
WYDAWNICTWO

Tytuł oryginału
*A Walk in the Woods*



Redakcja
Magdalena Wójcik

Projekty graficzne okładki i mapy
Paulina Radomska-Skierkowska

Skład i opracowanie graficzne
Paweł Uniejewski

Wykorzystano ilustracje pochodzące ze zbiorów Pearson Scott Foresman

Wydanie I

ISBN 978-83-7785-481-5

Zysk i S-ka Wydawnictwo
ul. Wielka 10, 61-774 Poznań
tel. 61 853 27 51, 61 853 27 67
Dział handlowy, tel./fax 61 855 06 90
sklep@zysk.com.pl
www.zysk.com.pl

*Dla Katza,*

*jakżeby inaczej*

KANADA
JEZIORO ONTARIO
JEZIORO ERIE
NOWY
JORK
VERMONT
NEW
HAMPSHIRE
MAINE
MASSACHUSETTS
CONNECTICUT
RHODE
ISLAND
PENSYLWANIA
NEW JERSEY
MARYLAND
DELAWARE
WIRGINIA
ZACHODNIA
CAMPING
WIRGINIA
KAROLINA
PÓŁNOCNA
TENNESSEE
KAROLINA
POŁUDNIOWA
GEORGIA
OCEAN
ATLANTYCKI

Niedługo po przeprowadzce z rodziną do małej miejscowości w New Hampshire przypadkiem odkryłem ścieżkę, która znikała w lesie na skraju miasta.

Tablica obwieszczała, że nie jest to zwykła leśna dróżka, lecz słynny Appalachian Trail*. Ze swoimi 3300 kilometrami długości przez majestatyczne, nęcące Appalachy, przebiegający wzdłuż wschodniego wybrzeża Ameryki AT, jak go nazywają koneserzy, jest nestorem długich szlaków turystycznych. Fragment wirginijski jest dwa razy dłuższy od Pennine Way. Szlak ciągnie się od Georgii po Maine i przebiega przez czternaście stanów, pośród urodziwych gór, których same nazwy — Blue Ridge, Smokies, Cumberlands, Catskills, Green Mountains, White Mountains — brzmią jak zaprosze-

* Zwany także Szlakiem Appalachów. (Wszystkie przypisy pochodzą od tłumacza).

nia do spacerów. Któż potrafiłby wypowiedzieć słowa „Great Smoky Mountains" albo „Shenandoah Valley" i nie poczuć chęci „wrzucenia do starego plecaka bochenka chleba i funta herbaty i przeskoczenia przez płot za domem", jak to wyraził przyrodnik John Muir?

I oto całkiem nieoczekiwanie okazało się, że ten niebezpiecznie kuszący szlak przebiega przez sympatyczną miejscowość w Nowej Anglii, w której właśnie zamieszkałem. Myśl, że mógłbym wyjść z domu i po 2800 kilometrach marszu przez las dotrzeć do Georgii albo skręcić w drugą stronę i przez niegościnne, kamieniste Góry Białe przebrnąć 700 kilometrów na północ do legendarnego wierzchołka Mount Katahdin — otóż myśl ta wydawała mi się tak nieprawdopodobna, że cichy głos w mojej głowie powiedział: „Brzmi super! Zróbmy to!".

Zacząłem wymyślać racjonalne uzasadnienia dla takiego przedsięwzięcia. Postawi mnie to z powrotem na nogi po latach gnuśności. Przyda mi się w życiu — nie bardzo wiedziałem, do czego, ale byłem pewien, że się przyda — jeśli nauczę się technik przetrwania w leśnych ostępach. Kiedy faceci w panterkach i czapkach myśliwskich będą siedzieli w knajpie Four Aces i opowiadali o swoich niesamowitych łowieckich wyczynach, nie będę się już czuł jak ostatni fajtłapa. Pożądałem odrobiny tego szpanerstwa, które bierze się z tego, że człowiek może spojrzeć granitowymi oczami w siną dal i powiedzieć przeciągle, z męskim prychnięciem: „No, ten las znam jak własną kieszeń".

Istniał też inny, trudniejszy do odparcia powód. Appalachy to ojczyzna jednego z największych nietropikalnych lasów świata — pozostałość najbardziej zróżnicowanego obszaru leśnego, jaki kiedykolwiek zdobił umiarkowaną strefę klimatyczną naszej planety — i las ten jest zagrożony. Jeśli w ciągu następnych pięćdziesięciu lat średnia temperatura na świecie wzrośnie o 4°C, co jest jak najbardziej możliwe, wtedy całe Appalachy na południe od Nowej Anglii mogą zamienić się w sawannę. Już teraz drzewa umierają w zatrważającym tempie. Wiązy i kasztanowce dawno zniknęły, stateczne choiny i ukwiecone derenie są na wymarciu, a wkrótce w ich ślady mogą pójść świerki czerwone, jodły Frasera, orzeszniki, jarzęby pospolite i klony srebrzyste. A zatem jeśli ktoś chce poznać ten wyjątkowy, prastary las, to prawdopodobnie już ostatni dzwonek.

Podjąłem decyzję, że to zrobię. Natychmiast ogłosiłem swoją intencję znajomym i sąsiadom, z dumą poinformowałem swojego wydawcę i rozpuściłem wici w całym swoim środowisku. Potem kupiłem kilka książek i porozmawiałem z ludźmi, którzy pokonali całość lub część szlaku. Zaczęło do mnie docierać, że jest to zdecydowanie najtrudniejsze ze wszystkich moich przedsięwzięć życiowych.

Prawie wszyscy moi rozmówcy dysponowali jakąś makabryczną historią z udziałem naiwnego znajomego, który wybrał się na ten szlak z wielkimi nadziejami i nowymi traperkami, a dwa dni później wrócił z rysiem wczepionym pazurami w głowę albo z krwią kapiącą z pustego rękawa, po czym chrapliwym głosem wyszeptał: „Niedźwiedź!", a na koniec popadał w obłęd.

Lasy roiły się od niebezpieczeństw — grzechotników, mokasynów wodnych i całych gniazd miedziogłowców; rysiów, niedźwiedzi, kojotów, wilków i dzików; obłąkanych włóczęgów, których układ nerwowy rozregulowały ogromne ilości pędzonego z kukurydzy bimbru i uprawiany od pokoleń z gruntu niebiblijny seks; chorych na wściekliznę skunksów, szopów i wiewiórek; okrutnych mrówek ognistych i żrących meszek; trującego bluszczu, trującego sumaka, trujących salamander; zdarzały się nawet łosie, które straciły rozum na skutek działania pasożytniczego robaka, wygrzebującego sobie norę w ich mózgu i podżegającego je do ścigania nieszczęsnych piechurów przez rozsłonecznione łąki do jezior polodowcowych.

Mogą się tam człowiekowi przytrafić zupełnie niewyobrażalne rzeczy. Słyszałem o mężczyźnie, który wyszedł o północy ze swojego namiotu, żeby się wysikać, i wpadł na puszczyka krótkowidza — kiedy po raz ostatni zobaczył swój skalp, kołysał się on w pazurach pięknie wyeksponowanych na tle księżyca w pełni — a także o młodej kobiecie, którą zbudziło esowate łaskotanie na brzuchu, i kiedy zajrzała do śpiwora, zobaczyła węża miedziogłowca, który umościł sobie ciepłe legowisko między jej nogami. Słyszałem cztery wersje historii (zawsze relacjonowanej ze śmiechem) o biwakowiczach i niedźwiedziach, które przez kilka chaotycznych i bogatych w wydarzenia chwil współzamieszkiwały jeden namiot. Historie o ludziach, którzy rozpłynęli się w powietrzu („została po nim tylko plama spalonej ziemi"), kiedy na skalistym górskim grzbiecie zaskoczyła ich burza i trafił w nich piorun grubości człowieka. O namiotach zmiażdżonych przez złamane drzewa albo zmiecionych przez krople deszczu wielkości piłek tenisowych i sfruwających jak paralotnie na dno przepaścistych dolin. O niezliczonych wędrowcach, których ostatnia myśl w obliczu trzęsącej się ziemi brzmiała: „Co jest, do jasnej...?".

Wystarczała powierzchowna lektura książek przygodowych i choćby najmniejsza szczypta wyobraźni, żeby zobaczyć w głowie sytuacje, w których mogłem się znaleźć: osacza mnie zacieśniający się krąg wygłodniałych wilków, szamoczę się i zrzucam z siebie ubranie po napaści rozjuszonych mrówek ognistych, stoję jak skamieniały na widok ściółki, która nagle ożyła i zbliża się do mnie jak torpeda przez wodę, po czym szarpie nią do tyłu dzik wielkości kanapy z zimnymi, połyskliwymi oczami, przeraźliwym kwikiem i żarłocznym, nieposkromionym apetytem na różowe, pulchne, zmiękczone przez miejskie życie mięso ludzkie.

Potem były wszystkie zarazki i choroby, które czają się w lasach — lamblia, wschodnie końskie zapalenie mózgu, gorączka plamista, borelioza, *Helicobacter pylori*, *Ehrlichia chaffeenis*, schistosomatoza, bruceloza i shigella, by ograniczyć się do wąskiej grupy przykładów. Wschodnie końskie zapalenie mózgu, wywoływane przez ukąszenie komara, atakuje mózg i centralny układ nerwowy. Można mówić o szczęściu, kiedy człowiek spędzi resztę życia na wózku inwalidzkim ze śliniakiem na szyi, ale generalnie choroba ta jest śmiertelna. Do tej pory nie znaleziono metody jej leczenia. Równie intrygująca jest borelioza, przenoszona przez kleszcze. Zarażony nią człowiek może przez wiele lat nie odczuwać żadnych dolegliwości, po czym pojawia się istna feeria symptomów. Jest to choroba dla ludzi, którzy chcą doświadczyć w życiu wszystkiego. Zaczyna się od bólów głowy, zmęczenia, gorączki, dreszczy, zadyszki, zawrotów głowy i rwącego bólu kończyn, potem dochodzą do tego zaburzenia rytmu serca, paraliż mięśni twarzy, skurcze mięśniowe, poważne upośledzenia nerwowe, utrata kontroli nad funkcjami organizmu i — co w opisanych okolicznościach nie powinno nikogo dziwić — chroniczna depresja.

Następnie mamy mało znaną rodzinę organizmów zwanych hantawirusami, które kłębią się w mikroskopijnej mgiełce otaczającej odchody myszy i szczurów i są wysysane do systemu oddechowego przez pechowców, którzy przybliżą do nich jeden z otworów oddechowych — na przykład położą się na platformie do spania, po której niedawno goniły zarażone myszy. W 1993 roku podczas jednej z epidemii hantawirus zabił trzydzieści dwie osoby w południowo-zachodnich Stanach Zjednoczonych, a rok później choroba ta dopadła swoją pierwszą ofiarę na AT. Zaraził się nią wędrowiec, który nocował w „szałasie zawładniętym przez gryzonie", przy czym trzeba dodać, że wszystkie szałasy przy tym szlaku są zawładnięte przez gryzonie. Pośród wirusów większą gwarancję śmierci daje tylko wścieklizna, ebola i HIV. Na hantawirusy również nie wynaleziono lekarstwa.

Wreszcie, ponieważ mówimy o Ameryce, nie można nie wspomnieć o groźbie morderstwa. Od 1974 roku na szlaku zamordowano co najmniej dziewięciu turystów — dokładna liczba zależy od tego, któremu źródłu zawierzymy i jak zdefiniujemy turystę. Podczas mojej wyprawy zabito dwie młode kobiety.

Z różnych praktycznych przyczyn, które wiążą się przede wszystkim z długimi, mroźnymi zimami w północnej Nowej Anglii, szlakiem tym można wędrować tylko przez kilka miesięcy w roku. Jeśli ktoś zaczyna od północnego końca, pod Mount Katahdin w Maine, musi zaczekać do przełomu maja i czerwca, kiedy topnieją śniegi. Z kolei jeśli ktoś zaczyna od strony Georgii i zmierza na północ, musi zdążyć przed połową października, kiedy śniegi powracają. Większość ludzi wyrusza wiosną z południa na północ. Najlepiej jest tak ustalić harmonogram, żeby o krok wyprzedzać najbardziej upalną pogodę oraz najbardziej dokuczliwe i roznoszące choroby zakaźne owady. Ja planowałem wystartować na południu z początkiem marca. Na pierwszy etap zarezerwowałem sobie sześć tygodni.

Kwestia dokładnej długości Appalachian Trail pozostaje interesującą zagadką. US National Park Service, instytucja znana z licznych wpadek, w jednej ulotce podaje dwie różne liczby: 3468 i 3540 kilometrów. W oficjalnych przewodnikach po szlaku, zestawie jedenastu książek, z których każda obejmuje jeden stan lub etap, można znaleźć liczby 3450, 3455, 3474 i „ponad 3460 kilometrów". W 1993 roku dyrekcja Appalachian Trail ustaliła długość szlaku na dokładnie 3456 kilometrów, aby parę lat później znacznie mniej stanowczo stwierdzić, że AT ma „ponad 3460 kilometrów", ale niedawno postanowiła znowu wykazać się precyzją i podała liczbę 3467,5 kilometra. W 1990 roku trzech ludzi rozciągnęło taśmę mierniczą na całej długości szlaku i wyszło im 3483,97 kilometra. Mniej więcej w tym samym czasie dokonano mniej dokładnego wyliczenia na podstawie map geodezyjnych, które dało w wyniku 3408,98 kilometra.

Jedno jest pewne: to kawał drogi niezależnie od tego, z którego końca się zacznie, i szlak jest piekielnie trudny do przejścia. Wierzchołki na tej trasie nie należą do najwyższych w porównaniu na przykład z Alpami — najwyższy, Clingmans Dome w Tennessee, liczy 2042 metry — ale są całkiem spore i ciągną się bez końca. Na szlaku jest ponad 350 szczytów o wysokości ponad 1500 metrów i może z tysiąc niewiele niższych. To tak, jakby w jeden tydzień pięćdziesiąt razy wejść na Snowdon. W sumie potrzeba pięciu miesięcy i pięciu milionów kroków, żeby przemierzyć cały szlak.

Na Appalachian Trail wszystko, czego potrzebujemy, musimy dźwigać na własnych plecach. Chociaż wydaje się to oczywiste, przeżyłem lekki szok, kiedy sobie uświadomiłem, że wyprawa ta w niczym nie będzie przypominała wędrówki przez angielski Lake District, gdzie człowiek pakuje do plecaczka prowiant i mapę, by pod koniec dnia zejść z gór do przytulnego schroniska. Tutaj śpi się pod gołym niebem i samemu gotuje. Niewielu osobom udaje się zmieścić w mniej niż dwudziestu kilogramach, a uwierzcie mi, że kiedy ktoś przemieszcza się z takim ciężarem na grzbiecie, cały czas odczuwa każdy gram. Przejść 3000 kilometrów to coś zupełnie innego, niż pokonać 3000 kilometrów z całą garderobą na plecach.

Po raz pierwszy zaczęło mi świtać, na co się porwałem, kiedy poszedłem do sklepu Dartmouth Co-Op kupić ekwipunek. Mój syn właśnie zaczął tam dorabiać po szkole, więc otrzymałem polecenie, że mam się właściwie zachowywać. Konkretnie miałem nie mówić ani nie robić niczego głupiego, nie przymierzać czegoś, co wymagałoby odsłonięcia brzucha, nie mówić: „Jaja pan sobie ze mnie robi?" po uzyskaniu informacji o cenie produktu i nie okazywać braku zainteresowania podczas wyjaśnień sprzedawcy na temat użytkowania produktu. Przede wszystkim zaś nie wolno mi było włożyć na siebie czegoś nieodpowiedniego, na przykład kobiecej czapki narciarskiej, w celach żartobliwych.

Syn kazał mi zapytać o Dave'a Mengle'a, który osobiście przemierzył spore odcinki szlaku i był chodzącą encyklopedią trekkingowej wiedzy. Mengle, człowiek przyjazny i skromny, potrafił przez cztery dni opowiadać z pasją o dowolnym aspekcie ekwipunku górskiego.

Byłem pod wielkim wrażeniem, a jednocześnie kompletnie oszołomiony. Przez całe popołudnie przeglądaliśmy asortyment. Mówił do mnie na przykład takie rzeczy: „Ten ma tropik z jedwabiu siedemdziesiątki o wodoodporności 1800. Z drugiej strony, i tutaj będę z panem najzupełniej szczery...". W tym momencie pochylał się ku mnie, zniżał głos i konfidencjonalnym tonem, tak jakby wyjawiał mi, że aresztowano go kiedyś w publicznej toalecie z marynarzem, informował: „Nie ma cichych zamków YKK, a przedsionek jest trochę ciasny".

Wspomniałem mu, że w Anglii trochę chodziłem po górach, i przypuszczalnie z tego właśnie powodu przypisywał mi pewien poziom kompetencji. Nie chciałem go zaniepokoić ani rozczarować, więc kiedy zadawał mi pytania typu: „Jaki jest pański pogląd na temat masztów z włókna węglowego?", z posępnym uśmiechem kręciłem głową, dając do zrozumienia, że osławiona różnorodność poglądów na ten sporny temat trochę mnie przytłacza, i mówiłem: „Wie pan co, jakoś nigdy nie mogłem wyrobić sobie zdania w tej kwestii — co pan o tym sądzi?".

Dogłębnie przedyskutowaliśmy takie tematy, jak system rozstawiania, typ spojenia okna, profilowanie podłogi, samogasnący poliester pokryty PU, samorolujące zasłony, wielopunktowy system nośny, komin kompresowany, panel przedni umożliwiający dotroczenie dodatkowego sprzętu, szpejarki na pasie biodrowym czy system bocznych pasów zaciskających z szybkozłączkami. Każdej pozycji poświęciliśmy wiele uwagi. Nawet przy wyborze aluminiowego kochera trzeba było uwzględnić takie czynniki, jak waga, kompaktowość, sprawność cieplna i ogólna użyteczność, których omówienie zajęło nam wiele godzin. Podczas przechodzenia od regału do regału toczyliśmy ogólne dyskusje o trekkingu, dotyczące przede wszystkim takich niebezpieczeństw, jak lawiny skalne, spotkania z niedźwiedziami, wybuchy kuchenek i ukąszenia węży — Dave mówił o tym z wyraźnym upodobaniem i zamglonym wzrokiem.

Przy każdej możliwej okazji kładł wielki nacisk na wagę produktu. Wydawało mi się, że to przesada, żeby wybrać ten śpiwór, a nie inny, ponieważ waży o kilka gramów mniej, ale kiedy sprzęt zaczął się piętrzyć wokół nas, dotarło do mnie, że gramy składają się na kilogramy. Nie sądziłem, że kupię tak dużo rzeczy — miałem już przecież górskie buty, scyzoryk i plastikowe etui na mapę do noszenia na szyi, uważałem więc, że jestem już całkiem solidnie wyposażony — ale im dłużej rozmawiałem z Dave'em, tym bardziej sobie uświadamiałem, że robię zakupy na poważną ekspedycję.

Dwie sprawy mnie zaszokowały: jakie wszystko jest drogie — za każdym razem, kiedy Dave zniknął w magazynie albo sprawdzał wagę przędzy jedwabnej, ukradkiem zerkałem na etykietki z ceną i nieodmiennie byłem przerażony — i że każdy element ekwipunku wymaga zakupu jakiegoś innego elementu ekwipunku. Jeśli kupisz śpiwór, musisz dobrać do niego pokrowiec. A ten kosztował dwadzieścia dziewięć dolarów. Nie umiałem wzbudzić w sobie sympatii do takiego systemu.

Kiedy po dojrzałym namyśle wybrałem plecak — bardzo drogi, marki Gregory, z najwyższej półki, bo „na tym nie ma sensu oszczędzać" — Dave powiedział:

— Jakie pan chce do niego troki?

— Że co proszę? — zdziwiłem się i od razu zauważyłem, że stoję na progu kryzysu zwanego wypaleniem konsumenckim. Skończyły się już czasy, kiedy beztrosko mówiłem: „Niech mi pan da sześć sztuk. Tych proszę osiem — zresztą co się będę szczypał, niech mi pan da dziesięć. Żyje się raz, no nie?". Sterta ekwipunku, która minutę wcześniej tak przyjemnie się piętrzyła i bardzo mnie ekscytowała — wszystko nowe! wszystko moje! — nagle zaczęła się wydawać uciążliwa i marnotrawna.

— Troki — powtórzył Dave. — Żeby przypiąć śpiwór i wszystko pozaciągać.

— Troków nie ma na wyposażeniu plecaka? — spytałem lekko poirytowanym tonem.

— Nie. — Przeciągnął wzrokiem po ścianie towarów i przytknął palec do nosa. — Oczywiście będzie pan też potrzebował osłony przeciwdeszczowej.

Zamrugałem nerwowo.

— Osłony przeciwdeszczowej? Po co?

— Na deszcz.

— Plecak nie jest wodoodporny?

Zrobił taką minę, jakby przyszło mu dokonać wyjątkowo zniuansowanego rozróżnienia.

— No, nie w stu procentach...

Moje zdumienie nie miało granic.

— Naprawdę? Czy producentowi nie przyszło do głowy, że ludzie od czasu do czasu mogą zechcieć wyjść z plecakiem na zewnątrz? A może nawet nocować pod namiotem? Ile dokładnie kosztuje ten plecak?

— Dwieście pięćdziesiąt dolarów.

— Dwieście pięćdziesiąt dolarów! Jaja pan sobie... — urwałem i zmieniłem ton. — Chce pan powiedzieć, że płacę dwieście pięćdziesiąt dolarów za plecak, który nie ma troków i nie jest wodoodporny?

Skinął głową.

— A ma przynajmniej dno?

Mengle uśmiechnął się z zakłopotaniem. Krytyka niewyczerpanego, tak wiele obiecującego świata ekwipunku trekkingowego nie leżała w jego naturze.

— Troki są w sześciu kolorach — rzucił na pocieszenie.

Wyszedłem ze sklepu z taką ilością sprzętu, że mógłbym zatrudnić na pełny etat całą dolinę Szerpów — namiot na trzy pory roku, samonadmuchujący się materac, zestaw menażek, składane sztućce, plastikowy talerz i kubek, filtr do wody ze skomplikowanym systemem pompowania, płócienne woreczki w całej tęczy kolorów, uszczelniacz do szwów, zestaw do łatania, śpiwór, linki, bidony, wodoodporna peleryna, wodoodporne zapałki, osłona na plecak, zgrabny breloczek z wbudowanym kompasem i termometrem, składana kuchenka, która dobitnie zapowiadała kłopoty, butla z gazem i zapasowa butla z gazem, latarka czołówka (bardzo mi się spodobała), duży nóż do zabijania niedźwiedzi i włóczęgów, bielizna termalna, cztery chusty i mnóstwo innych rzeczy, z których częścią musiałem wrócić do sklepu i zapytać, do czego służą. Odmówiłem zakupu markowej podłogi do namiotu za 59,95 dolarów, ponieważ wiedziałem, że w hipermarkecie dostanę brezentową płachtę za pięć dolarów. Za niepotrzebne, zbyt drogie lub obciachowe uznałem również apteczkę, zestaw do szycia, zestaw przeciwko ukąszeniom węży, gwizdek awaryjny za dwanaście dolarów i pomarańczową plastikową łopatkę do zakopywania kupy. Zwłaszcza pomarańczowa łopatka zdawała się krzyczeć: „Żółtodziób! Laluś! Delikacik!".

Żeby za jednym razem mieć wszystko z głowy, poszedłem do księgarni i kupiłem książki — *The Thru-Hiker's Handbook*, *Walking the Appalachian Trail*, różne pozycje o florze i faunie, historię geologiczną Appalachian Trail autorstwa pana o pięknym nazwisku V. Collins Chew i wspomniany już zestaw przewodników po Appalachian Trail, który składał się z jedenastu książeczek i pięćdziesięciu dziewięciu map w różnych rozmiarach, stylach i skalach, obejmujących cały szlak od Springer Mountain po Mount Katahdin, a sprzedawany był po niewygórowanej cenie 233,45 dolarów. Wychodząc, zauważyłem książkę *Bear Attacks. Their Causes and Avoidance* (*Ataki niedźwiedzi: co je wywołuje i jak ich uniknąć*). Otworzyłem ją na chybił trafił, przeczytałem zdanie: „Jest to czytelny przykład ogólnego typu incydentu, w którym niedźwiedź czarny widzi człowieka i postanawia go zabić i zjeść" i ją również wrzuciłem do koszyka.

Zawiozłem ten cały kram do domu i na kilka razy zniosłem do przyziemia. Sposób użytkowania większości tych rzeczy nie był mi znany, co budziło we mnie podniecenie i obawy, ale przede wszystkim to drugie. Założyłem na głowę czołówkę, żeby było weselej, wyjąłem namiot z plastikowego pokrowca i rozbiłem go na podłodze. Rozwinąłem samonadmuchujący się materac, wepchnąłem go do środka i dałem mu do towarzystwa puchowy śpiwór. Potem wczołgałem się do namiotu i leżałem tam przez dłuższy czas, żeby wypróbować kosztowną, jasną, dziwnie pachnącą nowością i zupełnie dla mnie obcą przestrzeń, która wkrótce miała się stać moim przenośnym domem. Próbowałem sobie wyobrazić, że nie leżę w przyziemiu obok kojącego, przytulnego i oswojonego pieca grzewczego, ale na zewnątrz, na wysokiej górskiej przełęczy, słucham wiatru i szumu drzew, samotnych nawoływań psopodobnych stworzeń, chrapliwego szeptu, który dialektem z gór Georgii mówi: „Ej, Virgil, tamoj jakiś liga. Wziuneś linę?". Nie udało mi się jednak.

Nie przebywałem w tego rodzaju przestrzeni od czasu, kiedy w wieku mniej więcej dziewięciu lat przestałem robić jaskinie z koców i stolików. Było naprawdę całkiem przytulnie i jeśli pominąć zapach (naiwnie uznałem, że z czasem wywietrzeje) i fakt, że brezent nadawał wnętrzu namiotu chorobliwie zielonkawy kolor, przypominający odblask ekranu radaru, nie czułem się tam źle. Było może trochę klaustrofobicznie i mało przyjemnie pod względem zapachowym, ale przytulnie i stabilnie.

Nie będzie tak źle, powiedziałem sobie. W duchu jednak wiedziałem, że z gruntu się mylę.

Piątego lipca 1983 roku po południu trzech dorosłych opiekunów i grupa młodzieży rozbiła obóz w popularnym miejscu nad jeziorem Canimina pośród lasów sosnowych zachodniego Quebecu, około 130 kilometrów na północ od Ottawy, w parku, który nazywa się La Verendrye Provincial Reserve. Ugotowali sobie kolację, a później, zgodnie z zasadami, włożyli pozostałą żywność do worka i w odległości około trzydziestu metrów od obozu zawiesili go na linie między dwoma drzewami, poza zasięgiem niedźwiedzi.

Koło północy niedźwiedź czarny zaczął grasować po obrzeżach obozu, zauważył worek i ściągnął go na dół w ten sposób, że wspiął się na jedno z drzew i złamał gałąź. Splądrował jedzenie i poszedł sobie, ale godzinę później wrócił. Tym razem wszedł na teren obozu przyciągnięty zapachem gotowanego jedzenia, który wniknął w ubrania i włosy obozowiczów, a nawet w materiał, z którego uszyte były śpiwory i ściany namiotów. Uczestnicy wycieczki nie pospali tej nocy zbyt wiele. Między północą a wpół do czwartej rano niedźwiedź trzy razy przychodził do obozu.

Jeśli jesteście masochistami, wyobraźcie sobie, że leżycie sami po ciemku w małym namiocie, od chłodnego nocnego powietrza oddziela was zaledwie kilka mikronów drżącego nylonu i słyszycie, jak dwustukilowy kolos łazi po waszym obozowisku. Wyobraźcie sobie jego ciche pomruki i zagadkowe pociąganie nosem, brzęk wywracanych naczyń i mlaskające odgłosy przeżuwania, tupot nóg i ciężki oddech, szelest cielska ocierającego się o ścianę namiotu. Wyobraźcie sobie ciepłe uderzenie adrenaliny, to niemiłe łaskotanie z tyłu ramion, kiedy pysk niedźwiedzia nagle trąci w wejście do namiotu, a plecak, który tam postawiliście, przeniesie drgania na wasze zdrętwiałe ze strachu stopy... Aha! plecak... nagle sobie przypominacie, że w kieszonce został snickers. Słyszeliście, że niedźwiedzie uwielbiają snickersy.

Potem nachodzi was straszna myśl: O Boże, ja chyba wyjąłem tego snickersa z plecaka, on jest gdzieś tutaj, koło stóp albo pode mną — o cholera, tutaj. Kolejne walnięcie prychającej głowy o ścianę namiotu, tym razem koło waszych ramion. Całą sadybą znowu zachwiało. Potem cisza, bardzo długa cisza i — chwila, ciiiii... tak! Niewypowiedziana ulga, kiedy sobie uświadamiacie, że niedźwiedź udał się na drugą stronę obozowiska albo potuptał do lasu. Powiem wam od razu: ja bym tego nie wytrzymał.

Wyobraźcie sobie zatem, co musiał czuć biedny mały David Anderson, lat dwanaście, kiedy o wpół do czwartej rano, podczas trzeciej wizyty zwierzęcia, jego namiot został nagle rozdarty machnięciem łapy i niedźwiedź, otumaniony silnym, unoszącym się w powietrzu zapachem hamburgera, wbił zęby w czmychającą zbyt późno nogę i zawlókł wrzeszczącego, wierzgającego chłopca do lasu. Przez te kilka chwil, zanim inni obozowicze zdążyli wysupłać się ze śpiworów — wyobraźcie sobie przy okazji, że wynurzacie się ze śpiworów, które nagle stały się przepastne, chwytacie w garść latarki i prowizoryczne pałki, błąkającymi się bezradnie palcami odsuwacie zamek namiotu i ruszacie w pogoń — przez te kilka chwil biedny mały David Anderson był martwy.

Teraz wyobraźcie sobie, że czytacie książkę dokumentalną nafaszerowaną tego rodzaju historiami — relacjonowanymi beznamiętnie prawdziwymi opowieściami — zanim sami wyruszycie na wyprawę trekkingową w północnoamerykańską głuszę. Książka, o której mówię, nosi tytuł *Bear Attacks. Their Causes and Avoidance*, a napisał ją kanadyjski naukowiec Stephen Herrero. Jeśli pozycja ta nie jest ostatnim słowem na ten temat, to naprawdę, ale to naprawdę nie chcę usłyszeć ostatniego słowa. Przez długie zimowe wieczory w New Hampshire, kiedy na zewnątrz sypał śnieg, a moja żona smacznie spała obok mnie, z oczami jak spodki leżałem w łóżku i czytałem klinicznie drobiazgowe relacje o ludziach, którzy zostali pogryzieni na miazgę w swoich śpiworach, ściągnięci z drzew, na które w panice uciekli, a nawet bezgłośnie zaskoczeni (nie miałem pojęcia, że niedźwiedzie tak potrafią!), kiedy spacerowali sobie błogo leśnymi dróżkami albo chłodzili stopy w górskim potoku. Jedynym błędem, który zaprowadził ich do grobu, było to, że zaaplikowali sobie na włosy odrobinę pachnącego żelu, zjedli kawałek soczystego mięsa, włożyli do kieszeni snickersa, uprawiali wcześniej seks, menstruowali czy też w jakikolwiek inny, nieświadomy sposób podrażnili niezwykle czułe receptory zapachowe głodnego niedźwiedzia. Albo po prostu mieli ogromnego pecha — wyszli zza zakrętu i zobaczyli na swojej drodze humorzastego samca, który na ich widok pokiwał z zadowoleniem głową, czy też przypadkiem zawędrowali na terytorium niedźwiedzia za bardzo zniedołężniałego albo leniwego, żeby uganiać się za szybszą zwierzyną.

Należy jednak podkreślić, że prawdopodobieństwo niebezpiecznego ataku niedźwiedzia na człowieka pokonującego Appalachian Trail jest niewielkie. Przede wszystkim, naprawdę groźny amerykański niedźwiedź, grizzly — *Ursus horribilis*, jak go obrazowo, ale trafnie nazwano — nie mieszka na wschód od Missisipi, co jest dobrą wiadomością, ponieważ niedźwiedzie grizzly są wielkie, silne i szybko wpadają w gniew. Kiedy Lewis i Clark wyruszali na wyprawę w nieznane, stwierdzili, że nic nie deprymuje Indian bardziej niż grizzly, czemu trudno się dziwić, bo choćbyś podziurawił tę bestię strzałami z łuku — zrobił z niej jeżozwierza — i tak jej nie zatrzymasz. Nawet Lewis i Clark, uzbrojeni w wielkie strzelby, ze zdumieniem i konsternacją stwierdzili, że ołowiane kulki nie robią na niedźwiedziu szarym większego wrażenia.

Herrero relacjonuje incydent ładnie ilustrujący fakt, że grizzly jest prawie niezniszczalny. Bohaterem tego wydarzenia jest zawodowy myśliwy z Alaski, Alexei Pitka, który tropił po śniegu dużego samca i w końcu go powalił dobrze wymierzonym strzałem w serce ze strzelby dużego kalibru. Szkoda, że Pitka nie przeczytał następującego punktu regulaminu: „Najpierw sprawdzić, czy niedźwiedź nie żyje. Potem odłożyć strzelbę". Myśliwy ostrożnie podszedł do niedźwiedzia i przez parę minut obserwował, czy jego ofiara się nie rusza, a kiedy nie stwierdził żadnych oznak życia, oparł strzelbę o drzewo — wielki błąd — i triumfalnym krokiem pomaszerował po swoje trofeum. Kiedy był już blisko, niedźwiedź zerwał się na nogi, swoimi przednimi łapami objął Pitkę za przód głowy, jakby chciał go wycałować, i jednym szarpnięciem oderwał mu twarz.

Pitka jakimś cudem przeżył. „Nie wiem, dlaczego odstawiłem strzelbę pod drzewo", powiedział później. W rzeczywistości słowa te bardziej przypominały „mrffff mmmpg nnnmmm mfffffn", ponieważ nieszczęśnik nie miał warg, zębów, nosa, języka ani innych elementów aparatu głosowego.

Gdybym miał zostać sponiewierany i spałaszowany — im dłużej czytałem, tym bardziej możliwe mi się to wydawało — to prędzej przez niedźwiedzia czarnego, *Ursus americanus*, zwanego też baribalem. W Ameryce Północnej żyje co najmniej 500 000 czarnych niedźwiedzi, niektórzy mówią nawet o 700 000. Szczególnie upodobały sobie wzgórza wokół Appalachian Trail (często zresztą korzystają ze szlaku, bo tak jest im wygodniej), a ich liczebność rośnie. Tymczasem populacja grizzly nie przekracza 35 000 w całej Ameryce Północnej, a w Stanach Zjednoczonych poza Alaską wynosi zaledwie 1000, przy czym większość z nich mieszka w Parku Narodowym Yellowstone i okolicy. Niedźwiedzie czarne są generalnie mniejsze od szarych (co nie znaczy małe, samiec potrafi ważyć 300 kilo) i niezaprzeczalnie mniej agresywne.

Czarne niedźwiedzie rzadko atakują. Problem w tym, że czasem to się zdarza. Wszystkie niedźwiedzie są zwinne, sprytne i bardzo silne, a na dodatek wiecznie głodne. Jeśli przyjdzie im ochota cię zabić i pożreć, potrafią to zrobić i raczej nie będziesz w stanie im w tym przeszkodzić. Nie zdarza się to często, ale — tutaj właśnie tkwi sedno sprawy — wystarczy raz.

Herrero wielokrotnie podkreśla, że ataki baribali zdarzają się rzadko, zwłaszcza przy uwzględnieniu ich liczebności. Jak udało mu się ustalić, w latach 1900–1980 miały miejsce tylko dwadzieścia trzy dokumentowane przypadki zabicia człowieka przez czarnego niedźwiedzia (grizzly były mniej więcej dwa razy skuteczniejsze), w większości na zachodzie Stanów

Zjednoczonych i w Kanadzie. W New Hampshire nie odnotowano ani jednego niesprowokowanego i zakończonego skutkiem śmiertelnym ataku na człowieka od 1784 roku, a w Vermoncie nie zdarzyło się to nigdy.

Bardzo chciałem znaleźć pocieszenie w tych zapewnieniach, ale nie umiałem się zdobyć na niezbędne w tym przypadku zaufanie do opatrzności. Herrero pisze, że w latach 1960–1980 tylko 500 osób zostało zaatakowanych i zranionych przez baribale — dwadzieścia pięć napaści rocznie przy populacji liczącej co najmniej pół miliona — i dodaje, że obrażenia w większości nie były zbyt ciężkie. „Typowe obrażenia są niewielkie i z reguły ograniczają się do kilku zadrapań i lekkich ugryzień".

Bardzo przepraszam, ale co to właściwie jest lekkie ugryzienie? Mówimy tutaj o figlarnych zapasach i cmokach? Wątpię. A czy 500 udokumentowanych ataków to rzeczywiście tak mało, zważywszy na to, jak niewielu ludzi chodzi po północnoamerykańskich lasach? Czy nie trzeba być idiotą, żeby uspokoiła kogoś informacja, że od 200 lat żaden niedźwiedź nie zabił człowieka w Vermoncie ani New Hampshire? Niedźwiedzie nie podpisały z nami traktatu pokojowego. Nic nie stoi na przeszkodzie, żeby jutro urządziły sobie lekką masakrę.

Wyobraźmy sobie zatem, że niedźwiedź zagnie na nas parol. Jak należy się zachować w takiej sytuacji? Co ciekawe, zalecane strategie różnią się diametralnie w zależności od tego, czy chodzi o niedźwiedzia szarego czy czarnego. Na widok grizzly powinieneś uciekać na wysokie drzewo, ponieważ zwierzęta te słabo się wspinają. Jeśli w pobliżu nie ma żadnego drzewa, należy wycofać się powoli, unikając kontaktu wzrokowego. Wszystkie książki mówią, że jeżeli idzie po ciebie grizzly, pod żadnym pozorem nie powinieneś uciekać. Tego rodzaju rady można udzielić tylko zza klawiatury komputera. Uwierzcie mi na słowo — jeśli znajdziecie się na otwartej przestrzeni bez broni i zobaczycie grizzly, bierzcie nogi za pas. W najgorszym razie da wam to siedem sekund więcej na przedśmiertne refleksje, ale kiedy grizzly was dogoni, a z dużą dozą pewności można przewidzieć, że tak się stanie, padnijcie na ziemię i udawajcie martwego. Grizzly być może pociamka przez parę minut którąś z waszych kończyn, ale na ogół straci zainteresowanie i pójdzie sobie. Z baribalami udawanie martwego nic jednak nie da, ponieważ ten gatunek skończy ciamkać na długo po tym, jak przestanie to mieć dla was jakiekolwiek znaczenie. Nie ma też sensu wchodzić na drzewo, ponieważ czarne niedźwiedzie zręcznie się wspinają. Jak zgryźliwie podsumowuje Herrero, efekt będzie taki, że powalczycie sobie z niedźwiedziem na drzewie.

Herrero sugeruje, że aby odpędzić agresywnego baribala, najlepiej zrobić jak najwięcej hałasu, walić garnkami i patelniami, rzucać patykami i kamieniami i „biec na niedźwiedzia". (Już to widzę. Pan pierwszy, profesorze). Z drugiej strony, rozsądnie dodaje autor, tego rodzaju taktyka może „dodatkowo rozjuszyć niedźwiedzia". Wielkie dzięki. W innym miejscu Herrero sugeruje, że turyści górscy powinni od czasu do czasu wydawać z siebie jakieś dźwięki — na przykład zaśpiewać piosenkę — żeby powiadomić niedźwiedzie o swojej obecności, ponieważ niedźwiedź zaskoczony częściej będzie również niedźwiedziem rozgniewanym, ale kilka stron później autor ostrzega, że „robienie hałasu może być niebezpieczne", ponieważ może przyciągnąć głodnego niedźwiedzia, który w przeciwnym razie by nas nie zauważył.

Prawda jest taka, że nikt nam nie powie, co powinniśmy zrobić, kiedy znajdziemy się w tego rodzaju opałach. Niedźwiedzie są nieprzewidywalne i to, co sprawdza się w jednych okolicznościach, może nie sprawdzić się w innych. W 1973 roku dwóch nastolatków, Mark Seeley i Michael Whitten, poszło na wycieczkę do Parku Yellowstone i nagle znaleźli się pomiędzy niedźwiedzią matką i jej małymi. Nic bardziej nie martwi i nie antagonizuje samicy niedźwiedzia niż ludzie kręcący się koło jej potomstwa. Rozjuszona mama obróciła się i ruszyła w pogoń — mimo swego kolebiącego sposobu poruszania się niedźwiedzie potrafią osiągnąć prędkość do sześćdziesięciu kilometrów na godzinę — a chłopcy wdrapali się na drzewa. Niedźwiedzica zaczęła się wspinać na drzewo, na którym był Whitten, zacisnęła szczęki na jego prawej stopie, po czym powoli i cierpliwie ściągnęła go z gałęzi. (Czy tylko ja czuję, jak moje paznokcie wpijają się w korę drzewa?) Kiedy oboje znaleźli się już na ziemi, niedźwiedzica przystąpiła do ucztowania. Próbując odciągnąć jej uwagę od kolegi, Seeley zaczął na nią krzyczeć, co miało taki skutek, że niedźwiedzica jego również ściągnęła z drzewa. Obaj młodzieńcy zaczęli udawać martwych — czyli postąpili dokładnie odwrotnie, niż radzą podręczniki — i niedźwiedzica poszła sobie.

Nie powiem, że wpadłem w obsesję na tym punkcie, ale kiedy czekałem na nadejście wiosny, kwestia ta zajmowała wiele miejsca w moich myślach. Największą grozę budziła we mnie perspektywa — malująca się jaskrawo w mojej głowie możliwość, która kazała mi noc w noc wpatrywać się w cienie drzew na suficie mojej sypialni — że leżę w małym namiocie, samiuteńki pośród najciemniejszej dziczy, słyszę odgłosy buszującego na zewnątrz niedźwiedzia i zastanawiam się, jakie są jego zamiary. Moją szczególną uwagę przykuła amatorska fotografia zamieszczona w książce Herrery, zrobiona w nocy z użyciem lampy błyskowej przez biwakowicza na zachodzie USA. Na zdjęciu uchwycone zostały cztery baribale, które rozmyślały o tym, jak się dobrać do zawieszonego między drzewami worka z żywnością. Błysk flesza wyraźnie zaskoczył misie, ale w najmniejszym stopniu ich nie wystraszył. Mnie zaniepokoiły nie rozmiary ani postawa niedźwiedzi — wyglądały niemal komicznie nieagresywnie, jak czterech facetów, którzy zastanawiają się, jak odzyskać frisbee, które utknęło na drzewie — ale ich liczba. Nigdy wcześniej nie przyszło mi do głowy, że niedźwiedzie mogą grasować stadami. Co ja bym, do diabła, zrobił, gdyby do mojego obozu przyszły aż cztery niedźwiedzie?

Głupie pytanie — oczywiście bym umarł. Dosłownie posrałbym się na śmierć. Zwieracz wyskoczyłby mi z tyłka, jak te rozwijające się świstawki, które dzieci dostają na przyjęciach urodzinowych — może nawet gwizdnąłby radośnie — i wykrwawiłbym się nieestetycznie na śmierć w moim śpiworze.

Książka Herrery ukazała się w 1985 roku. Od tego czasu, według autora artykułu w „New York Times", liczba ataków niedźwiedzi w Ameryce Północnej wzrosła o 25 procent. Dziennikarz napisał również, że prawdopodobieństwo zaatakowania człowieka przez niedźwiedzia jest znacznie większe na wiosnę po roku, w którym słabo obrodziły jagody. W poprzednim roku bardzo słabo obrodziły. Niezbyt mi się to wszystko podobało.

Dochodziły do tego jeszcze problemy i zagrożenia związane z samotnością. Nadal mam wyrostek robaczkowy i mnóstwo innych narządów, które mogą pęknąć lub nawalić na odludziu. Co bym wtedy zrobił? Co będzie, jeśli spadnę z półki skalnej i skręcę sobie kark? Co będzie, jeśli zgubię szlak podczas śnieżycy albo mgły, ukąsi mnie jadowity wąż albo stracę równowagę na omszałych kamieniach podczas przechodzenia przez strumień, rozbiję sobie głowę i dostanę wstrząsu mózgu? Jeśli ktoś jest sam, może się utopić w wodzie o głębokości dziesięciu centymetrów. Może umrzeć od skręcenia kostki. Naprawdę bardzo mi się to wszystko nie podobało.

Przed Bożym Narodzeniem do kopert z kartkami świątecznymi wkładałem zaproszenia do udziału w mojej wyprawie, choćby tylko przez część drogi. Oczywiście nikt nie zareagował. A potem, pod koniec lutego, w dniu wyjazdu, zadzwonił telefon. Po drugiej stronie usłyszałem mojego dawnego kolegę ze szkoły, Stephena Katza. Katz i ja dorastaliśmy razem w Iowa, ale prawie nie utrzymywaliśmy ze sobą kontaktów. Ci z was, którzy czytali *Ani tu, ani tam*, mogą pamiętać Katza jako mojego młodego towarzysza podróży po Europie. W ciągu dwudziestu pięciu lat, które upłynęły od tego czasu, wpadłem na niego parę razy, kiedy odwiedzałem rodzinę, ale poza tym się z nim nie widziałem.

— Wahałem się, czy zadzwonić — powiedział powoli. Wydawało się, że szuka odpowiednich słów. — Ale ten Appalachian Trail... myślisz, że mógłbym pójść z tobą?

Nie wierzyłem własnym uszom.

— Chcesz pójść ze mną?

— Jeśli masz coś przeciwko temu, to zrozumiem.

— Mam coś przeciwko temu? — odparłem. — Nie, nie, nie. Wręcz przeciwnie. Bardzo się cieszę.

— Naprawdę?

Wyraźnie go to ożywiło.

— Oczywiście. — Naprawdę nie mogłem uwierzyć własnym uszom. Nie będę musiał iść sam. Wykonałem mały taniec radości. *Nie będę musiał iść sam.* — Nie wyobrażasz sobie, jak bardzo się cieszę.

— O, to świetnie — powiedział z wyraźną ulgą, a potem dodał konfidencjonalnym tonem: — Pomyślałem, że może nie zechcesz zabrać mnie z sobą.

— Dlaczego miałbym nie chcieć?

— No bo wiesz — dalej wiszę ci sześćset dolarów za Europę.

— No co ty, na pewno nie... naprawdę wisisz mi sześćset dolarów?

— Nadal zamierzam ci zwrócić.

— Hm — mruknąłem. — Hm. — Nie mogłem sobie przypomnieć żadnych 600 dolarów. Nigdy nikomu nie umorzyłem długu na taką skalę i potrzebowałem dłuższej chwili, żeby wydobyć z siebie następujące słowa: — Posłuchaj, nie ma problemu. Po prostu idź ze mną. Jesteś pewien, że dasz radę?

— Absolutnie.

— W jakiej jesteś formie?

— Świetnej. Ostatnio wszędzie chodzę na piechotę.

— Naprawdę?

W Ameryce jest to bardzo rzadkie zjawisko.

— Komornik zajął mi samochód.

— Aha.

Porozmawialiśmy jeszcze trochę o różnych sprawach — jego matce, mojej matce, Des Moines. Opowiedziałem mu wszystko, co wiedziałem (czyli niezbyt wiele) na temat szlaku i życia na pustkowiu, które nas czekało. Ustaliliśmy, że polecimy do New Hampshire w następną środę, poświęcimy dwa dni na przygotowania i ruszymy w drogę. Po raz pierwszy od wielu miesięcy z prawdziwym optymizmem patrzyłem na całe przedsięwzięcie. Katz również sprawiał wrażenie bardzo pozytywnie nastawionego, jak na osobę, która nie musi tego robić. Na koniec zapytałem:

— Ale jak stoisz z niedźwiedziami?

— Na razie mnie nie dopadły!

To się nazywa odpowiednia postawa, pomyślałem. Poczciwy stary Katz. Spadłeś mi z nieba.

Kiedy się rozłączyliśmy, przyszło mi do głowy, że nie

spytałem, dlaczego chce ze mną pójść. Był jedyną znaną mi osobą, którą umiałem sobie wyobrazić jako ukrywającą się przed facetami o takich imionach i ksywach jak Julio i Mister Big. Zresztą było mi wszystko jedno. Ważne, że nie musiałem iść sam.

Poszedłem do mojej żony, która stała w kuchni przy zlewie, i przekazałem jej dobrą wiadomość. Była bardziej powściągliwa w swoim entuzjazmie, niż się spodziewałem.

— Idziesz na wiele tygodni do lasu z osobą, z którą od dwudziestu pięciu lat prawie się nie widywałeś. Naprawdę dobrze się zastanowiłeś? — (Tak jakbym nad czymkolwiek dobrze się zastanawiał). — Wydawało mi się, że w Europie pod koniec działaliście sobie na nerwy.

— Nieprawda. — Wyraziła się nieprecyzyjnie. — Na początku działaliśmy sobie na nerwy. Pod koniec nie znosiliśmy się jak psy. Ale to było dawno.

Rzuciła mi spojrzenie wyrażające głębokie powątpiewanie.

— Nie macie ze sobą nic wspólnego.

— Mamy ze sobą bardzo wiele wspólnego. Obaj mamy czterdzieści cztery lata. Będziemy rozmawiali o hemoroidach, bólach w krzyżu i o tym, że nie pamiętamy, gdzie coś odłożyliśmy, a drugiego wieczoru ja powiem: „Mówiłem ci o moich problemach z kręgosłupem?", on powie, że chyba nie, i powtórzymy cały numer. Będzie świetnie.

— Będzie okropnie.

— Tak, wiem — przyznałem.

Sześć dni później stałem na naszym lokalnym lotnisku i patrzyłem, jak ląduje mały samolot pasażerski z Katzem na pokładzie, kołuje po pasie startowym i zatrzymuje się dwadzieścia metrów od terminalu. Buczenie śmigieł wzmogło się na chwilę, potem stopniowo ustało, drzwi samolotu się otworzyły i wypadły z nich schody. Próbowałem sobie przypomnieć, kiedy poprzedni raz widziałem Katza. Po naszej wspólnej wyprawie do Europy wrócił do Des Moines i w pojedynkę wziął na siebie zadanie stworzenia kwitnącej kultury narkotykowej w stanie Iowa. Balangował przez wiele lat, a kiedy nie miał już z kim balangować, robił to sam ze sobą, w małych mieszkaniach, w T-shirtach i bokserkach, z butelką, woreczkiem trawki i telewizorem z anteną pokojową. Przypomniałem sobie, że po raz ostatni widziałem go pięć lat wcześniej w jadłodajni Denny's, gdzie zabrałem moją mamę na śniadanie. Siedział przy stoliku z zabiedzonym facetem, który wyglądał tak, jakby przyszedł na świat zaraz po wojnie secesyjnej, jadł naleśniki i od czasu do czasu pociągał nielegalnego łyka z butelki w papierowej torbie. Była ósma rano i Katz wyglądał na bardzo szczęśliwego. Po pijanemu zawsze był szczęśliwy, a zawsze był pijany. Jak się potem dowiedziałem, dwa tygodnie później policja znalazła go w przewróconym kołami do góry samochodzie na polu koło miejscowości Mingo. Wisiał głową w dół na pasie bezpieczeństwa i wciąż trzymając w rękach kierownicę, zapytał: „Co panów sprowadza?". W schowku znaleziono niewielką ilość kokainy i Katz został skazany na osiemnaście miesięcy ograniczenia wolności. Podczas odbywania kary zaczął chodzić na spotkania AA. Ku wielkiemu zaskoczeniu wszystkich, nie wyłączając jego samego, od tego czasu nie tknął alkoholu ani żadnej nielegalnej substancji odurzającej.

Po wyjściu z więzienia znalazł pracę, zaczął zaocznie studiować i na jakiś czas związał się z fryzjerką imieniem Patty. Od trzech lat wiódł żywot przykładnego obywatela i — jak natychmiast zauważyłem, kiedy pojawił się w drzwiach samolotu — wyhodował sobie brzuch. Katz był frapująco obszerniejszy, niż kiedy go poprzednio widziałem. Nigdy nie narzekał na brak tkanki tłuszczowej, ale teraz przywodził na myśl Orsona Wellesa po bardzo ciężkiej nocy. Trochę utykał i dyszał bardziej, niżby to uzasadniał dwudziestometrowy spacer.

— Kurczę, ale jestem głodny — powiedział bez żadnych wstępów i dał mi do niesienia swoją torbę podróżną, która o mało nie wyrwała mi ramienia ze stawu.

— Co ty tam masz? — wyrzęziłem.

— Jakieś tam taśmy i różne bzdety na szlak. Jest tu gdzieś w pobliżu Dunkin' Donuts? Od Bostonu nic nie jadłem.

— Od Bostonu? Przecież właśnie przyleciałeś z Bostonu.

— Muszę jeść co godzinę, żeby nie dostać, jak to się nazywa, napadu drgawkowego.

— Napadu drgawkowego?

Nie taki był scenariusz naszego spotkania po latach, który ułożyłem sobie w głowie. Wyobraziłem sobie, jak Katz podskakuje na Appalachian Trail niby nakręcana zabawka, która wywróciła się na plecy.

— Odkąd jakieś dziesięć lat temu zjadłem zakażone fenyltiaminy. Jak zjem parę pączków czy coś, to zwykle jest w porządku.

— Stephen, za trzy dni znajdziemy się na kompletnym odludziu. Tam nie będzie kiosków z pączkami.

Rozpromienił się z dumą.

— Pomyślałem o tym. — Pokazał na swoją torbę (z zielonego brezentu), która jechała w naszą stronę po pasie transmisyjnym, i pozwolił mi ją podnieść. Ważyła co najmniej trzydzieści kilo. — Snickersy — wyjaśnił. — Cały wór snickersów.

Po drodze do domu wpadliśmy do Dunkin' Donuts. Moja żona i ja siedzieliśmy przy kuchennym stole i patrzyliśmy, jak Katz zjada pięć bostońskich pączków z kremem i popija dwiema szklankami mleka. Potem powiedział, że chciałby położyć się na chwilę. Wejście po schodach na górę zajęło mu dobre parę minut.

Moja żona odwróciła się do mnie z miną, która wyrażała głębokie niedowierzanie.

— Proszę cię, nic nie mów — powiedziałem.

Po południu, kiedy Katz wypoczął, poszliśmy razem do Dave'a Mengle'a, aby wyposażyć mojego towarzysza podróży w plecak, namiot, śpiwór i całą resztę, a następnie udaliśmy się do K-Martu po płachtę podłogową, bieliznę termalną i parę drobnych rzeczy. Po powrocie do domu Katz znowu trochę odpoczął.

Następnego dnia pojechaliśmy do supermarketu po prowiant na pierwszy tydzień na szlaku. Nie miałem pojęcia o gotowaniu, ale Katz od wielu lat sam prowadził dom i dysponował pewnym repertuarem dań, generalnie zawierających masło orzechowe, tuńczyka i makaron wymieszane razem w garnku. Był przekonany, że taki jadłospis można bez najmniejszego problemu przenieść do środowiska trekkingowego, ale załadował do wózka całe mnóstwo innych rzeczy — cztery duże kiełbasy pepperoni, pięć funtów ryżu, rozmaite herbatniki, owsiankę, rodzynki, M&M's, mielonkę, dodatkowy zapas snickersów, łuskany słonecznik, krakersy graham, ziemniaki purée, dwa duże worki brązowego cukru — absolutny fundament wyżywienia, powiedział z przekonaniem — kilka opakowań suszonej wołowiny, dwie kostki sera, szynkę w puszce, a także cały asortyment ciast i pączków z wieloletnim terminem przydatności do spożycia, produkowanych przez firmę o nazwie Little Debbie.

— Wiesz co, wydaje mi się, że tego wszystkiego nie udźwigniemy — zasugerowałem, kiedy umieścił w wózku mortadelę wielkości chomąta.

Katz z posępną miną przejrzał zawartość wózka.

— Masz rację — zgodził się ze mną. — Zacznijmy od nowa.

Zostawił wózek tam, gdzie stał, i poszedł po inny. Znowu objechaliśmy cały supermarket, tym razem próbując być bardziej inteligentnie selektywni, ale na koniec i tak było tego o wiele za dużo.

Zawieźliśmy wszystko do domu, podzieliliśmy między siebie i poszliśmy się pakować — Katz do pokoju, w którym trzymał wszystkie swoje rzeczy, ja do mojej kwatery głównej w przyziemiu. Pakowałem się przez dwie godziny, ale nie udało mi się wszystkiego zmieścić. Odłożyłem na bok książki, notatniki i prawie wszystkie zapasowe ubrania, wypróbowałem też dużo różnych kombinacji, ale za każdym razem na końcu się okazywało, że zostało mi coś dużego i ważnego. Ostatecznie poszedłem na górę, żeby zobaczyć się, jak radzi sobie Katz. Leżał na łóżku i słuchał muzyki na swoim walkmanie. Wszędzie walały się jego rzeczy. Plecak leżał zwiotczały i porzucony. Przez słuchawki wyciekały perkusyjne syknięcia muzyki.

— Pakujesz się? — zapytałem.

— No.

Zaczekałem chwilę, sądząc, że wstanie, ale nie ruszył się.

— Przepraszam cię, Stephen, ale sprawiasz wrażenie, jakbyś leżał na łóżku.

— No.

— Czy ty słyszysz, co ja do ciebie mówię?

— No, za chwilę.

Westchnąłem i wróciłem do przyziemia.

Katz prawie się nie odzywał podczas kolacji, a potem wrócił do swojego pokoju. Tego wieczoru nie mieliśmy już z nim kontaktu, ale koło północy, kiedy leżeliśmy w łóżku, przez ściany zaczęły przenikać różne hałasy — tupnięcia i mruczenie pod nosem, odgłosy przesuwania mebli i krótkie wybuchy wściekłości przerywające długie okresy ciszy. Wziąłem żonę za rękę, ale nie wiedziałem, co mógłbym jej powiedzieć.

Rano kilka razy zapukałem do pokoju Katza i w końcu wsunąłem głowę do środka. Spał w ubraniu na skotłowanej pościeli. Materac był częściowo zsunięty, tak jakby lokator pokoju zaangażował się w nocy w potyczkę z jakimiś intruzami. Plecak był pełny, ale niezapięty, a na podłodze nadal leżały różne osobiste rzeczy. Kiedy Katz się obudził, powiedziałem mu, że musimy wyjść za godzinę, żeby zdążyć na samolot.

— No — odparł.

Dwadzieścia minut później zszedł na dół, z wielkim mozołem i dużą ilością cichych bluzgów. Nawet bez patrzenia można było stwierdzić, że schodzi bokiem i ostrożnie, jakby schody były oblodzone. Dźwigał plecak. Poprzywiązywał do niego mnóstwo rzeczy — parę brudnych trampek i coś, co wyglądało na zwykłe półbuty, garnki i patelnie, torbę zakupową od Laury Ashley, którą znalazł w szafie ubraniowej mojej żony i ponapychał Bóg wie czym.

— Lepiej się nie dało — wyjaśnił. — Kilka rzeczy musiałem zostawić.

Skinąłem głową. Ja też zostawiłem kilka rzeczy — na przykład owsiankę, której zresztą nie lubię, i te ciasta od Little Debbie, które wyglądały szczególnie nieapetycznie, czyli wszystkie.

Moja żona zawiozła nas na lotnisko w Manchester, pośród padającego śniegu i niezręcznego milczenia, które poprzedza długą rozłąkę. Katz siedział z tyłu i jadł pączki. Na lotnisku żona wręczyła mi czekan, prezent od dzieci, który obwiązała czerwoną kokardką. Miałem ochotę wybuchnąć płaczem — albo jeszcze lepiej wsiąść do samochodu i czmychnąć — kiedy Katz nadal ze zmarszczoną miną przyglądał się swoim nowym, jeszcze nieoswojonym trokom. Ścisnęła mnie za ramię, uśmiechnęła się z rezygnacją i poszła.

Odprowadziłem ją wzrokiem, a potem ruszyłem razem z Katzem w stronę terminalu. Człowiek od odprawy spojrzał na nasze bilety do Atlanty i plecaki, po czym zapytał (uznałem, że całkiem czujnie jak na osobę noszącą w zimie koszulę z krótkimi rękawkami):

— Wybieracie się na Appalachian Trail?

— Nie gdzie indziej — odparł z dumą Katz.

— W Georgii wilki strasznie dają w kość.

— Naprawdę?

Katz nadstawił uszu.

— Aha. Ostatnio zaatakowały dwie osoby. I to dosyć ostro, z tego, co słyszałem. — Przez chwilę majstrował przy naszych biletach i etykietkach bagażowych. — Mam nadzieję, że zabraliście jakąś długą bieliznę.

Katz wytrzeszczył oczy ze zdziwienia.

— Na wilki?

— Nie, na pogodę. Przez następne cztery do pięciu dni będą tam rekordowe chłody. Dzisiaj w nocy w Atlancie jest dużo poniżej zera.

— O, super — powiedział Katz i wydał z siebie westchnienie rozpaczy. Potem spojrzał na naszego rozmówcę wyzywająco. — Ma pan dla nas jeszcze jakieś nowiny? Dzwonili ze szpitala, że mam raka albo coś w tym guście?

Urzędnik uśmiechnął się promiennie i plasnął naszymi biletami o blat.

— Nie, to już z grubsza wszystko. Życzę miłej podróży. Aha, jeszcze jedno. — Zniżonym głosem zwrócił się do Katza:

— Niech pan uważa na wilki, bo między nami mówiąc, wygląda pan na smakowity kąsek.

Mrugnął do niego porozumiewawczo.

— Jezu — powiedział Katz ledwo dosłyszalnym głosem i z głęboko przygnębioną miną.

Pojechaliśmy windą do naszej bramki.

— Na dodatek w samolocie nie dadzą nam nic do jedzenia — podsumował z rozdzierającą goryczą Katz.

Zaczęło się od Bentona MacKaye'a, łagodnego, dobrodusznego, pełnego dobrych intencji wizjonera, który latem 1921 roku w rozmowie ze swoim przyjacielem Charlesem Harrisem Whitakerem, wydawcą renomowanego czasopisma architektonicznego, przedstawił plan stworzenia szlaku pieszego. Powiedzieć, że dotychczasowe życie MacKaye'a nie układało się zbyt pomyślnie, to dopuścić się bezdusznego eufemizmu. W ciągu poprzedniej dekady wylano go z pracy na Harvardzie, zwolniono ze stanowiska w Narodowej Służbie Leśnej, a kiedy dostał posadę w Ministerstwie Pracy, z braku lepszego sposobu na jego wykorzystanie wydano mu ogólnikowe polecenie, żeby stworzył plan podniesienia wydajności i morale. Jak przystało na człowieka pracowitego i rzetelnego, MacKaye produkował ambitne, niemożliwe do realizacji propozycje, które przyjmowano z rozbawioną wyrozumiałością i bezzwłocznie wyrzucano do kosza. W kwietniu 1921 roku jego żona, znana pacyfistka i sufrażystka Jessie Hardy Stubbs, rzuciła się z mostu na East River w Nowym Jorku i utonęła.

Tyle tytułem wprowadzenia. Dziesięć tygodni po tym tragicznym wydarzeniu MacKaye powiedział Whitakerowi o swoim pomyśle na Appalachian Trail. Propozycja ta ukazała się w październiku następnego roku na niezbyt adekwatnym forum, czyli na łamach redagowanego przez Whitakera „Journal of the American Institute of Architects". Szlak pieszy był tylko jednym z elementów wielkiej wizji MacKaye'a. W jego koncepcji AT był nicią łączącą sieć górskich obozów pracy, do których przyjeżdżałyby tysiące bladych, przemęczonych robotników z miasta, żeby odrodzić się dzięki kontaktowi z naturą i wytężonej pracy w duchu altruistycznym. MacKaye przewidywał budowę schronisk, gospód i sezonowych ośrodków badawczych, a na dalszym etapie stałych osad pośród lasu — spółdzielni, których członkowie utrzymywaliby się z „działalności nieprzemysłowej" opartej na leśnictwie, rolnictwie i rzemiośle. Całe przedsięwzięcie miało stanowić, jak to ekstatycznie ujął MacKaye, „odejście od koncepcji zysku" — jak napisał jeden z jego biografów, a według niektórych komentatorów idea ta „pachniała bolszewizmem".

Kiedy MacKaye przedstawił swoją propozycję, na wschodzie Stanów Zjednoczonych istniało już wiele towarzystw krajoznawczych — między innymi Green Mountain Club, Dartmouth Outing Club i renomowany Appalachian Mountain Club — i te w większości patrycjuszowskie organizacje posiadały i utrzymywały setki kilometrów górskich i leśnych szlaków, przede wszystkim w Nowej Anglii. W 1925 roku przedstawiciele najważniejszych stowarzyszeń spotkali się w Waszyngtonie i założyli Appalachian Trail Conference, planując stworzenie liczącego około 2000 kilometrów szlaku łączącego dwa najwyższe szczyty na wschodzie: Mount Mitchell w Karolinie Północnej (2037 m n.p.m.) i o około 120 metrów niższy Mount Washington w New Hampshire. W ciągu następnych pięciu lat nic się jednak nie wydarzyło, w dużej mierze dlatego, że MacKaye zajął się udoskonalaniem i rozbudową swojej wizji, skutkiem czego zarówno sama wizja, jak i autor niemal całkowicie oderwali się od rzeczywistości.

Dopiero w 1930 roku, kiedy prace nad projektem przejął Myron Avery, młody prawnik pracujący dla marynarki wojennej, a jednocześnie zawołany wędrowiec, zaczęło się coś dziać, a potem sprawy ruszyły z kopyta. Avery nie należał do najsympatyczniejszych z ludzi. Pewien dziennikarz stwierdził, że pomiędzy Maine a Georgią Avery pozostawił dwa szlaki: „Szlak zranionych uczuć i poobijanych ego oraz Appalachian Trail". Nie miał cierpliwości do MacKaye'a i jego „quasi-mistycznych epigramów" i nigdy się z sobą nie dogadywali. W 1935 roku doszło między nimi do zajadłego sporu o budowę szlaku przez Park Narodowy Shenandoah — Avery rozważał budowę drogi widokowej przez góry, a MacKaye uważał to za zdradę idei założycielskich. Od tej pory już nigdy ze sobą nie rozmawiali.

Główną zasługę za powstanie szlaku nieodmiennie przypisuje się MacKaye'owi, głównie dlatego, że dożył dziewięćdziesiątego szóstego roku życia i miał obfitą czuprynę siwych włosów. W późniejszych latach zawsze chętnie zgadzał się wygłosić parę słów podczas uroczystości, które odbywały się na rozsłonecznionych zboczach górskich. Z kolei Avery zmarł w 1952 roku, ćwierć stulecia przed swoim dawnym współpracownikiem i zanim szlak stał się znany szerszej publiczności. W rzeczywistości był to jednak szlak Avery'ego. To on go wytyczył, metodą kija i marchewki nakłonił stowarzyszenia do wydelegowania ekip ochotników i osobiście nadzorował budowę setek kilometrów szlaku. Powiększył planowaną długość z 2000 do ponad 3000 kilometrów i przemierzył każdy centymetr szlaku przed jego ukończeniem. W niecałe siedem lat, wykorzystując pracę wolontariuszy, wybudował ten ogromny szlak, który przebiega przez odludne góry. Niejedna armia by sobie z tym nie poradziła.

Appalachian Trail oficjalnie ukończono 14 sierpnia 1937 roku po przebiciu się przez trzykilometrowy odcinek lasu w odległym regionie Maine. Trudno w to uwierzyć, ale budowa najdłuższego szlaku pieszego na świecie nie wzbudziła zainteresowania. Avery unikał blasku fleszy, a MacKaye wpadł w depresję. O ukończeniu szlaku nie poinformowała żadna gazeta i nie odbyła się żadna oficjalna uroczystość.

Przebieg szlaku nie miał żadnych podstaw historycznych. Trasa nie pokrywała się z żadnymi ścieżkami indiańskimi czy kolonialnymi drogami pocztowymi. Nie była wytyczona pod kątem najlepszych widoków, największych wzniesień czy najciekawszych miejsc. Ostatecznie szlak nawet się nie zbliżył do Mount Mitchell, aczkolwiek objął Mount Washington, a potem podążał przez następne 560 kilometrów aż po Mount Katahdin w Maine. (Avery'emu, który dorastał w tym stanie i tam chodził na swoje pierwsze piesze wycieczki, bardzo na tym zależało). Generalnie szlak przebiegał tam, gdzie był najłatwiejszy dostęp, w większości wysoko w górach, samotnymi grzbietami i zapomnianymi dolinami, z których nikt nigdy nie korzystał, którymi nikt się nie zachwycił, a czasem nawet nie zadbano o nadanie im nazwy. Do południowego krańca łańcucha górskiego zabrakło mu 240 kilometrów, a do północnego około 1125. Obozów pracy, schronisk, szkół i ośrodków badawczych nigdy nie zbudowano.

Mimo to zachowało się wiele z pierwotnej wizji MacKaye'a. Cały szlak o długości 3380 kilometrów, podobnie jak jego odgałęzienia, kładki, oznakowanie i szałasy, jest utrzymywany w nienagannym stanie przez wolontariuszy — mówi się nawet, że Appalachian Trail jest największym na świecie przedsięwzięciem prowadzonym przez ochotników. Skutecznie opiera się komercjalizacji. Appalachian Trail Conference swojego pierwszego opłacanego pracownika zatrudniła dopiero w 1968 roku i pozostaje instytucją przyjazną, otwartą i ideową. AT nie jest już najdłuższym szlakiem pieszym na świecie — prześcignęły go Pacific Crest i Continental Divide, oba na Zachodzie — ale zawsze pozostanie pierwszym i najwspanialszym, i ma wielu miłośników. Zasługuje na to.

Niemalże od dnia otwarcia szlak trzeba było korygować. Najpierw zmodyfikowano liczący 189 kilometrów odcinek w Wirginii, żeby umożliwić budowę Skyline Drive przez Park Narodowy Shenandoah. Z kolei w 1958 roku intensywna zabudowa okolicy Mount Oglethorpe w Georgii wymusiła ucięcie trzydziestu kilometrów szlaku na jego południowym krańcu i przeniesienie jego początku na Springer Mountain, w rezerwacie Chattahoochee National Forest. Dziesięć lat później klub Appalachian Trail w Maine zmienił przebieg 423 kilometrów szlaku — połowę jego długości na terenie stanu — żeby znowu przecinał odludne tereny i nie pokrywał się z drogami do zwózki drewna. Nawet teraz każdego roku dokonują się jakieś korekty.

Najtrudniejszym etapem wyprawy jest dostanie się na szlak, zwłaszcza na jego końcach. Springer Mountain, punkt startowy na południu, jest oddalony o ponad dziesięć kilometrów od najbliższej drogi asfaltowej, kończącej się w Parku Stanowym Amicalola Falls, który sam leży na końcu świata. W Atlancie, najbliższym przyczółku cywilizacji, macie wybór między jednym pociągiem i dwoma autobusami dziennie do

Gainesville, a potem zostaje jeszcze ponad sześćdziesiąt kilometrów do wspomnianego końca asfaltu. (Dotarcie do AT w Maine jest jeszcze trudniejsze). Na szczęście są ludzie, którzy za opłatą zawiozą cię do samego Amicalola. W tym właśnie kontekście Katz i ja oddaliśmy się w ręce pokaźnego, przyjaznego faceta w czapce bejsbolowej, Wesa Wissona, który za sześćdziesiąt dolarów zgodził się przewieźć nas z lotniska w Atlancie do Amicalola Falls Lodge, naszej bazy wypadowej do Springer.

Każdego roku między początkiem marca i końcem kwietnia ze Springer wyrusza około 2000 piechurów, z których większość planuje dotrzeć aż do samego Katahdin. Udaje się to tylko dziesięciu procent z nich. Połowa dociera jedynie do środkowej Wirginii, pokonując mniej niż jedną trzecią drogi. Jedna czwarta kończy swoją przygodę w Karolinie Północnej, sąsiednim stanie. Dziesięć procent odpada w pierwszym tygodniu. Wisson był człowiekiem dobrze poinformowanym w tej kwestii.

— W zeszłym roku wysadziłem jednego gościa na początku szlaku — opowiadał, kiedy przez coraz ciemniejsze lasy sosnowe powoli jechaliśmy na północ w stronę dzikich gór północnej Georgii. — Trzy dni później dzwoni do mnie z budki w Woody Gap — czyli z pierwszej budki na szlaku. Mówi, że chce wracać do domu, że spodziewał się czegoś zupełnie innego. No to go odwożę z powrotem na lotnisko. Dwa dni później znowu jest w Atlancie. Mówi mi, że żona kazała mu wrócić, bo skoro wydał wszystkie pieniądze na sprzęt, to ona mu tak łatwo nie odpuści. No to go wysadzam na starcie. Trzy dni później znowu dzwoni z Woody Gap. Mówi, że chce na lotnisko. Pytam go, co powie żona. On mi na to, że tym razem nie wraca do domu.

— Jak daleko jest do Woody Gap? — spytałem.

— Trzydzieści cztery kilometry ze Springer. Nie wydaje się daleko, nie? Zwłaszcza że przyjechał tutaj aż z Ohio.

— To dlaczego tak szybko się poddał?

— Powiedział, że spodziewał się czegoś innego. Wszyscy tak mówią. W zeszłym tygodniu miałem trzy panie z Kalifornii — kobitki w średnim wieku, bardzo miłe, pyskate, ale miłe — jak je wysadziłem, były w bardzo dobrych humorach. Jakieś cztery godziny później zadzwoniły i powiedziały, że chcą do domu. Przyleciały aż z Kalifornii, wydały Bóg wie ile na bilety lotnicze i sprzęt — miały najlepszy sprzęt, jaki w życiu widziałem, wszystko nowiutkie i z najwyższej półki — a potem uszły może ze dwa kilometry i odpuściły sobie. Mówią, że nie tego się spodziewały.

— Czego ludzie się spodziewają?

— Kto ich tam wie? Może schodów ruchomych. Tam są góry, skały, lasy i szlak. Nie trzeba robić badań naukowych, żeby to sobie wykombinować, ale zdziwilibyście się, jak dużo ludzi się poddaje. Z drugiej strony miałem gościa, jakieś sześć tygodni temu, który powinien dać sobie spokój, ale tego nie zrobił. Szedł z drugiej strony, z Maine, w pojedynkę. Zajęło mu to osiem miesięcy, dłużej niż normalnie, i przez ostatnie kilka tygodni chyba nikogo nie spotkał. Kiedy zszedł ze szlaku, był dygocącym wrakiem człowieka. Była ze mną jego żona. Przyjechała po niego i on padł jej w ramiona i zaczął płakać. Nie był w stanie nic z siebie wydusić. Płakał przez całą drogę na lotnisko. Nigdy nie widziałem u nikogo takiej ulgi, że coś się już skończyło, i myślałem sobie: „Do pana wiadomości, wyprawa na Appalachian Trail jest dobrowolna", ale oczywiście nic nie powiedziałem.

— Jak pan kogoś podwozi, potrafi pan przewidzieć, czy sobie poradzi?

— Rzadko się mylę.

— My damy radę? — zapytał Katz.

Przyjrzał się nam obu po kolei.

— Poradzicie sobie bez problemu — odparł, ale jego mina mówiła co innego.

Amicalola Falls Lodge, do której dojeżdża się długimi serpentynami przez las, stoi wysoko na górskim zboczu. Prognoza pogody, którą widział człowiek na lotnisku w Manchester, zasadniczo się potwierdziła. Kiedy wysiedliśmy z samochodu, uderzyło w nas przenikliwe i szokujące zimno. Lodowaty wiatr zdawał się nadchodzić ze wszystkich kierunków, a potem właził nam do rękawów i nogawek. „Jezu!", zawołał zdziwiony Katz, jakby ktoś właśnie wylał na niego wiadro wody z lodem, i czmychnął do środka. Zapłaciłem kierowcy i poszedłem w jego ślady.

Schronisko było nowocześnie wyposażone i dobrze ogrzane. Dominującym punktem dużej recepcji był kamienny kominek, a komfortowe i pozbawione wyrazu pokoje kojarzyły się z Holiday Inn. Rozeszliśmy się do swoich pokojów i umówiliśmy się na siódmą rano. W automacie na korytarzu kupiłem colę, wziąłem gorący prysznic, wykorzystałem wszystkie hotelowe ręczniki, wśliznąłem się pod świeżo wykrochmaloną pościel — ile czasu minie, zanim znowu zaznam takiego komfortu? — obejrzałem zniechęcające prognozy wygłoszone przez radosnych, bezmyślnych ludzi na kanale pogodowym i prawie w ogóle nie spałem.

Wstałem przed świtem, usiadłem przy oknie i patrzyłem, jak pierwsze promienie słońca niechętnie odsłaniają okoliczny krajobraz — srogą, z pozoru bezkresną połać falujących wzgórz porośniętych bezlistnymi drzewami i leciutko przyprószonych śniegiem. Nie wyglądało to jakoś szczególnie odstręczająco — w końcu nie byłem w Himalajach — ale nie była to też sceneria, w której miałoby się wyjątkową ochotę spacerować.

Schodząc na śniadanie, zauważyłem, że słońce wyskoczyło zza horyzontu i wypełniło świat zachęcającą jasnością, więc wyszedłem na zewnątrz, żeby sprawdzić warunki pogodowe. Było przeraźliwie zimno — poczułem się tak, jakbym dostał w twarz — i nadal wiał porywisty wiatr. W powietrzu wirowały płatki śniegu, które przypominały maleńkie kulki styropianu. Duży termometr wiszący na ścianie przy wejściu wskazywał -12°C.

— Największy mróz zanotowany o tej porze roku w Georgii — poinformowała mnie z szerokim uśmiechem pracownica schroniska, która właśnie przybiegła z parkingu, a potem zatrzymała się i zapytała: — Wybiera się pan na szlak?

— Owszem.

— Nie zamieniłabym się z panem. Życzę powodzenia. Brrrrrrr!

Schroniła się w środku.

Ku mojemu zaskoczeniu poczułem nieodpartą chęć wyruszenia w drogę. W końcu czekałem na ten dzień od wielu miesięcy, nawet jeśli z wielkimi obawami. Chciałem zobaczyć, co nas tam czeka. W całej Ameryce ludzie będą się dzisiaj wlekli do pracy, stali w korkach, wdychali spaliny, a ja pójdę do lasu. Nic nie mogło mnie powstrzymać.

Zastałem Katza w jadalni. On też sprawiał wrażenie chwalebnie żwawego. Wkrótce poznałem przyczynę: zawarł znajomość z kelnerką imieniem Rayette, która zaspokajała jego potrzeby żywieniowe z wyraźną kokieterią. Miała metr osiemdziesiąt wzrostu i twarz, której wystraszyłoby się niemowlę, ale sprawiała wrażenie poczciwej i hojnie nalewała kawę. Nie mogłaby bardziej jednoznacznie zasygnalizować Katzowi swojej gotowości do bezeceństw, gdyby zarzuciła spódnicę na głowę i położyła się na jego „tacy śniadaniowej dla wygłodniałego wilka". Skutek był taki, że w Katzu buzowały hormony.

— Uwielbiam mężczyzn, którzy umieją docenić naleśniki — gruchała Rayette.

— Te są wyjątkowo smaczne, skarbie — odparł Katz, którego twarz błyszczała od syropu i porannego szczęścia. Porównanie do Hepburn i Tracy'ego byłoby może przesadą, ale i tak widok tej pary dziwnie mnie rozczulił.

Kelnerka poszła się zająć siedzącym na drugim końcu sali klientem i Katz odprowadził ją wzrokiem z niemal ojcowską dumą.

— Dosyć brzydka, nie? — zapytał z uśmiechem, który trochę kłócił się z treścią jego wypowiedzi.

Zastanowiłem się, jak mu taktownie odpowiedzieć.

— Tylko w porównaniu do innych kobiet.

Katz pokiwał z rozwagą głową, a potem nagle spojrzał na mnie wylęknionym wzrokiem.

— Wiesz, czego szukam ostatnimi czasy u kobiet? Tętna i pełnego zestawu kończyn.

— Rozumiem.

— Ale oczywiście jest to tylko punkt wyjścia. Jestem gotów pójść na kompromis w kwestii kończyn. Myślisz, że jest do wzięcia?

— Podejrzewam, że będziesz musiał ustawić się w kolejce.

Pokiwał głową z rozsądną miną.

— Chyba będzie najlepiej, jeśli dokończymy jedzenie i zmyjemy się stąd.

Bardzo mnie to ucieszyło. Dopiłem kawę i poszliśmy po rzeczy, ale dziesięć minut później, kiedy stałem przed schroniskiem w gotowości bojowej, Katz zrobił zbolałą minę.

— Zostańmy tutaj na jeszcze jedną noc — powiedział.

— Żartujesz sobie? — Wprawił mnie w konsternację. — Dlaczego?

— Bo w środku jest ciepło, a tutaj zimno.

— Musimy ruszać.

Spojrzał w stronę lasu.

— Zamarzniemy tam.

Ja też spojrzałem w stronę lasu.

— Zapewne tak. Mimo to musimy ruszać.

Zarzuciłem plecak na grzbiet, zatoczyłem się o krok do tyłu pod jego ciężarem — miało upłynąć wiele dni, zanim nauczyłem się wykonywać ten manewr w jako takim stylu — zaciągnąłem pasek i poczłapałem w dal. Na skraju lasu spojrzałem za siebie, żeby sprawdzić, czy Katz idzie za mną. Przede mną rozciągał się ogromny, srogi świat uśmierconych przez zimę drzew. Uroczystym krokiem wstąpiłem na szlak, fragmenty pierwotnego Appalachian Trail z czasów, kiedy przebiegał tędy po drodze z Mount Oglethorpe do Springer.

Był dziewiąty marca. Rozpoczęła się nasza wyprawa.

Szlak prowadził w dół do zalesionej doliny, której dnem płynął wartki strumień obrębiony kruchym lodem. Ścieżka przez jakiś kilometr biegła nad potokiem, po czym skręciła stromo do góry w gęstszy las. Wkrótce stało się oczywiste, że jesteśmy u podnóża pierwszej dużej góry, Frosty Mountain, i od razu zostaniemy poddani ciężkiej próbie. Słońce świeciło i niebo było przyjemnie błękitne, ale na dole wszystko było brązowe — brązowe drzewa, brązowa gleba, brązowe suche liście — a mróz ani trochę nie ustępował. Uszedłem pod górę może ze trzydzieści metrów, a potem zatrzymałem się z wytrzeszczonymi z wysiłku oczami, ciężkim oddechem i niepokojąco dudniącym sercem. Katz już odstawał i dyszał jeszcze głośniej. Zmusiłem się do dalszego marszu.

To była tortura. Pierwsze dni wędrówki zawsze tak wyglądają. Byłem w fatalnej, ale to fatalnej formie. Plecak ważył za dużo. O wiele za dużo. Nigdy nie brałem udziału w tak trudnym przedsięwzięciu, do którego byłem tak kiepsko przygotowany. Każdy krok był dla mnie mordęgą.

Najtrudniej było pogodzić się z mało zachęcającym odkryciem, że kiedy skończy się jedno podejście, to niedługo zacznie się następne. Różnica między wchodzeniem i schodzeniem z góry jest taka, że przy wchodzeniu prawie nigdy nie widzimy dokładnie, co nas czeka. Pomiędzy kurtynami drzew po obu stronach, wiecznie uciekającym konturem zbocza z przodu i własnym zmęczeniem stopniowo tracimy rachubę, ile uszliśmy. Za każdym razem, kiedy osiągamy coś, co bierzemy za grań, okazuje się, że mamy przed sobą kolejne podejście o takim kącie nachylenia, że wcześniej było niewidoczne, a potem następne i następne, aż w końcu wydaje nam się niemożliwe, żeby jakakolwiek góra miała takie długie zbocze. W końcu docieramy na wysokość, z której widzimy wierzchołki najwyżej rosnących drzew i dalej jest już tylko czyste niebo. W sercu zrozpaczonego wędrowca drga nadzieja — nareszcie! — ale jest to tylko okrutne złudzenie. Nieuchwytny szczyt ciągle się cofa o taką samą odległość, jaką ty pokonasz, więc za każdym razem, kiedy baldachim dostatecznie się rozchyli, żeby roztoczyć przed tobą jakiś widok, z konsternacją widzisz, że najwyżej rosnące drzewa są równie odległe i nieosiągalne jak wcześniej. Mimo to człapiesz dalej, bo nie masz innego wyboru.

Kiedy po nieskończenie długim czasie nareszcie docierasz do rzeczywiście wysokich rewirów, w których rześkie powietrze pachnie żywicą sosnową, roślinność jest powykrzywiana, twarda i skulona od wiatru, i dowlekasz się do nagiego wierzchołka góry, niestety jest ci już wszystko jedno.

Padasz twarzą w dół na pochyły chodnik z gnejsu, dociskany do skały przez ciężar plecaka, i leżysz tam przez kilka minut, w dziwnie zdystansowany, jakby pozacielesny sposób rozmyślając o tym, że jeszcze nigdy nie patrzyłeś z tak bliska na porosty — ani na żaden inny element świata przyrody — odkąd miałeś cztery lata i dostałeś pierwszą w życiu lupę. Wreszcie z sapnięciem znużenia przetaczasz się na bok, wyswobadzasz z plecaka, gramolisz na nogi i uzmysławiasz sobie — znowu tak, jakbyś nie do końca przebywał w swoim ciele — że widok jest rewelacyjny: w każdym kierunku bezkresna panorama zalesionych gór, nietkniętych ludzką ręką. Tak mogłoby wyglądać w niebie. Bez wątpienia coś pięknego, ale nie możesz uciec przed myślą, że będziesz musiał przemaszerować przez ten widok — a odległość do horyzontu jest tylko niewielkim ułamkiem dystansu, który musisz pokonać, zanim dotrzesz do celu.

Porównujesz mapę z otaczającym cię krajobrazem i zauważasz, że ścieżka, którą masz przed sobą, schodzi do doliny o stromych zboczach — a raczej do wąwozu podobnego do tych, do których bez końca spada kreskówkowy Wiluś E. Kojot; wąwozów, których dna nie sposób dosięgnąć wzrokiem — która doprowadzi cię do podnóża góry jeszcze bardziej stromej i groźniejszej od tej. A kiedy zdobędziesz ten niedorzecznie trudny szczyt, będziesz miał za sobą zaledwie 2,7 kilometra pokonanych od śniadania, podczas gdy marszruta (beztrosko wymyślona przy stole kuchennym i zapisana po może trzysekundowym namyśle) przewiduje 14,3 kilometra przed obiadem, 27 kilometrów przed kolacją i jeszcze więcej następnego dnia.

Ale być może na dodatek pada deszcz, zimny, zacinający, bezlitosny deszcz, a w sąsiednie szczyty biją pioruny. Być może żwawym truchtem przebiega obok ciebie drużyna skautów. Być może jesteś zmarznięty i głodny i tak okropnie cuchniesz, że nie możesz wytrzymać własnego zapachu. Być może masz ochotę się położyć, być jak porosty — może nie martwy, ale bardzo nieruchomy przez długi, długi czas.

To wszystko oczywiście dopiero mnie czekało. Tego dnia mieliśmy do przejścia cztery średniej wielkości góry z jedenastoma kilometrami dobrze oznakowanego szlaku przy słonecznej i suchej pogodzie. Wydawało się, że taki dystans jest do pokonania z palcem w nosie. Tymczasem to było piekło.

Nie wiem dokładnie, kiedy straciłem z oczu Katza, ale na pewno w ciągu pierwszych dwóch godzin. Z początku czekałem, aż mnie dogoni, przeklinając co chwilę i zatrzymując się co trzy lub cztery kroki, żeby zetrzeć pot z czoła i posępnie spojrzeć w najbliższą przyszłość. Jego widok był pod każdym względem bardzo bolesny. Potem czekałem tylko na to, aż zobaczę go w polu widzenia, żeby mieć pewność, że dalej za mną idzie, że nie padł na ścieżkę z palpitacjami serca ani nie zrzucił z wściekłością plecaka i nie poszedł szukać Wesa Wissona. Czekałem i czekałem, i w końcu jego kształt ukazywał się pośród drzew; Katz dyszał ciężko, poruszał się niewiarygodnie powoli i mówił do siebie głośno, z goryczą. W połowie drogi na trzecią dużą górę, liczącą 1036 metrów Black Mountain, stałem i czekałem dłuższą chwilę, pomyślałem nawet, żeby po niego wrócić, ale w końcu odwróciłem się i ruszyłem dalej. Miałem dostatecznie dużo własnych cierpień. Jedenaście kilometrów to wydaje się niewiele, ale uwierzcie mi, że to bardzo dużo. Przejście takiego dystansu z plecakiem nawet dla ludzi w dobrej formie nie będzie łatwe. Wiecie, jak to jest pójść do zoo albo parku rozrywki z małym dzieckiem, które w pewnym momencie mówi, że nie pójdzie już ani o krok dalej? Zarzucacie sobie dzieciaka na barana i przez jakiś czas — parę minut — jest bardzo fajnie. Udajecie, że za chwilę go zrzucicie albo kierujecie jego głowę na jakąś przeszkodę, by w ostatniej chwili zmienić kierunek (chyba że dojdzie do jakiejś awarii), ale potem zaczyna robić się uciążliwie. Czujecie szarpnięcie w szyi i napięcie mięśni między łopatkami. Z czasem ból się rozprzestrzenia i kiedy jest już wam bardzo ciężko, oznajmiacie małemu Jimmy'emu, że będziecie musieli na chwilę zestawić go na ziemię.

Oczywiście Jimmy wierzga i nie pójdzie ani kroku dalej, a wasza partnerka rzuca wam pogardliwe spojrzenie typu „trzeba było wyjść za futbolistę", bo nie udało wam się przejść czterystu metrów.

— Nie rozumiesz, że to boli? Bardzo boli.

— Okej, rozumiem.

Teraz wyobraźcie sobie, że niesiecie w plecaku dwóch małych chłopców, a jeszcze lepiej, że niesiecie coś bezwładnego i ciężkiego, coś, co nie chce być niesione, co na samym początku jednoznacznie daje wam do zrozumienia, że jego pragnieniem jest pozostać w bezruchu na ziemi — powiedzmy worek cementu albo pudło podręczników medycznych, w każdym razie dwadzieścia kilogramów intensywnej ciężkości. Wyobraźcie sobie szarpnięcie wkładanego na grzbiet plecaka, podobne do szarpnięcia zatrzymującej się windy. Wyobraźcie sobie, że chodzicie z takim ciężarem przez wiele godzin, przez wiele dni, na dodatek nie po równych, asfaltowych drogach z ławkami i kioskami z napojami w starannie zaplanowanych odległościach, ale po górskim szlaku, pełnym ostrych kamieni, nieustępliwych korzeni i zawrotnie stromych podejść, które przenoszą ogromne siły przez wasze blade, trzęsące się uda. Teraz odchylcie głowę do tyłu — to jest ostatnia rzecz, o którą was poproszę — aż do momentu, kiedy szyja będzie napięta, i skierujcie wzrok na jakiś punkt oddalony o trzy kilometry. To jest wasz pierwszy etap. Macie do pokonania 1427 stromych metrów, a szczytów tego kalibru zostało jeszcze bardzo dużo. Nie mówcie mi, że jedenaście kilometrów to niewiele. Aha, jeszcze jedno. Nie musicie tego robić. Nie jesteście w wojsku. W każdej chwili możecie zrezygnować. Pójść do domu. Zobaczyć się z rodziną. Przespać się w prawdziwym łóżku. Możecie też, żałosne frajery, wlec się 3500 kilometrów przez góry i pustkowia aż do Maine.

Drałowałem więc przed siebie godzinami, w prywatnym małym świecie zmęczenia i zatroskania, pokonywałem okazałe góry, przebijałem się przez gęstwinę drzew, które stały nieruchomo jak goście na bankiecie, i cały czas myślałem sobie: „Na pewno przeszedłem już jedenaście kilometrów", ale ścieżka nie chciała się skończyć.

O wpół do czwartej wspiąłem się po schodach wykutych w granicie i znalazłem się na rozległym skalnym belwederze: wierzchołku Springer Mountain. Zrzuciłem plecak i ciężko usiadłem oparty o drzewo, nie mogąc uwierzyć, że jestem taki zmęczony. Widok był wspaniały — falujący masyw Cohutta Mountains, spowity siną mgiełką koloru dymu papierosowego, uciekał aż po odległy horyzont. Słońce było już nisko na niebie. Odpoczywałem może dziesięć minut, po czym wstałem i rozejrzałem się wokół siebie. Do jednego z głazów przykręcona była tabliczka z brązu anonsująca początek Appalachian Trail, a na pobliskim słupie zauważyłem pudełko z zawieszonym na sznurku długopisem i kołonotatnik, którego kartki pofałdowały się od wilgoci. Był to rejestr szlaku — nie wiem dlaczego, ale spodziewałem się, że będzie bardziej urzędowy, oprawny w skórę — wypełniony entuzjastycznymi wpisami, w większości sporządzonymi młodą ręką. Od pierwszego stycznia było około dwudziestu pięciu stron wpisów — w tamtym dniu osiem. Większość była zwięzła i radosna — „Drugi marca. No, doszliśmy i o rany, jest zimno! Do zobaczenia na Katahdin! Jaimie i Spud" — ale około jednej trzeciej zawierało dłuższe, bardziej refleksyjne treści typu: „W końcu jestem na Springer. Nie wiem, co przyniosą nadchodzące tygodnie, ale moja wiara w Pana jest silna i wiem, że mogę liczyć na miłość i wsparcie mojej rodziny. Mamo i Pookie, ta wyprawa jest dla Was".

Czekałem na Katza przez trzy kwadranse, a potem zacząłem go szukać. Zmierzchało i robiło się coraz chłodniej. Szedłem i szedłem, w dół zbocza przez las, pokonując trasę, którą, jak sądziłem, z ulgą na zawsze zostawiłem za sobą. Kilka razy wołałem mojego współtowarzysza, ale bez odzewu. Szedłem bez końca, przez zwalone drzewa, które wiele godzin temu pokonałem, po zboczach, które tylko mgliście sobie przypominałem. Nawet moja babcia doszłaby dalej, złościłem się w myślach. W końcu zobaczyłem za zakrętem zataczającego się w moją stronę Katza, ze zmierzwionymi włosami i w jednej rękawiczce, najbliższego histerii ze wszystkich bliskich histerii dorosłych osób, które w życiu widziałem.

Trudno było z niego wydobyć jakieś spójne wyjaśnienie, ponieważ był za bardzo wściekły, ale udało mi się zrozumieć, że w przypływie szału wyjął z plecaka kilka rzeczy i wyrzucił je w przepaść. Pozbył się też wszystkiego, co było przypięte do plecaka, łącznie z bidonem.

— Co wyrzuciłeś? — zapytałem, starając się nie zdradzać zaniepokojenia.

— Całe ciężkie cholerstwo. Kiełbasę, ryż, brązowy cukier, mielonkę i nie wiem, co jeszcze. Kupę rzeczy. Szlag trafił.

Wściekłość doprowadziła go prawie do katalepsji. Zachowywał się tak, jakby Appalachian Trail wyrządził mu wielką krzywdę. Najwyraźniej Katz spodziewał się czegoś innego.

Trzydzieści metrów niżej zauważyłem jego rękawiczkę i poszedłem po nią.

— Dobra, nie zostało ci już dużo do przejścia — pocieszyłem go.

— Ile?

— Może półtora kilometra.

— Kurde — powiedział smętnym tonem.

— Wezmę twój plecak.

Zarzuciłem go sobie na grzbiet. Może nie był pusty, ale ważył zdecydowanie mniej niż na początku. Co on tam nawywalał, zastanawiałem się.

W zapadającym zmierzchu wygramoliliśmy się na szczyt. Sto metrów dalej był plac biwakowy z drewnianym szałasem na dużej polanie. Zainstalowało się tam dużo ludzi, więcej, niż się spodziewałem na początku sezonu. Szałas — dosyć spartański, z trzema ścianami i dwuspadowym dachem — wyglądał na zatłoczony, a wokół niego rozbitych było kilkanaście namiotów. Wszędzie syczały kochery, znad menażek unosił się dym i po całym placu kręcili się zwinni młodzi ludzie.

Znalazłem dla nas miejsce na skraju polany, prawie w lesie, na uboczu.

— Nie umiem rozbić namiotu — powiedział Katz rozdrażnionym tonem.

— To ja ci rozbiję.

Rozlazły, tłusty bachorze. Nagle poczułem się bardzo zmęczony.

Siedział na zwalonym drzewie i patrzył, jak rozkładam jego namiot. Kiedy skończyłem, wsunął do środka materac i śpiwór, a potem sam się wczołgał. Zająłem się moim namiotem i pieczołowicie uwiłem sobie wygodne gniazdko. Kiedy skończyłem i wyprostowałem się, zdałem sobie sprawę, że od strony namiotu Katza nie dochodzą żadne odgłosy.

— Poszedłeś spać? — spytałem przerażony.

— No — powiedział, a raczej wycharczał na potwierdzenie.

— Na dzisiaj koniec? Udałeś się na spoczynek? Bez kolacji?

— No.

Odebrało mi mowę. Stałem przez chwilę zdezorientowany, za bardzo zmęczony, żeby się oburzyć. I za bardzo zmęczony, żeby chciało mi się jeść. Wczołgałem się do namiotu z bidonem i książką, położyłem na podorędziu nóż i latarkę, żeby móc zaspokoić ewentualne nocne potrzeby oświetleniowo-obronne, i zaszyłem się w śpiworze. Chyba nigdy w życiu tak bardzo nie ucieszyłem się z tego, że mogę przyjąć pozycję horyzontalną. Po paru chwilach straciłem świadomość. Chyba nigdy tak dobrze nie spałem.

Kiedy się obudziłem, było już jasno. Ściany mojego namiotu były od wewnątrz pokryte dziwną, łuszczącą się mazią. Po chwili uzmysłowiłem sobie, że są to całonocne efekty mojego chrapania, zestalone, zamarznięte i przylepione do tkaniny, tworzące coś w rodzaju pamiętnika wspomnień wydechowych. Woda w bidonie zamarzła. Takie rzeczy przytrafiają się tylko prawdziwym macho, więc obejrzałem to zjawisko z zainteresowaniem, jakby to był jakiś rzadki minerał. W śpiworze było mi zaskakująco przytulnie i zupełnie mnie nie ciągnęło do tych idiotyzmów ze wspinaniem się na góry, więc leżałem sobie błogo, jakby wydano mi surowy zakaz poruszania się. Po chwili uświadomiłem sobie, że Katz krząta się na zewnątrz, pojękuje jakby z bólu i porusza się zaskakująco energicznie.

Po paru minutach przykucnął przed moim namiotem, rzucając cień na tkaninę. Nie zapytał, czy się już obudziłem, tylko bez żadnych wstępów powiedział zniżonym głosem:

— Czy powiedziałbyś, że zachowałem się wczoraj jak kompletny palant?

— Tak, Stephen.

— Robię kawę — oznajmił po chwili milczenia.

Domyśliłem się, że miały to być jego przeprosiny.

— Bardzo miło z twojej strony.

— Ale tu zimno.

— Tutaj też.

— Woda w bidonie mi zamarzła.

— Mnie też.

Wysupłałem się z nylonowego łona i ze skrzypiącymi stawami wyszedłem na zewnątrz. Chodzenie po świecie w samych kalesonach wydawało mi się bardzo dziwne — i bardzo oryginalne. Katz stał przy kocherze, na którym gotował wodę. Wyglądało na to, że na całym placu biwakowym tylko my już się obudziliśmy. Było zimno, ale chyba odrobinę cieplej niż poprzedniego dnia, a słońce, które przezierało między drzewami, dawało powody do ostrożnego optymizmu.

— Jak się czujesz? — zapytał.

Sprawdzająco zgiąłem nogi w kolanach.

— Szczerze mówiąc, całkiem nieźle.

— Ja też.

Wlał wodę do lejka z filtrem.

— Dzisiaj będę grzeczny — obiecał.

— To dobrze. — Spojrzałem mu przez ramię. — Czy jest jakiś powód, dla którego filtrujesz wodę przez papier toaletowy?

— No bo... wyrzuciłem filtry.

Prychnąłem nie do końca radosnym śmiechem.

— Nie mogły ważyć więcej niż pięć deko.

— Wiem, ale świetnie się nimi rzucało. Fruwały na wszystkie strony. — Dolał trochę wody. — Ale papier od klopa też dobrze działa.

Patrzyliśmy na skapującą wodę i ogarnęła nas dziwna duma. Nasz pierwszy posiłek na pustkowiu. Katz podał mi kubek kawy. Pływały w niej fusy i kawałeczki różowej ligniny, ale była gorąca, a to podstawa.

Rzucił mi przepraszające spojrzenie.

— Wyrzuciłem też brązowy cukier, więc nie będzie cukru do owsianki.

Ach tak.

— Nie przejmuj się, nie będzie też owsianki do owsianki. Zostawiłem ją w New Hampshire.

— Naprawdę? — powiedział i dodał jakby z kronikarskiego obowiązku: — Uwielbiam owsiankę.

— Może zjemy trochę sera?

Pokręcił głową.

— Wywalony.

— Orzeszki ziemne?

— Wywalone.

— Mielonka?

— Poszła jako pierwsza.

Sytuacja zaczęła nabierać znamion powagi.

— Co z mortadelą?

— O, zjadłem w Amicalola — powiedział takim tonem, jakby to było wiele tygodni temu, a potem oznajmił wielkodusznie: — Z radością zadowolę się kubkiem kawy i kilkoma ciastkami Little Debbie.

Skrzywiłem się nieznacznie.

— Little Debbie też zostawiłem.

Opadła mu szczęka.

— Zostawiłeś Little Debbie?

Skinąłem przepraszająco głową.

— Wszystkie?

Potwierdziłem.

Sapnął ciężko. To był dla niego ciężki cios i poważne wyzwanie dla postanowienia poprawy, które zadeklarował. Postanowiliśmy zrobić inwentaryzację. Wygospodarowaliśmy trochę miejsca na brezentowej płachcie i skomasowaliśmy zapasy. Okazały się zaskakująco skąpe — trochę makaronu, jedna paczka ryżu, rodzynki, kawa, znaczna ilość batonów czekoladowych i papier toaletowy. To wszystko.

Zjedliśmy śniadanie złożone ze snickersa i kawy, zwinęliśmy obóz, dźwignęliśmy na grzbiety plecaki, zataczając się na bok, i znowu ruszyliśmy w drogę.

— Nie mogę uwierzyć, że zostawiłeś Little Debbie — powiedział Katz i już po kilku pierwszych krokach został w tyle.

Las nie przypomina innych naturalnych przestrzeni. Przede wszystkim jest sześcienny, to znaczy drzewa cię otaczają, wiszą nad tobą, napierają ze wszystkich stron. Las przesłania widok, przez co tracisz orientację i nie wiesz, w którą stronę idziesz. Czujesz się w lesie mały, zagubiony i słaby, jak dziecko, które zabłądziło w tłumie obcych nóg. Kiedy staniesz na pustyni albo prerii, wiesz, że masz wokół siebie dużo przestrzeni. W lesie przestrzeń tylko wyczuwasz. Las to ogromne, pozbawione charakterystycznych punktów „nigdzie". Poza tym las żyje.

W sumie las potrafi napędzić stracha. Już nawet pomijając kwestię, że mogą w nim mieszkać dzikie zwierzęta i uzbrojeni, genetycznie upośledzeni faceci o takich imionach jak Zeke i Festus, jest w nim coś immanentnie złowieszczego — jakiś nieuchwytny czynnik, który sprawia, że przy każdym kroku wyczuwasz atmosferę zagrożenia i dobitnie sobie uświadamiasz, że nie jesteś w swoim żywiole i powinieneś czujnie nadstawić ucha. Chociaż mówisz sobie, że to niedorzeczne, nie potrafisz do końca wyzbyć się uczucia, że jesteś obserwowany. Nakazujesz sobie zachować spokój — na litość boską, przecież to tylko las — ale jesteś bardziej podminowany niż włamywacz z odbezpieczonym pistoletem. Każdy niespodziewany dźwięk — trzask pękającej gałęzi, chrzęst pod kopytami umykającej sarny — każe ci odwrócić się panicznie i błagać niebiosa o zmiłowanie. Twój wewnętrzny mechanizm odpowiedzialny za pompowanie adrenaliny nigdy nie był tak starannie wypolerowany — tak bardzo gotowy do strzyknięcia rozgrzewającą substancją. Nawet we śnie jesteś napiętą sprężyną.

Amerykańskie lasy zastraszają ludzi od 300 lat. Niewypowiedzianie pedantyczny i nudny Henry David Thoreau uważał naturę za coś wspaniałego, pod warunkiem że w pobliżu było miasto, do którego mógł pójść na ciastka i wino jęczmienne, ale kiedy doświadczył naprawdę dzikiej natury, podczas wyprawy na Katahdin w 1846 roku, był wstrząśnięty do głębi. To nie był oswojony świat zarośniętych sadów i nakrapianych plamami słońca ścieżek, które udawały dziką naturę w podmiejskim Concord, Massachusetts, lecz groźna, osaczająca, prymitywna kraina, którą ocenił jako „ponurą i dziką, barbarzyńską i posępną", nadającą się wyłącznie dla „ludzi bardziej pokrewnych kamieniom i dzikim zwierzętom niż nam". Jak napisał jeden z jego biografów, doświadczenie to doprowadziło go na „skraj histerii".

Ale nawet znacznie bardziej zahartowani ludzie, których życie lepiej przystosowało do trudnych warunków, nie pozostali obojętni na to dziwne, niemal namacalne zagrożenie. Daniel Boone, który nie tylko toczył walki wręcz z niedźwiedziami, ale również próbował umawiać się na randki z ich siostrami, określił niektóre zakątki południowych Appalachów jako „tak dzikie i straszne, że nie sposób patrzeć na nie bez zgrozy". Kiedy Daniel Boone czuje się nieswojo, to wiadomo, że trzeba czujnie rozglądać się wokół siebie.

Kiedy do Nowego Świata przybyli pierwsi Europejczycy, w tak zwanych dolnych czterdziestu ośmiu stanach, czyli w USA z pominięciem Alaski, powierzchnia lasu wynosiła 385 000 000 hektarów. Chattahoochee Forest, przez który Katz i ja się teraz przebijaliśmy, był częścią gigantycznej puszczy, która ciągnęła się od południowej Alabamy po Kanadę i od wybrzeża Atlantyku po prerie nad rzeką Missouri.

Większości tego lasu dzisiaj już nie ma, ale to, co przetrwało, robi większe wrażenie, niż można by się spodziewać. Chattahoochee należy do liczących 16 000 000 hektarów — 16 000 kilometrów kwadratowych — lasów państwowych sięgających aż pod Great Smoky Mountains, na terytorium czterech stanów. Na mapie Stanów Zjednoczonych jest to tylko niewielka plama zieleni, ale dla piechura przedstawia się to trochę inaczej. Od najbliższej drogi publicznej dzieliły nas cztery dni marszu, a od najbliższej miejscowości osiem dni.

No i szliśmy. Szliśmy przez szczyty gór i głębokie, zapomniane doliny, długie grzbiety z rozległymi widokami na kolejne grzbiety, szliśmy przez trawiaste hale, schodziliśmy kamienistymi, krętymi, niebezpiecznymi ścieżkami, a przede wszystkim brnęliśmy przez całe kilometry ciemnych, głębokich, pogrążonych w ciszy lasów, szlakiem o szerokości pół metra oznaczonym białymi prostokątami (pięć centymetrów szerokości, piętnaście centymetrów długości), wymalowanymi w regularnych odstępach na drzewach z zieloną korą. Nasze życie składało się wyłącznie z marszu.

W porównaniu do większości innych państw świata rozwiniętego Ameryka nadal w zaskakującym stopniu jest krainą lasów. Jedną trzecią powierzchni dolnych czterdziestu ośmiu stanów porastają drzewa — łącznie 295 000 000 hektarów. W samym Maine są ponad 4 000 000 hektary niezamieszkanej ziemi. Daje to 40 000 kilometrów kwadratowych — obszar znacznie większy od Belgii — bez jednego stałego mieszkańca. Zaledwie dwa procent powierzchni Stanów Zjednoczonych jest zakwalifikowane jako teren zabudowany.

Około 97 000 000 hektarów amerykańskich lasów należy do państwa. Zdecydowaną większością tych zasobów — 77 000 000 hektarów podzielonych na 155 parceli — zarządza US Forest Service, która dzieli podlegające mu obszary na National Forests, National Grasslands i National Recreation Areas. Brzmi to tak, jakby chodziło o niezagospodarowane, ekologicznie niezagrożone obszary, ale w rzeczywistości znaczna część ziemi znajdującej się w posiadaniu Forest Service to „tereny wielofunkcyjne", co jest wielkodusznie interpretowane jako zezwalające na rozmaite dynamiczne działania: górnictwo, wydobycie ropy naftowej i gazu ziemnego, ośrodki narciarskie (137), budownictwo mieszkaniowe, jazda na skuterach śnieżnych, jazda samochodami terenowymi i bardzo intensywna wycinka drzew — generalnie dosyć głośne poczynania, które zakłócają obraz dziewiczego lasu. Forest Service to przedziwna instytucja. Wymyślono ją stulecie temu jako rodzaj banku leśnego, stałego magazynu amerykańskiego drewna, kiedy ludzie zaniepokoili się tym, jak szybko znikały amerykańskie lasy. Jej zadaniem było zarządzanie i chronienie tych zasobów dla narodu. Nie myślano o lasach jako parkach narodowych. Prywatne firmy dostawały licencje na wydobycie minerałów i wyrąb drzew, ale miały to robić powściągliwie, inteligentnie.

Taki był plan. W rzeczywistości Forest Service zajmowała się przede wszystkim budową dróg. Nie żartuję. Przez amerykańskie lasy państwowe przebiega 608 315 kilometrów dróg. Liczba ta zapewne niewiele wam mówi, więc spójrzmy na sprawę pod następującym kątem: jest to osiem razy więcej niż łączna długość wszystkich autostrad międzystanowych. Jest to największy na świecie system drogowy zarządzany przez jedną instytucję. Forest Service zajmuje drugie miejsce na świecie pod względem liczby zatrudnionych inżynierów drogowych. Stwierdzenie, że ci faceci lubią budować drogi, daje tylko niewielkie wyobrażenie o poziomie ich zaangażowania. Pokażcie im jakiś idylliczny zagajnik, a przyjrzą mu się uważnie i po długim namyśle powiedzą: „Wiecie co, można by poprowadzić tędy drogę". Zadeklarowanym celem Forest Service jest budowa kolejnych 933 400 kilometrów dróg na obszarach leśnych do połowy następnego stulecia.

Dlaczego Forest Service buduje tyle dróg? Pomijając wielką przyjemność, jaką daje hałasowanie w lesie za pomocą wielkich żółtych maszyn, służba leśna chce zapewnić prywatnym firmom dojazd do drzewostanów, które wcześniej były niedostępne. Z 60 000 000 hektarów nadających się do pozyskiwania drewna lasów dwie trzecie są trzymane w rezerwie na przyszłość. Pozostała jedna trzecia — 19 000 000 hektarów, czyli dwa razy więcej, niż wynosi powierzchnia stanu Ohio — jest przeznaczona pod wycinkę. Umożliwia to karczowanie całych obszarów leśnych. Na przykład całkiem niedawno wycięto 84 hektary tysiącletnich sekwoi w parku narodowym Umpqua w stanie Oregon.

W 1987 roku Forest Service ogłosiła, że pozwoli prywatnemu przemysłowi drzewnemu usuwać setki hektarów lasu rocznie w prastarym Pisgah National Forest, tuż obok Parku Narodowego Great Smoky Mountains, oraz że osiemdziesiąt procent tej masakry będzie zrealizowane metodami „naukowego leśnictwa" — mówiąc po ludzku, las wytnie się w pień. Pociągnie to za sobą straszne konsekwencje nie tylko estetyczne, ale również ekologiczne: gleba zostanie pozbawiona składników odżywczych, co zaburzy ekosystemy położone na niższych obszarach, czasem w odległości wielu kilometrów. To nie jest nauka, tylko gwałt.

Forest Service nic sobie jednak nie robi z protestów i zastrzeżeń. Od końca lat osiemdziesiątych — jest to taki skandal, że po prostu mnie roznosi — instytucja ta jest jedynym znaczącym podmiotem w amerykańskim przemyśle drzewnym, który wycina drzewa szybciej, niż nasadza. Co więcej, robi to z iście wielkopańską rozrzutnością. Na osiemdziesięciu procentach umów dzierżawnych straciła pieniądze, często ogromne. Przykład typowej umowy: Forest Service sprzedała stuletnie sosny w Targhee National Forest w stanie Idaho za mniej więcej dwa dolary od sztuki, najpierw wydawszy cztery dolary od sztuki na prace geodezyjne, sporządzenie umów tudzież — jakżeby inaczej — budowę dróg. W latach 1989–1997 straty wynosiły średnio 242 000 000 dolarów rocznie — w sumie prawie dwa miliardy, jak podaje Wilderness Society. To wszystko jest tak bardzo przygnębiające, że chyba porzucę ten temat i ponownie zajmę się dwoma samotnymi bohaterami, którzy mozolnie przedzierają się przez zagubiony świat Chattahoochee.

W 1890 roku w te regiony Georgii przyjechał magnat kolejowy z Cincinnati Henry C. Bagley, zobaczył dostojne białe sosny i topole i był tak głęboko poruszony ich strzelistością, majestatycznością i obfitością, że postanowił je wszystkie wyrąbać. Były warte kupę pieniędzy. Poza tym zwożenie drewna do tartaków na północy dałoby dodatkowe zajęcie jego lokomotywom i wagonom. Ten radykalizm spowodował, że przez następne trzydzieści lat prawie wszystkie góry północnej Georgii zamieniły się w rozsłonecznione zagajniki pniaków. W 1920 roku leśnicy z południa wywozili 36 000 000 kubików drewna rocznie. Dopiero w latach trzydziestych, kiedy oficjalnie powstał Chattahoochee National Forest, naturze przywrócono jej prawa, a zatem las, przez który teraz szliśmy, w istocie był tylko krzepkim nastolatkiem.

Poza sezonem w atmosferze lasu unosi się dziwna, zastygła przemoc. Można odnieść wrażenie, że na każdej polanie i w każdym parowie doszło do jakiegoś potężnego kataklizmu. Co kilkadziesiąt metrów w poprzek ścieżki leżały zwalone drzewa, często z wielkimi kraterami bombowymi wokół rozcapierzonych korzeni. Dziesiątki innych butwieją na zboczach, a co trzecie albo czwarte drzewo — tak mi się w każdym razie wydawało — opiera się stromo o sąsiada. Tak jakby drzewa nie mogły się doczekać, kiedy się wywrócą, tak jakby w uniwersalnym projekcie wyznaczono im zadanie, żeby urosły dostatecznie duże, by walnąć o ziemię z porządnym, ogłuszającym hukiem. Co chwila podchodziłem do drzew, które tak niebezpiecznie i ciężko pochylały się nad ścieżką, że wahałem się przez chwilę, a potem pośpiesznie przebiegałem pod spodem, obawiając się, że drzewo w niefortunnym dla mnie momencie wybierze sobie porę na swój finalny spektakl i kilka minut później Katz spojrzy na moje wierzgające nogi i zapyta: „Kurde, Bryson, co ty tam robisz pod spodem?", ale żadne drzewa się nie przewróciły, w całym lesie panował spokój i nieziemska cisza. Nie licząc okazjonalnego szmeru wody czy szelestu unoszonych przez wiatr liści, nie było słychać prawie żadnych dźwięków.

W lesie panowała cisza, ponieważ nie nadeszła jeszcze wiosna. W normalnych okolicznościach znaleźlibyśmy się pośród energicznej bujności, którą przynosi z sobą wiosna w południowych górach, maszerowalibyśmy przez promienny, rozmnażający się, nowo narodzony świat rozbrzmiewający buczeniem owadów i ćwierkaniem ptaków; świat pęczniejący od świeżego, zdrowego powietrza i tego gęstego, aksamitnego, szczelnie wypełniającego płuca zapachu chlorofilu, którym jesteśmy częstowani, kiedy przeciskamy się przez nisko zwieszone gałęzie. Przede wszystkim powitałaby nas oszałamiająca obfitość kwiatów, wykwitających z każdej gałązki, przebijających się dzielnie przed żyzne śmietnisko na podłodze lasu, wyściełających każde rozsłonecznione zbocze i brzeg każdego potoku — trójlist i grusza spływu, serduszka, arizema, mandragora, fiołki, houstonia śnieżna, jaskier i sangwinaria kanadyjska, kosaciec karłowaty, orlik, szczawik zajęczy i niezliczone inne, piękne rośliny. W południowych Appalachach rośnie 1500 gatunków kwiatów, w tym czterdzieści rzadkich gatunków w samych lasach północnej Georgii. Nawet najbardziej zatwardziałe serce rośnie na ich widok. Tymczasem my brnęliśmy przez zimny, milczący świat nagich drzew, pod ołowianym niebem, po gruncie twardym jak żelazo.

Po kilku dniach wpadliśmy w rytm. Każdego dnia rano wstawaliśmy o świcie, dygocząc i pocierając ramiona, robiliśmy kawę, zwijaliśmy obóz, zjadaliśmy po dwie garści rodzynek i ruszaliśmy w las. Maszerowaliśmy od mniej więcej wpół do ósmej do czwartej. Rzadko szliśmy razem — mieliśmy niewspółmierne tempo — ale co parę godzin siadałem na zwalonym drzewie (zawsze czujnie nasłuchując za szeleszczącym odgłosem niedźwiedzia albo dzika) i czekałem, aż Katz mnie dogoni, bo chciałem sprawdzić, czy wszystko jest w porządku. Czasami przychodzili inni turyści i mówili mi, gdzie jest Katz i jak się spisuje. Prawie zawsze słyszałem, że idzie powoli, ale dzielnie. Szlak był dla niego znacznie trudniejszy niż dla mnie i trzeba przyznać memu towarzyszowi, że starał się za dużo nie narzekać. Ani na chwilę nie zapominałem, że poszedł ze mną dobrowolnie.

Sądziłem, że wyruszywszy o tak wczesnej porze roku, wyprzedzimy tłumy, ale innych piechurów było całkiem sporo — trzej studenci z Rutgers University w New Jersey; zaskakująco wysportowana starsza para z maleńkimi plecakami zmierzająca na ślub córki w dalekiej Wirginii; trochę fajtłapowaty młodzieniec z Florydy imieniem Jonathan; w sumie około dwudziestu kilku osób na z grubsza tym samym odcinku szlaku, wszyscy idący na północ. Ponieważ każdy idzie w innym tempie i odpoczywa o różnych porach, kilka razy dziennie spotykasz współtowarzyszy drogi, zwłaszcza na wierzchołkach gór z panoramicznymi widokami, nad potokami, a przede wszystkim przy drewnianych szałasach, które stoją w dużych odległościach od siebie — w zamierzeniu, ale nie zawsze w praktyce, oddalone od siebie o jeden dzień marszu i położone na polanach tuż przy szlaku. Skutkiem tego poznajesz innych turystów przynajmniej trochę, a jeśli spotykasz ich co wieczór w szałasach, to poznajesz ich całkiem dobrze. Stajesz się częścią nieformalnej paczki, luźnego i sympatycznego stowarzyszenia ludzi należących do różnych grup wiekowych i środowisk, ale doświadczających tej samej pogody, tych samych niewygód, tych samych krajobrazów, tego samego ekscentrycznego impulsu, żeby podrałować na piechotę do Maine.

Ale nawet przy dużym ruchu las zapewnia wspaniałe momenty samotności. Zdarzało mi się, że przez wiele godzin nie widziałem żywej duszy, na przykład kiedy czekałem na Katza i nikt inny mnie nie mijał. Jeśli Katza długo nie było, zostawiałem plecak i wracałem po niego, żeby sprawdzić, czy nic mu się nie stało. Zawsze bardzo go to cieszyło. Czasem z dumą niósł mój czekan, który zostawiłem oparty o drzewo, kiedy zatrzymałem się, żeby zawiązać sznurówki albo poprawić plecak. Troszczyliśmy się o siebie nawzajem. To było naprawdę piękne. Nie umiem tego inaczej wyrazić.

Koło czwartej znajdowaliśmy miejsce na obóz i rozbijaliśmy namioty. Jeden z nas szedł po wodę i potem ją filtrował, a drugi gotował w tym czasie makaronową papkę. Czasem rozmawialiśmy, ale generalnie współegzystowaliśmy w przyjaznym milczeniu. Koło szóstej ciemności, głód i zmęczenie wpychały nas do namiotów. Na ile mogłem się zorientować, Katz natychmiast zasypiał. Ja czytałem przez mniej więcej godzinę z pomocą mojej dziwnie niewydajnej lampy górniczej, która rzucała na papier rozedrgane, koncentryczne kółka światła, jak lampa rowerowa, a kiedy wystające ze śpiwora ramiona zmarzły mi i zdrętwiały od ustawiania książki pod takim kątem, żeby złapała nerwowe światło, leżałem w ciemnościach i słuchałem dziwnie wyraźnych, ekspresyjnych odgłosów nocnego lasu, westchnień i poruszeń wiatru i liści, znużonego stękania gałęzi, niekończących się pomruków i wierceń — przypominających odgłosy sali szpitalnej po zgaszeniu światła — i w końcu zapadałem w ciężki sen. Rano wstawaliśmy, dygocząc i pocierając ramiona, bez słowa wykonywaliśmy codzienne drobne czynności, pakowaliśmy plecaki i ponownie zagłębialiśmy się w leśnej gęstwinie.

Czwartego wieczoru zawarliśmy znajomość z innym miłośnikiem Appalachian Trail. Siedzieliśmy koło namiotów na sympatycznej polanie niedaleko szlaku i jedliśmy makaron, rozkoszując się faktem, że możemy sobie po prostu posiedzieć, kiedy zobaczyliśmy pulchnawą młodą kobietę w okularach, w czerwonej kurtce i z typowo za dużym plecakiem. Spojrzała na nas przez przymrużone powieki, jak osoba, która albo jest wiecznie skołowana, albo niedowidzi. Przywitaliśmy się i zgodnie ze zwyczajem wymieniliśmy uwagami na temat pogody i lokalizacji. Potem nasza towarzyszka z tak samo zmarszczonym czołem spojrzała w gęstniejące ciemności i oznajmiła, że przenocuje z nami.

Miała na imię Mary Ellen i pochodziła z Florydy. Jak często ją później określał Katz nabożnym tonem, był z niej „niezły okaz". Bez przerwy gadała, chyba że przetykała trąbkę Eustachiusza — co robiła dosyć często — zatykając nos i z całej siły próbując wydmuchać powietrze. Owocowało to gwałtownym i niepokojącym charczeniem, które skłoniłoby każdego psa do zeskoczenia z sofy i schronienia się pod stołem w sąsiednim pokoju. Od dawna wiedziałem, że jednym z elementów boskiego planu dla mnie jest przymus spędzenia odrobiny czasu ze wszystkimi najgłupszymi ludźmi na świecie, i Mary Ellen stanowiła dowód na to, że nawet w lasach Appalachów ten los nie zostanie mi oszczędzony. Od pierwszej sekundy było dla nas oczywiste, że mamy do czynienia z istotą jedyną w swoim rodzaju.

— Co jecie, chłopcy? — spytała, usadowiwszy się ciężko na wolnym pieńku i zajrzawszy nam przez głowy do garnków. — Makaron? Wielki błąd. Makaron nie daje właściwie żadnej energii. Zero koma zero. — Odetkała uszy. — Czy to jest namiot Starship?

Spojrzałem na swój namiot.

— Nie wiem.

— Wielki błąd. Naciągnęli cię. Ile za niego dałeś?

— Nie wiem.

— Ja ci powiem, ile dałeś: za dużo. Trzeba było kupić namiot na trzy pory roku.

— To jest namiot na trzy pory roku.

— Przepraszam, że tak mówię, ale to kompletny idiotyzm przychodzić tutaj w marcu bez namiotu na trzy pory roku.

Odetkała uszy.

— To jest namiot na trzy pory roku.

— Masz szczęście, że jeszcze nie zamarznąłeś. Powinieneś wrócić i dać w mordę facetowi, który ci go sprzedał, bo to było, wiesz, nieodpowiedzialne, co zrobił.

— Uwierz mi, to jest namiot na trzy pory roku.

Odetkała uszy i pokręciła głową ze zniecierpliwieniem.

— To jest namiot na trzy pory roku — stwierdziła, pokazując na namiot Katza.

— To jest dokładnie taki sam namiot.

Przyjrzała mu się jeszcze raz.

— Nieważne. Ile kilometrów dzisiaj zrobiliście?

— Koło piętnastu.

Tak naprawdę przeszliśmy trzynaście i pół — ale na trasie było kilka ciężkich podejść, łącznie z istną ścianą piekła o nazwie Preaching Rock, największym wzniesieniem od czasu Springer Mountain, za które przyznaliśmy sobie dodatkowe kilometry, na poprawę samopoczucia.

— Piętnaście kilometrów? Tylko tyle? Musicie być w fatalnej formie. Ja zrobiłam prawie dwadzieścia trzy.

— A twoje usta ile zrobiły? — zadrwił Katz, podnosząc głowę znad makaronu.

Spojrzała na niego groźnymi szparkami oczu.

— Oczywiście tyle samo co reszta. — Spojrzała na mnie konfidencjonalnie, jakby chciała zapytać: „Czy twój kolega ma coś nie w porządku z głową?". Odetkała uszy. — Zaczęłam na Gooch Gap.

— My też. To jest tylko trzynaście i pół kilometra.

Pokręciła głową tak gwałtownie, jakby opędzała się od szczególnie namolnej muchy.

— Prawie dwadzieścia trzy.

— Nie, to naprawdę jest tylko trzynaście i pół kilometra.

— Wybaczcie, ale ja właśnie przeszłam całą drogę na piechotę, więc chyba wiem, co mówię. — Nagle zmieniła temat:

— Jezu, to są buty Timberlandy? Mega błąd. Ile za nie zapłaciłeś?

I tak dalej w tym stylu. W końcu poszedłem przepłukać miski i zawiesić worek z żywnością. Kiedy wróciłem, robiła sobie kolację, ale nie przestawała gadać do Katza.

— Wiesz, na czym polega twój problem? — mówiła. — Nie obraź się, ale jesteś za gruby.

Katz spojrzał na nią ze spokojnym zdziwieniem.

— Że co proszę?

— Jesteś za gruby. Trzeba było zrzucić wcześniej wagę. Trzeba było uprawiać jakieś sporty, bo mogą ci się przydarzyć jakieś poważne, no wiesz, sprawy z sercem.

— Sprawy z sercem?

— No wiesz, serce przestaje bić i umierasz.

— Chodzi ci o zawał serca?

— Właśnie.

Należy wspomnieć, że Mary Ellen sama nie należała do najchudszych stworzeń na świecie. W tym właśnie momencie nieroztropnie pochyliła się, żeby wyjąć coś z plecaka, prezentując rozległą powierzchnię pośladkową, na której bez problemu można by zrobić projekcję filmową dla oddziału wojska. Wystawiła Katza na interesującą próbę cierpliwości. Nic nie powiedział, tylko poszedł się wysikać, a przechodząc obok mnie, kącikiem ust wyrzucił z siebie adekwatne trzysylabowe wyzwisko, które zabrzmiało jak sygnał pociągu towarowego w nocy.

Następnego dnia jak zawsze wstaliśmy przemarznięci i wykończeni i przystąpiliśmy do wykonywania naszych drobnych obowiązków, ale tym razem ciążył na nas dodatkowy stres, a mianowicie świadomość, że jesteśmy obserwowani i oceniani. Kiedy jedliśmy rodzynki i piliśmy kawę ze strzępkami papieru toaletowego, Mary Ellen raczyła się wielodaniowym śniadaniem złożonym z owsianki, chrupkiego pieczywa, zestawu energetycznego dla turystów pieszych i kilku kosteczek czekolady, które ułożyła w rzędzie na pniu obok siebie. Patrzyliśmy jak osieroceni uchodźcy, jak wydyma policzki i naświetla kwestie naszych niedociągnięć w dziedzinie diety, sprzętu i ogólnej męskości.

A potem, teraz jako trio, ruszyliśmy w las. Mary Ellen szła czasem ze mną, a czasem z Katzem, ale zawsze z jednym z nas. Na pierwszy rzut oka było widać, że na przekór jej przechwałkom jest wybitnie niedoświadczona i zupełnie nie nadaje się do takich przedsięwzięć — na przykład nie miała pojęcia o czytaniu mapy — a także czuje się bardzo nieswojo sama na łonie przyrody. Wbrew sobie zrobiło mi się jej trochę żal, a poza tym jej obecność zaczęła mnie bawić. Mary Ellen miała wyjątkowo redundantny sposób wyrażania się. Mówiła na przykład: „Tam jest strumień wody" albo „Jest prawie dziesiąta przed południem". Pewnego razu, w kontekście zim na środkowej Florydzie, poinformowała mnie z całą powagą: „Z reguły temperatura spada poniżej zera raz czy dwa razy przez całą zimę, ale w tym roku mróz był dwa razy". Katz ze swej strony najwyraźniej nie znosił jej towarzystwa i krzywił się pod wpływem niezmożonych wysiłków na rzecz przyspieszenia tempa.

Pogoda nareszcie zrobiła się przychylniejsza — bardziej jesienna niż wiosenna, ale przyjemna i łagodna. Koło dziesiątej temperatura przekroczyła dwadzieścia stopni. Po raz pierwszy od Amicalola zdjąłem kurtkę i z niejaką konsternacją uzmysłowiłem sobie, że absolutnie nie mam gdzie jej włożyć. Przypiąłem ją trokiem do plecaka i poczłapałem dalej.

Męczyliśmy się przez ponad sześć kilometrów, wchodząc na Blood Mountain, która jest najwyższym (1359 m n.p.m.) i najtrudniejszym do zdobycia wzniesieniem Appalachian

Trail na terenie Georgii, a potem ruszyliśmy po stromym i podniecającym trzykilometrowym zejściu do Neels Gap. Podniecającym, ponieważ na Neels Gap jest sklep, w którym można kupić kanapki i lody, w obiekcie o nazwie Walasi-Yi Inn. Koło wpół do drugiej usłyszeliśmy nietypowy dźwięk, odgłosy ruchu samochodowego, i kilka minut później wyszliśmy na drogę krajową 19 i 129, która ma wprawdzie aż dwa numery, ale w rzeczywistości jest tylko boczną drogą przez wysoką przełęcz pomiędzy zalesionymi zadupiami. Po drugiej stronie drogi zobaczyliśmy Walasi-Yi Inn, piękny kamienny budynek wzniesiony przez Civilian Conservation Corps, swego rodzaju armię bezrobotnych w okresie Wielkiego Kryzysu w latach trzydziestych, a teraz kombinat łączący w sobie sklep ze sprzętem turystycznym, sklep spożywczy, księgarnię i schronisko młodzieżowe. Pospiesznym krokiem, jeśli nie biegiem, przekroczyliśmy drogę i weszliśmy do środka.

Może się wydać mało wiarygodne, jeśli powiem, że asfaltowa szosa, świst przejeżdżających samochodów i murowany budynek po zaledwie pięciu dniach spędzonych w lesie wydawały się czymś ekscytującym i nieznajomym, ale właśnie tak było. Samo znalezienie się wewnątrz, w otoczeniu podłogi, ścian i sufitu, było dla mnie nowym uczuciem. A oferta Walasi-Yi Inn — po prostu nie umiem wyrazić, jakie to było wspaniałe. W kącie stała niewielka szafa chłodnicza wypełniona świeżymi kanapkami, zimnymi napojami, sokami w kartonie i takimi artykułami spożywczymi jak ser. Katz i ja wpatrywaliśmy się w to wszystko całe wieki, ogłupiali i zauroczeni. Zacząłem się orientować, że podstawowym doświadczeniem na Appalachian Trail jest deprywacja, że w całym tym przedsięwzięciu chodzi przede wszystkim o odsunięcie się jak najdalej od codziennych wygód, tak aby najzwyklejsze rzeczy — ser żółty, puszka napoju pięknie ozdobiona perełkami skroplonej pary — wzbudziły w tobie zachwyt i wdzięczność. Cóż za upajające przeżycie skosztować coca-coli jakby po raz pierwszy w życiu i zostać prawie doprowadzonym do orgazmu przez biały chleb. Opłaciło się znosić całą tę mordęgę, myślisz sobie.

Katz i ja kupiliśmy po dwie kanapki z sałatką jajeczną, chipsy, batony i zimne napoje, a potem poszliśmy z tym wszystkim usiąść przy stole piknikowym na zewnątrz, gdzie jedliśmy z łapczywym mlaskaniem i wyrazem rozkoszy na twarzy, a potem wróciliśmy do środka, żeby w nabożnym milczeniu jeszcze trochę się pogapić na szafę chłodniczą. Jak się przekonaliśmy, Walasi-Yi Inn za niewielką opłatą oferowało autentycznym turystom inne usługi — pranie, prysznic, wypożyczenie ręczników — i ze wszystkich tych usług skwapliwie skorzystaliśmy. Prysznic był przedpotopowy i zawapniony, ale lała się z niego gorąca woda i nigdy — naprawdę nigdy — czynności związane z higieną osobistą nie sprawiły mi tak wielkiej radości. Z najgłębszą satysfakcją patrzyłem, jak pięć dni brudu spływa po moich nogach do kanalizacji, i zauważyłem z wdzięcznością i zaskoczeniem, że moje ciało przybrało smuklejsze kontury. Dwa razy załadowaliśmy pralkę, umyliśmy kubki, miski i menażki, kupiliśmy i wysłaliśmy pocztówki, zadzwoniliśmy do domu i zrobiliśmy w sklepie obfite zapasy świeżej i długoterminowej żywności.

Walasi-Yi Inn prowadził Anglik imieniem Justin i jego amerykańska żona Peggy. Co chwila wchodząc i wychodząc, przez całe popołudnie toczyliśmy z nimi podzieloną na wiele etapów rozmowę. Peggy powiedziała mi, że od pierwszego stycznia mieli już tysiąc turystów, mimo że sezon wypraw jeszcze się nie zaczął. Byli sympatycznym małżeństwem. Odniosłem wrażenie, że zwłaszcza Peggy poświęca wiele czasu na namawianie ludzi, żeby nie dawali za wygraną. Dzień wcześniej pewien młody człowiek z Surrey poprosił ich, żeby wezwać dla niego taksówkę, bo chce wracać do Atlanty. Peggy prawie udało się go nakłonić, żeby wytrwał jeszcze tydzień, ale w końcu załamał się, rozpłakał i skamlał, żeby pozwoliła mu wrócić do domu.

Ja sam po raz pierwszy naprawdę chciałem iść dalej. Słońce świeciło. Byłem czysty i wyświeżony. W plecakach mieliśmy mnóstwo jedzenia. Rozmawiałem przez telefon z żoną i wiedziałem, że wszystko jest w porządku. A przede wszystkim poczułem, że poprawia mi się kondycja. Byłem przekonany, że zrzuciłem już z dziesięć kilo. Byłem gotowy ruszać. Katz też olśniewał czystością i tryskał optymizmem.

Na werandzie zapakowaliśmy nasze nabytki i w tej samej chwili obaj uświadomiliśmy sobie, z radością i zdumieniem, że Mary Ellen nie jest już członkiem naszej ekipy. Wsunąłem głowę przez drzwi i spytałem, czy ją widzieli.

— Chyba poszła jakąś godzinę temu — powiedziała Peggy.

Sytuacja poprawiała się z minuty na minutę.

Zanim znowu ruszyliśmy w drogę, zrobiła się czwarta. Justin powiedział, że mniej więcej o godzinę marszu dalej jest naturalna łąka idealna do biwakowania. W ciepłym słońcu późnego popołudnia szlak wyglądał zapraszająco — drzewa rzucały długie cienie, przez dolinę rozciągał się rozległy widok na przysadziste góry w kolorze grafitowym — a łąka rzeczywiście okazała się świetnym miejscem na nocleg. Rozbiliśmy namioty i zjedliśmy na kolację kanapki i chipsy, popijając napojami z puszki.

Potem, z tak wielką dumą, jakbym to ja je upiekł, wyjąłem małą niespodziankę — dwie paczki babeczek Hostess.

Twarz Katza rozświetliła się jak u obchodzącego urodziny chłopca na obrazie Normana Rockwella.

— O ja cię!

— Niestety nie mieli Little Debbie — wyjaśniłem przepraszającym tonem.

— Jeny. Jeny.

Nie potrafił bardziej elokwentnie wyrazić swoich uczuć. Katz uwielbiał ciastka.

Podzieliliśmy się trzema babeczkami, a ostatnią zostawiliśmy na później na pniu drzewa, gdzie mogliśmy ją podziwiać. Siedzieliśmy na trawie oparci o pnie, bekaliśmy, paliliśmy papierosy, czuliśmy się wypoczęci i zadowoleni i nareszcie zaczęliśmy ze sobą rozmawiać — krótko mówiąc, zachowywaliśmy się mniej więcej tak, jak to sobie wyobrażałem w bardziej optymistycznych chwilach przed wyjazdem — kiedy Katz wydał z siebie ciche jęknięcie. Powędrowałem za jego spojrzeniem i zobaczyłem Mary Ellen, która szparkim krokiem zmierzała ku nam z naprzeciwka.

— Gdzie wy się podziewaliście? — skarciła nas. — Muszę powiedzieć, że jesteście strasznie powolni. O tej porze spokojnie mogliśmy być sześć kilometrów dalej. Widzę, że od tej pory będę musiała mieć na was oko... Hej, czy to jest babeczka Hostess? — Zanim zdążyłem się odezwać i zanim Katz zdążył złapać jakiś drąg i rozwalić jej czaszkę, powiedziała: — Dziękuję, bardzo chętnie — i zjadła babeczkę na dwa kęsy.

Miało upłynąć wiele dni, zanim Katz znowu się uśmiechnął.

— Spod jakiego jesteś znaku? — spytała Mary Ellen.

— Cunnilingus — odparł Katz z głęboko nieszczęśliwą miną.

Spojrzała na niego zdziwiona.

— Nie znam. — Zmarszczyła czoło, jakby chciała powiedzieć: „A niech mnie licho", i dodała: — Myślałam, że znam wszystkie. Ja jestem spod Wagi. — Odwróciła głowę w moją stronę. — A ty?

— Nie wiem. — Próbowałem coś wymyślić. — Nekrofilia.

— Tego też nie znam. Czy wy się ze mnie nabijacie?

— Owszem.

Od powrotu Mary Ellen minęły dwa dni. Obozowaliśmy na niewielkim płaskowyżu o nazwie Indian Grave Gap, pomiędzy dwoma posępnymi szczytami, z których jeden już słabo pamiętałem, a drugi przygnębiająco wznosił się przed nami pod niebo. W dwa dni pokonaliśmy trzydzieści pięć kilometrów — jak na nas całkiem porządny dystans — ale ogarnęło nas jakieś zniechęcenie i rozczarowanie, coś w rodzaju kryzysu połowy etapu. Kolejne dni spędzaliśmy dokładnie tak samo jak poprzednie i tak samo, jak mieliśmy spędzać następne, szliśmy przez podobny teren, tak samo krętym szlakiem, przez taki sam bezkresny las. Drzewa rosły tak gęsto, że nie mieliśmy prawie żadnych widoków, a kiedy już coś się odsłoniło, mogliśmy sobie popatrzeć na bezkresne góry porośnięte kolejnymi drzewami. Ze smutkiem uświadomiłem sobie, że znowu jestem brudny i wyję za białym chlebem. No i dochodziła do tego oczywiście nieustanna, trajkocząca, wybitnie debilna obecność Mary Ellen.

— Kiedy masz urodziny? — spytała mnie.

— Ósmego grudnia.

— Czyli Panna.

— Nie, Strzelec.

— Nieważne. — Nagle: — Jezu, ale cuchniecie.

— No wiesz, od chodzenia po górach człowiek się poci.

— Ja się nie pocę. Nigdy się nie pociłam. I nie mam snów.

— Każdy ma sny — zaoponował Katz.

— Ja nie mam.

— Sny mają wszyscy poza ludźmi o wyjątkowo niskiej inteligencji. To jest potwierdzone naukowo.

Mary Ellen popatrzyła na niego przez chwilę z trudną do rozgryzienia miną, po czym powiedziała:

— Śniło wam się kiedyś, że jesteście w szkole, patrzycie w dół i widzicie, że nie macie na sobie żadnego ubrania? Nienawidzę tego stanu.

— Przecież mówiłaś, że nie masz snów — przypomniał jej Katz.

Wpatrywała się w niego przez dłuższą chwilę, jakby próbowała sobie przypomnieć, czy już go kiedyś widziała.

— I spadanie — ciągnęła niezrażona. — Tego snu też nienawidzę. Wpadasz do dziury, a potem lecisz i lecisz w dół.

Zadygotała, po czym hałaśliwie odetkała uszy.

Katz obserwował ją z zainteresowaniem zoologa patrzącego na zwierzę.

— Znam faceta, który kiedyś dmuchnął tak jak ty i jedno oko mu wyskoczyło — powiedział.

Spojrzała na niego z powątpiewaniem.

— Potoczyło się po podłodze salonu i pies je zjadł. Prawda, Bryson?

Skinąłem głową.

— Zmyśliłeś to sobie.

— Nie zmyśliłem. Potoczyło się po podłodze i zanim ktokolwiek zdążył zareagować, pies je połknął.

Potwierdziłem kolejnym skinieniem głowy.

Przez dłuższą chwilę zastanawiała się nad tą opowieścią.

— I co zrobił twój kolega? Wprawił sobie szklane oko?

— Chciał, ale wiesz, był z biednej rodziny, więc wziął piłeczkę pingpongową, namalował na niej źrenicę i użył jako oka.

— Ble — skomentowała cicho Mary Ellen.

— Więc na twoim miejscu już nie odtykałbym sobie w ten sposób uszu.

Znowu wpadła w długi namysł.

— No, może masz rację — powiedziała w końcu i odetkała uszy.

W tych nielicznych chwilach, kiedy Mary Ellen chodziła się odlać w krzaki, a Katz i ja byliśmy sami, zawarliśmy tajny pakt, że następnego dnia przejdziemy dwadzieścia dwa kilometry do Dicks Creek Gap, gdzie przebiegała szosa do miasteczka Hiawassee, osiemnaście kilometrów dalej na północ. Dojdziemy do przełęczy, choćbyśmy mieli paść z wycieńczenia, a potem spróbujemy złapać autostop do Hiawassee, żeby zjeść tam kolację i przenocować w motelu. Plan B: zabijemy Mary Ellen i zabierzemy jej chrupkie pieczywo.

Następnego dnia maszerowaliśmy jak komandosi, wprawiając Mary Ellen w zdumienie naszymi energicznymi krokami. W Hiawassee był motel — czysta pościel! prysznic! kolorowy telewizor! — i szeroki wybór renomowanych restauracji. To wystarczająco zmotywowało nas do szybkiego marszu. Katz osłabł po godzinie, a po południu ja też czułem się zmęczony, ale z determinacją parliśmy dalej naprzód. Mary Ellen coraz bardziej odstawała i w końcu nawet Katz ją prześcignął. Istny cud na górskim szlaku.

Koło czwartej, zmęczony, zgrzany i ze strumieniami brudnego potu ściekającymi po twarzy, wyszedłem z lasu na szerokie pobocze drogi krajowej 76, asfaltowej rzeki pośród drzew, i z zadowoleniem zobaczyłem, że szosa jest szeroka i wygląda na ważną arterię komunikacyjną. Kilkaset metrów dalej zauważyłem polanę i podjazd — znamię cywilizacji — po czym droga zakręcała obiecująco. Kiedy tam stałem, minęło mnie kilka samochodów.

Katz wytoczył się z lasu kilka minut później, z dziką fryzurą i jeszcze dzikszym wzrokiem. Pogoniłem go na drugą stronę drogi na przekór jego donośnym protestom, z których wynikało, że musi natychmiast usiąść, chciałem bowiem zdążyć złapać okazję, zanim przyjdzie Mary Ellen i wszystko spieprzy. Nie wiedziałem jak, ale byłem pewien, że by to zrobiła.

— Widziałeś ją? — spytałem z niepokojem.

— Dawno temu, siedziała na kamieniu ze zdjętymi butami i pocierała sobie stopy. Wyglądała na padniętą.

— Świetnie.

Klapnął na plecak, spocony i wykończony, a ja stałem koło niego na poboczu z wyciągniętym do góry kciukiem, starając się wyglądać na zdrowego i porządnego człowieka, i każdy mijający nas samochód żegnałem poirytowanym syknięciem pod nosem. Od dwudziestu pięciu lat nie jeździłem autostopem i było to dla mnie dziwnie upokarzające przeżycie. Samochody śmigały koło nas bardzo szybko — niewiarygodnie szybko dla kogoś, kto od pewnego czasu przebywał w świecie pieszym — i kierowcy obrzucali nas pobieżnymi spojrzeniami. Bardzo nieliczne auta zbliżały się wolniej, zawsze ze starszymi ludźmi za kierownicą — siwe główki ledwo wystające ponad dolną linię szyby — którzy patrzyli na nas bez współczucia ani żadnych innych emocji, tak jakby oglądali stado krów. Wydawało się mało prawdopodobne, że ktokolwiek się zatrzyma. Ja bym się nie zatrzymał dla takich autostopowiczów.

— Nikt nas nie weźmie — oznajmił posępnie Katz po piętnastu minutach takiego lekceważącego traktowania.

Oczywiście miał rację, ale zawsze mnie denerwowało, że tak łatwo się poddaje.

— Mógłbyś wykazać trochę więcej wiary? — powiedziałem.

— Ależ ja mam niezłomną wiarę, że nikt nas nie weźmie. Zastanów się. — Z obrzydzeniem powąchał się pod pachami. — Jezu, śmierdzę jak zepsute jajka.

Jest takie zjawisko, które nazywa się „magia szlaku", znane wszystkim miłośnikom Appalachian Trail i opisywane przez nich z nabożną czcią. Magia ta powoduje, że kiedy sprawy przedstawiają się w najczarniejszych barwach, prawie zawsze pojawia się światełko w tunelu. W naszym przypadku był to mały, błękitny Pontiac TransAm, który śmignął obok nas, a potem z piskiem hamulców zatrzymał się na poboczu jakieś sto metrów dalej, w chmurze pyłu. Ujechał tak daleko, że nie przyszło mi do głowy, że zatrzymał się dla nas, ale potem wrzucił wsteczny i ruszył w naszą stronę, z prawymi kołami na poboczu, szybko i trochę zygzakiem. Stałem jak sparaliżowany. Poprzedniego dnia usłyszeliśmy od pary wytrawnych piechurów, że na Południu niektórzy kierowcy dla żartu udają, że chcą potrącić turystę i w ostatniej chwili odbijają kierownicą albo przejeżdżają po plecakach. Podejrzewałem, że za chwilę spotka nas coś podobnego. Szykowałem się do ucieczki i nawet Katz zaczął wstawać, kiedy auto stanęło parę metrów dalej, wyrzucając do góry kolejny obłok pyłu, a z okna kierowcy wychyliła się głowa młodej kobiety.

— Chcecie się z nami zabrać, chłopcy? — zawołała.

— Oczywiście, proszę pani — powiedzieliśmy, przywołując nasze najlepsze maniery.

Wzięliśmy plecaki, podeszliśmy do samochodu i zajrzeliśmy w okna. Zobaczyliśmy w środku parę bardzo urodziwych, bardzo wesołych i bardzo pijanych młodych ludzi, którzy wyglądali na nie więcej niż osiemnaście albo dziewiętnaście lat. Kobieta ostrożnie nalewała do plastikowych kubków złocisty płyn z opróżnionej w trzech czwartych butelki whisky Wild Turkey.

— Cześć! — powiedziała kobieta. — Wskakujcie.

Zawahaliśmy się. Auto było wypchane prawie pod sufit — walizkami, pudłami, czarnymi workami foliowymi, wieszakami z ubraniem. Ten model Pontiaca nie jest za duży i nawet bez nas trochę w nim było ciasno.

— Darren, zrób miejsce dla panów — rozkazała młoda kobieta i dorzuciła w naszą stronę: — Ten tutaj to Darren.

Darren wysiadł, uśmiechnął się do nas na powitanie, otworzył bagażnik i tępym wzrokiem patrzył przed siebie aż do momentu, kiedy mu zaświtało, że w bagażniku też nie ma miejsca. Był tak pijany, że przez moment sprawiał wrażenie, jakby miał zaraz zasnąć na stojąco, ale ocknął się, a potem znalazł kawałek sznurka i całkiem sprawnie przywiązał nasze plecaki do dachu. Potem, lekceważąc wygłaszane energicznym tonem porady i polecenia swojej koleżanki, przerzucał różne rzeczy z tyłu kabiny, aż w końcu stworzył niewielką jamę, do której wśliznęliśmy się z Katzem, wysapując z siebie przeprosiny i wyrazy najszczerszej wdzięczności.

Kobieta miała na imię Donna. Jechali do oddalonej osiemdziesiąt kilometrów miejscowości o jakiejś filuternej nazwie — Wodospad Indycze Jaja, Fiutowa Ślizgawka czy coś w tym guście — ale wyrazili chęć podrzucenia nas do Hiawassee (uznali optymistycznie, że nas wcześniej nie zabiją). Darren jechał 200 kilometrów na godzinę z jednym palcem na kierownicy, a jego głowa podskakiwała w rytm jakiejś satanistycznej piosenki, a dziewczyna odwróciła się w naszą stronę, żeby z nami porozmawiać. Była powalająco piękna.

— Musicie nam wybaczyć. Świętujemy.

Podniosła plastikowy kubek, jakby spełniała toast.

— Co świętujecie? — spytał Katz.

— Jutro się hajtamy — oznajmiła z dumą.

— Serio? — powiedział Katz. — Gratulacje.

— No. Darren wyciągnie mnie z bagna grzechu.

Zmierzwiła mu włosy, a potem spontanicznie pochyliła się i przytknęła usta do jego policzka. Pocałunek robił się coraz dłuższy i dogłębniejszy, a potem jawnie lubieżny. W ramach premii wsunęła rękę w jakieś niespodziewane miejsce — tak przynajmniej uznaliśmy, ponieważ Darren nagle walnął głową w dach i zabrał nas na krótką, ale ekscytującą wycieczkę na przeciwny pas. Potem Donna odwróciła się do nas z rozmarzoną, nieskrępowanie wyuzdaną miną, jakby chciała powiedzieć: „Kto następny?". Pomyśleliśmy, że Darren będzie miał wiele do zrobienia, ale doszliśmy do wniosku, że ten wysiłek się opłaci.

— Napijcie się czegoś — zaproponowała Donna, chwyciła butelkę za szyjkę i rozejrzała się za zapasowymi kubkami.

— Och, nie, dziękuję — powiedział Katz, a jego mina wskazywała, że jest to z jego strony duże wyrzeczenie.

— No co ty — nalegała.

Uniósł rękę do góry.

— Jestem na odwyku.

— Serio? To świetnie. Wypijmy za to.

— Naprawdę dziękuję.

— A ty?

Odwróciła się do mnie.

— Och, nie, dziękuję.

Nawet gdybym chciał się napić, nie zdołałbym wyswobodzić rąk. Dyndały przede mną jak kończyny tyranozaura.

— Ty chyba nie jesteś na odwyku, co?

— Tak jakby.

W celach solidarnościowych postanowiłem wyrzec się alkoholu na czas wyprawy.

Zmierzyła nas wzrokiem.

— Jesteście mormonami czy coś?

— Nie, tylko trekkingowcami.

Pokiwała z namysłem głową, a potem uznała, że taka odpowiedź ją satysfakcjonuje, i napiła się. Potem znowu doprowadziła do kontaktu głowy Darrena z dachem samochodu.

Wysadzili nas w Hiawassee pod Mull's Motel, staroświeckim, pozbawionym wyrazu, ewidentnie niesieciowym obiektem na zakręcie drogi blisko centrum miasta. Podziękowaliśmy wylewnie, odprawiliśmy rytuał z próbą wręczenia im pieniędzy za benzynę, napotykając na stanowczy sprzeciw, i patrzyliśmy, jak Darren z powrotem włącza się do ruchu na ruchliwej drodze, jakby został wystrzelony z wyrzutni rakietowej. Chyba znowu walnął głową o dach, zanim zniknęli za niewielkim wzniesieniem.

Znowu byliśmy sami z plecakami na pustym motelowym parkingu w zapylonym, zapomnianym, dziwacznie wyglądającym miasteczku w północnej Georgii. Słowem, które przychodzi do głowy każdemu wędrowcowi, który myśli o północnej Georgii, jest *Deliverance* (*Wybawienie*), powieść Jamesa Dickeya z 1974 roku i nakręcony według niej film. Jak sobie być może przypominacie, rzecz dotyczy czterech mężczyzn z Atlanty, w średnim wieku, którzy wyjeżdżają na weekend na wycieczkę kajakową po fikcyjnej rzece Cahulawasee (wzorowanej na prawdziwej, płynącej niedaleko stolicy stanu rzece Chattoga) i okazuje się, że to dla nich o wiele za głębokie wody. „W każdej rodzinie, jaką poznałem, przynajmniej jeden facet odsiaduje wyrok. Niektórzy siedzą za pędzenie i sprzedawanie bimbru, ale większość za zabójstwo. Nie mają specjalnych oporów przed zabijaniem"*. Co się oczywiście potwierdza, kiedy nasza wielkomiejska czwórka jest dymana od tylca, mordowana i ścigana przez hordę obłąkanych leśnych dzikusów.

W początkowej fazie książki Dickey każe swoim postaciom zapytać o drogę w jakimś „sennym, zżartym przez robaki i brzydkim"** miasteczku, za którego pierwowzór mogło posłużyć Hiawassee. Na pewno wiadomo, że fabuła książki jest osadzona w tej części stanu i że właśnie w tej okolicy nakręcono film. Słynny muzykant albinos, który w filmie grał „pojedynkujących się bandżo", podobno nadal mieszka w pobliskim Clayton.

---

* James Dickey, *Wybawienie*, przeł. Julita Wroniak, Wydawnictwo Literackie, Kraków 1988, s. 44.

** Ibid., s. 52.

Jak można się było spodziewać, książka Dickeya spotkała się w Georgii z ostrą krytyką, kiedy się ukazała — pewien komentator nazwał ją „najbardziej szkalującą charakterystyką południowych górali w całej historii nowożytnej literatury", co było sporym niedopowiedzeniem — ale trzeba przyznać, że mieszkańcy północnej Georgii od 150 lat budzą w ludziach przerażenie. Pewien dziewiętnastowieczny kronikarz opisał mieszkańców regionu jako „wysokie, chude, szkieletowate bestie, melancholijne i leniwe jak gotowany dorsz", a inni bez skrępowania posługiwali się takimi słowami jak „zdeprawowani", „chamscy", „niecywilizowani" i „zacofani", opisując odizolowany od świata, kiepsko wykształcony lud zamieszkujący ciemne lasy i nędzne miasteczka Georgii. Dickey, który sam pochodził z tego stanu i dobrze znał okolicę, przysięgał na wszystkie świętości, że jego książka wiernie oddaje rzeczywistość.

Być może zdecydowało o tym utrzymujące się oddziaływanie powieści Dickeya, być może pora dnia, a być może fakt, że odwykłem od przebywania w mieście, ale Hiawassee wydawało mi się odczuwalnie dziwne i rozstrajające — miejsce, w którym nie byłbyś zaskoczony, gdyby benzynę do baku nalewali ci cyklopi. Poszliśmy do recepcji motelu, która bardziej przypominała zabałaganiony pokój w prywatnym mieszkaniu niż biuro, i zastaliśmy tam starszą panią z bujnymi siwymi włosami i w jasnej bawełnianej sukience, siedzącą na sofie koło drzwi. Wyraźnie ucieszyła się na nasz widok.

— Dzień dobry — powiedziałem. — Szukamy pokoju.

Kobieta uśmiechnęła się szeroko i pokiwała głową.

— Dokładniej dwóch pokojów, jeśli pani ma.

Kobieta ponownie się uśmiechnęła i pokiwała głową. Czekałem, aż wstanie, ale nie ruszyła się.

— Na dzisiejszą noc — dodałem zachęcająco. — Wynajmujecie pokoje, prawda?

Jej uśmiech jeszcze bardziej się poszerzył i mocno chwyciła mnie za rękę. Palce miała zimne i kościste. Patrzyła na mnie z taką nadzieją i wyczekiwaniem, jakby liczyła na to, że rzucę jej patyk do aportu.

— Powiedz jej, że przybywamy z rzeczywistości — szepnął mi Katz do ucha.

W tym momencie drzwi otworzyły się z rozmachem i pojawiła się w nich siwowłosa kobieta, wycierając dłonie o fartuch.

— O, z nią nie ma sensu rozmawiać — powiedziała przyjaznym tonem. — Ona nic nie zrozumie i nic nie powie. Mamo, puść pana rękę. — Staruszka uśmiechnęła się do niej radośnie. — Mamo, puść pana rękę!

Moja dłoń została wyswobodzona i wynajęliśmy dwa pokoje. Poszliśmy z kluczami każdy w swoją stronę i umówiliśmy się za pół godziny. Mój pokój był ubogo urządzony i zdezelowany — dziury wypalone przez papierosy w każdej możliwej powierzchni, łącznie z sedesem i framugami drzwi, a na ścianach i suficie widniały wielkie plamy, które sugerowały, że odbyła się tam walka na śmierć i życie z udziałem dużych ilości gorącej kawy — ale ja poczułem się jak w raju.

Zadzwoniłem do Katza, żeby nacieszyć się nowinką, jaką był dla mnie telefon, i dowiedziałem się, że jego pokój jest jeszcze gorszy. Byliśmy w siódmym niebie.

Wzięliśmy prysznic, włożyliśmy na siebie najczystsze ubranie, jakim dysponowaliśmy, i z entuzjazmem udaliśmy się do obleganej przez klientów pobliskiej restauracji Georgia Mountain. Na parkingu stały dziesiątki pikapów, a w środku tłoczyli się umięśnieni mężczyźni w czapkach bejsbolowych. Miałem wrażenie, że gdybym zawołał: „Telefon do ciebie, Bubba"*, co drugi zerwałby się na nogi. Nie powiem, że w Georgia Mountain mieli jedzenie, dla którego warto byłoby nadłożyć drogi, nawet w granicach Hiawassee, ale z pewnością było niedrogie. Za pięć i pół dolara można tam dostać „mięso plus trzy" (liczba trzy odnosi się do dodatków), wstęp do bufetu sałatkowego i deser. Zamówiłem smażonego kurczaka, bób, pieczone ziemniaki i brukiew. Nigdy wcześniej nie jadłem brukwi i raczej nieprędko zjem znowu. Jedliśmy hałaśliwie i łapczywie i kilka razy prosiliśmy o dolewkę mrożonej herbaty.

Deser był oczywiście gwoździem programu. Każdy wędrowiec na treku marzy o jakimś daniu, najczęściej słodkim. Mnie podtrzymywała przy życiu wizja wielkiego kawałka placka. Zajmowała moje myśli od wielu dni i kiedy kelnerka przyszła przyjąć zamówienie, poprosiłem, z błagalnym wzrokiem i ręką na jej przedramieniu, żeby przyniosła mi największy kawałek, jaki może mi ukrajać bez ryzyka utraty pracy. Przyniosła ogromny, lepki, kanarkowy klin ciasta cytrynowego. Był to prawdziwy pomnik technologii żywieniowej, taki żółty, że od samego patrzenia można było dostać bólu głowy, i taki słodki, że gałki oczne wtaczały się do głowy — jednym słowem miał w sobie wszystko, czego można oczekiwać od ciasta, pod warunkiem że nasze wymagania nie obejmują smaku i jakości. Właśnie się do niego zabierałem, kiedy Katz przerwał długie milczenie i powiedział dziwnie nerwowym tonem:

— Wiesz, co cały czas robię? Sprawdzam, czy przypadkiem nie wchodzi Mary Ellen.

Widelec z połyskliwym smakołykiem zatrzymał się w połowie drogi do moich ust i zauważyłem z niejakim niedowierzaniem, że talerzyk z deserem Katza jest już pusty.

---

* Bubba (ang.) — południowa wymowa słowa „brother".

— Chyba mi nie powiesz, że za nią tęsknisz, Stephen? — powiedziałem ironicznie i doprowadziłem widelec tam, gdzie było jego miejsce.

— Nie — odparł kwaśno Katz, który nie potraktował mojego pytania jako żartu. Sfrustrowany poszukiwał słów, które wyraziłyby jego skomplikowane emocje. — Tak jakby ją porzuciliśmy — wydusił z siebie w końcu.

Przemyślałem ten zarzut.

— Nie zgadzam się z tobą, że tak jakby ją porzuciliśmy. Po prostu ją porzuciliśmy. — Zupełnie nie podzielałem jego skrupułów. — I co z tego?

— No wiesz, mam lekkie wyrzuty sumienia, że zostawiliśmy ją samą w lesie.

Skrzyżował ramiona, jakby chciał powiedzieć: „Nareszcie wyrzuciłem to z siebie".

Odłożyłem widelec i przeanalizowałem problem.

— Przyszła do lasu sama — powiedziałem. — Nie jesteśmy za nią odpowiedzialni. Przecież nie podpisywaliśmy umowy, że będziemy się nią opiekować.

Już kiedy wypowiadałem te słowa, ogarnęła mnie bardzo nieprzyjemna świadomość, że Katz ma rację. Porzuciliśmy ją, zostawiliśmy na pastwę niedźwiedzi, wilków i bezecnych górali. Byłem tak gruntownie zaprzątnięty moją dziką żądzą jedzenia i prawdziwego łóżka, że ani przez chwilę się nie zastanowiłem, co nasze nagłe zniknięcie będzie oznaczało dla Mary Ellen — sama w nocy pośród szepczących drzew, otulona ciemnościami, nasłuchuje za trzaśnięciem gałęzi albo patyka pod ciężką stopą czy łapą. Nikomu nie życzę czegoś takiego. Moje spojrzenie padło na placek i zdałem sobie sprawę, że już nie mam na niego ochoty.

— Może spiknęła się z kimś innym — zasugerowałem nieśmiało i odsunąłem od siebie talerz.

— Widziałeś kogoś dzisiaj na szlaku? — Katz miał rację, nie widzieliśmy żywej duszy. — Pewnie do tej pory jest w drodze — powiedział z lekkim ożywieniem w głosie. — I zastanawia się, gdzie nas wywiało. I trzęsie ze strachu tą swoją wielką dupą.

— Przestań — powiedziałem błagalnym tonem i odruchowo odsunąłem ciasto jeszcze o centymetr dalej.

Poczęstował mnie emfatycznym, energicznym, zadufanym w sobie skinieniem głową i spojrzał z dziwną, zapalczywą, oskarżycielską miną, która mówiła: „Jeśli Mary Ellen umrze, będziesz ją miał na sumieniu". Racja, to ja zorganizowałem ten spisek. To była moja wina.

Potem Katz z pochylił się ku mnie i powiedział zupełnie innym tonem:

— Skoro nie jesz już ciasta, to mogę dokończyć?

Następnego dnia rano zjedliśmy śniadanie w lokalu Hardee po drugiej stronie ulicy i wzięliśmy taksówkę, żeby odwiozła nas z powrotem na szlak. Nie było już mowy o Mary Ellen, zresztą w ogóle niewiele się odzywaliśmy. Powrót na Appalachian Trail po nocy spędzonej spośród wygód oferowanych przez cywilizację odebrał nam ochotę do rozmowy.

Już na samym początku czekało nas strome podejście, które pokonaliśmy powoli i ostrożnie. Zawsze czułem się strasznie po dniu przerwy. Z kolei Katz czuł się strasznie niezależnie od okoliczności. Regeneracyjne skutki wizyty w mieście znikały u niego zdumiewająco szybko. Po paru minutach nikt by się nie domyślił, że mamy za sobą dłuższy odpoczynek — wręcz przeciwnie, ponieważ w normalny dzień nie wdrapywałbym się po stromym zboczu z ciężkim i tłustym śniadaniem, które bardzo chciało się wyrwać na świeże powietrze.

Po mniej więcej pół godzinie marszu zobaczyliśmy energicznego mężczyznę w średnim wieku, który nadchodził z przeciwnego kierunku. Spytaliśmy go, czy widział dziewczynę, która chodzi w czerwonej kurtce, głośno mówi i ma na imię Mary Ellen. Zrobił taką minę, jakby coś mu zaświtało, i zapytał:

— Czy ona... nie chcę być złośliwy ani nic takiego... często robi tak?

Zatkał sobie nos i wydał z siebie serię okropnych trąbiących dźwięków. Skwapliwie pokiwaliśmy głowami.

— Tak, nocowałem razem z nią i dwoma facetami w Plumorchard Gap Shelter. — Przyjrzał się nam z powątpiewającą miną. — To wasza znajoma?

— Och, nie — zaprzeczyliśmy, odżegnując się od niej ze wszystkich sił, tak jakby to na naszym miejscu zrobiła każda rozsądna osoba. — Przyczepiła się do nas na parę dni.

Pokiwał ze zrozumieniem głową i uśmiechnął się szeroko.

— Niezły z niej okaz, co?

Również uśmiechnęliśmy się szeroko.

— Było aż tak źle? — dociekaliśmy.

Zrobił minę, która wyrażała autentyczne cierpienie, a potem jakby go olśniło:

— Wy musicie być tymi gośćmi, o których mówiła.

— Naprawdę? — zdziwił się Katz. — Co mówiła?

— Nic takiego — odparł, ale widać było, że z trudem powstrzymuje się od śmiechu, więc zaczęliśmy naciskać:

— No co mówiła?

— Nic. Nic takiego — powtórzył, ale z uśmiechem.

— Co mówiła?!

Zawahał się.

— Niech wam będzie. Powiedziała, że jesteście parą mięczaków z nadwagą, którzy nie mają pojęcia o trekkingu, że miała dosyć prowadzenia was za rączkę.

— Tak powiedziała? — spytał Katz zgorszony.

— To znaczy, jeśli dobrze sobie przypominam, nazwała was lalusiami.

— Nazwała nas lalusiami? — nie dowierzał Katz. — Teraz to już ją zabiję.

— Raczej nie będzie pan miał problemu ze znalezieniem ludzi, którzy ją dla pana przytrzymają — stwierdził z nieobecną miną nasz rozmówca, który krytycznym okiem oglądał niebo. — Zapowiadali, że będzie padał śnieg.

Wydałem z siebie odgłos rozpaczy. To była ostatnia rzecz, której potrzebowaliśmy.

— Naprawdę? Dużo?

Skinął głową.

— Piętnaście do dwudziestu centymetrów. Na większych wysokościach więcej.

Po stoicku uniósł brwi, tak jakby komentował moją nerwową reakcję. A przecież śnieg był nie tylko zniechęcający, ale również niebezpieczny.

Mężczyzna pozwolił swoim słowom wybrzmieć, a potem dodał:

— Pora ruszać.

Pokiwałem ze zrozumieniem głową, bo w końcu nie poszliśmy w góry po to, żeby stać w miejscu. Odprowadziłem go wzrokiem, a potem odwróciłem się do Katza, który kręcił głową.

— Wyobrażasz sobie, żeby mówić o nas takie rzeczy po tym wszystkim, co dla niej zrobiliśmy? — oburzał się, a na widok mojego wbitego w niego spojrzenia zapytał speszony: — O co ci chodzi?

Milczałem wymownie.

— No o co ci chodzi??

— Już nigdy nie wyłudzisz ode mnie kawałka ciasta, zrozumiano?

Skrzywił się i skulił ramiona.

— No dobra, w porządku. Jezu — powiedział i potoczył się dalej.

Dwa dni później usłyszeliśmy, że Mary Ellen z pęcherzami na stopach zeszła ze szlaku po próbie pokonania 56 kilometrów w dwa dni. Wielki błąd.

Kiedy człowiek mierzy się ze światem na nogach, odczuwa odległość zupełnie inaczej. Jeden kilometr to spory spacer, dwa kilometry to daleka droga, dziesięć kilometrów to forsowny marsz, a pięćdziesiąt kilometrów przekracza granice wyobraźni. Człowiek szybko sobie uświadamia, że świat jest ogromny, z czego zdaje sobie sprawę tylko on sam i niewielkie środowisko innych turystów pieszych. Skala planetarna jest naszą małą tajemnicą.

Poza tym życie staje się proste i uporządkowane. Czas przestaje mieć jakiekolwiek znaczenie. Kiedy jest ciemno, idziesz spać, kiedy znowu zrobi się jasno, wstajesz, a pośrodku jest to, co jest pośrodku. Coś wspaniałego.

Nie ma żadnych terminów, zadań do wykonania, zobowiązań ani obowiązków. Nie ma żadnych szczególnych ambicji i tylko małe, nieskomplikowane potrzeby. Istnieje się w świecie nieuciążliwej monotonii, w błogości wykraczającej poza obszar rozczarowania, „bardzo daleko od siedlisk zmagania", jak to określił osiemnastowieczny odkrywca i botanik William Bartram. Jedyna rzecz, której wymaga świat pieszy, to gotowość do dalszego marszu.

Nie ma sensu się spieszyć, bo nie zmierzasz do żadnego celu. Niezależnie od tego, jak daleko albo jak długo idziesz, zawsze jesteś w tym samym miejscu: w lesie. Tam byłeś wczoraj i tam będziesz jutro. Las jest bezkresną osobliwością. Za każdym zakrętem otwiera się widok nieodróżnialny od wszystkich innych, a każde spojrzenie między drzewa natrafia na taką samą splątaną gęstwinę. Gdybyś chodził w kółko, to pewnie nawet byś tego nie zauważył. Zresztą nie miałoby to większego znaczenia.

Są chwile, kiedy jesteś prawie pewien, że trzy dni wcześniej zmagałeś się z tą górą, wczoraj przekraczałeś ten potok, a dzisiaj już dwa razy przełaziłeś przez to zwalone drzewo, ale na ogół w ogóle nie myślisz, bo to nie ma sensu. Istniejesz w swego rodzaju mobilnym trybie zen, twój umysł jest jak balon na sznurku, towarzyszy ci, ale nie znajduje się w twoim ciele. Wielogodzinny, wielokilometrowy marsz staje się tak samo automatyczny i tak samo niezauważalny jak oddychanie. Pod koniec dnia nie myślisz sobie: „Rany, zrobiłem dzisiaj dwadzieścia pięć kilometrów", tak jak nie myślisz sobie: „Rany, zrobiłem dzisiaj osiem tysięcy oddechów". Po prostu idziesz i po prostu oddychasz.

No i szliśmy, godzina po godzinie, w górę i w dół, ostrymi jak brzytwa grzbietami, trawiastymi halami, przez niezgłębione szeregi dębów, jesionów, kasztanów karłowatych i sosen. Niebo spochmurniało i zrobiło się zimniej, ale dopiero trzeciego dnia zaczął padać śnieg. Rano jeszcze ledwo prószył, ale potem wzmógł się wiatr i wiał coraz mocniej, a potem uderzał z apokaliptyczną furią, która nawet drzewa zdawała się wpędzać w panikę, i przyniósł ze sobą wielkie, fruwające kłęby śniegu. W południe brnęliśmy przez szczypiącą w policzki śnieżycę. Trochę później dotarliśmy na wąską półkę skalną przy pionowej ścianie o nazwie Big Butt Mountain.

Nawet przy idealnej pogodzie przejście szlaku dookoła tej góry wymaga ostrożności i zręczności. Przypominało mi to parapet okna w drapaczu chmur. Ścieżka miała trzydzieści pięć do czterdziestu centymetrów szerokości i w niektórych miejscach się osypywała, po jednej stronie ciągnęła się dwudziestokilkumetrowa przepaść, a po drugiej pionowe granitowe lico. Parę razy zrzuciłem na dół kamień wielkości stopy i z lekkim przerażeniem patrzyłem, jak uderza o dno przepaści i odskakuje na nieprawdopodobnie wielką odległość. Oprócz kamieni ciągle natrafialiśmy też na wijące się korzenie drzew i bez ustanku się potykaliśmy. Pod cienką warstewką sypkiego śniegu ciągnął się wypolerowany na gładko lód. Rozpaczliwie często ścieżkę przecinały strome, kamieniste strumienie, zamarznięte na kamień i pożyłkowane niebieskim lodem. Można je było bezpiecznie pokonać tylko na czworakach. Kiedy pełzaliśmy tą absurdalnie wąską, niebezpieczną percią, stale oślepiał nas sypiący w oczy śnieg i szarpały nami podmuchy wiatru, który ryczał w roztańczonych drzewach i ciągnął za nasze plecaki. To nie była śnieżyca, tylko śnieżna zawierucha. Bardzo starannie stawialiśmy każdy krok, sprawdzając, czy stopa wykroczna jest stabilna, zanim oderwaliśmy od ziemi drugą. Mimo to Katz dwa razy wydał z siebie przerażony, płynący ze szczerego serca, komiksowy odgłos, kiedy stopa mu się omsknęła — AIEEEE! albo EEEARGH! — i kiedy się odwróciłem, zobaczyłem, że mój towarzysz obściskuje drzewo, stopy mu się ślizgają, oczy wyłażą na wierzch, a twarz ocieka zgrozą.

Było to bardzo wyczerpujące nerwowo. Pokonanie jednego kilometra szlaku zajęło nam dwie godziny. Kiedy dotarliśmy na solidniejszy grunt na przełęczy Bearpen Gap, śnieg miał dziesięć centymetrów głębokości i dalej szybko go przybywało. Cały świat był biały, wypełniony płatkami śniegu wielkości dziesięciocentówki, które spadały ukośnie, kiedy złapał je wiatr i rozfruwały się na wszystkie strony. Widoczność nie przekraczała kilku metrów.

Szlak przeciął drogę tartaczną i skierował się na Albert Mountain, pokrytą głazami górę o wysokości 1600 m n.p.m. Wiatr tak się tam rozszalał, że uderzał o zbocza góry z dudniącym odgłosem i musieliśmy krzyczeć, żeby się nawzajem usłyszeć. Uszliśmy kawałek i pospiesznie wróciliśmy na przełęcz. Z zapakowanym po komin plecakiem trekkingowym na grzbiecie nawet przy bezwietrznej pogodzie człowiek nie ma ustalonego środka ciężkości, więc utrzymanie równowagi przy takiej wichurze było niemożliwe. Skonsternowani staliśmy u podnóża góry i patrzyliśmy na siebie. Sytuacja była poważna. Utknęliśmy pomiędzy górą, na którą nie mogliśmy się wspiąć, i półką skalną, której nie mieliśmy zamiaru ponownie pokonywać. Zostawało nam tylko jedno rozwiązanie: rozbić namioty — jeśli się uda przy takim wietrze — wczołgać się do środka i czekać, co przyniesie los. Nie chcę wchodzić w melodramatyczne klimaty, ale ludziom zdarzało się umierać w mniej groźnych okolicznościach.

Zrzuciłem plecak na ziemię i poszukałem w nim mapy szlaku. Mapy Appalachian Trail są tak doskonale bezużyteczne, że dawno przestałem z nich korzystać. Większość z nich ma kosmiczną skalę 1:100 000, która każdy kilometr rzeczywistego świata ścieśnia do jednego centymetra na mapie. Wyobraźcie sobie kilometr kwadratowy fizycznego krajobrazu ze wszystkim, co może się umieścić na takim obszarze

— drogi tartaczne, strumienie, parę wierzchołków gór, może wieża strażacka, łąka albo hala, meandrujący szlak i może ze dwie jego ważne odnogi — a potem wyobraźcie sobie, że próbujecie zawrzeć te informacje na powierzchni paznokcia waszego małego palca. Tak wygląda mapa AT.

W rzeczywistości jest dużo, dużo gorzej, ponieważ mapy AT — z zupełnie niezrozumiałych dla mnie powodów — dostarczają mniejszej liczby szczegółów, niż to umożliwia kiepska skala. Z kilkunastu szczytów, które mogą się znaleźć na dziesięciu kilometrach szlaku, mapa uwzględnia na przykład trzy. Doliny, stawy, przełęcze, strumienie i inne ważne, czasem żywotnie istotne elementy topograficzne nagminnie są pomijane. Kartografowie nie nanoszą wielu dróg Forest Service, a te naniesione często mają na mapie inny przebieg niż w rzeczywistości. Nawet boczne szlaki nierzadko są pomijane. Nie ma współrzędnych, nie ma możliwości wysłania ratowników w określone miejsce, nie ma strzałek w stronę miast leżących tuż poza zakresem mapy. Krótko mówiąc, mapy AT są zupełnie niezdatne do użytku.

W normalnych okolicznościach to tylko irytuje, ale teraz zakrawało na kryminalne zaniedbanie. Wyjąłem mapę z plecaka i zmagałem się z wiatrem, żeby pozwolił mi na nią spojrzeć. Szlak był zaznaczony czerwoną linią. W pobliżu przebiegała gruba, kręta czarna linia — uznałem, że chodzi o drogę Forest Service, koło której staliśmy, ale nie miałem pewności. Według mapy droga — założywszy, że czarna linia oznaczała właśnie ją — zaczynała się na kompletnym odludziu i kończyła kilkanaście kilometrów dalej również na odludziu, co oczywiście wydawało się bezsensowne, a nawet niemożliwe (droga nie może się zaczynać w środku lasu; ciężki sprzęt nie może spontanicznie pojawić się między drzewami. Zresztą nawet gdyby dało się zbudować drogę, która prowadzi donikąd, po co ktoś miałby to robić?). Coś było mocno nie w porządku z tą mapą.

— Kosztowała mnie jedenaście dolców — powiedziałem do Katza trochę histerycznie, pomachałem mapą w jego kierunku, złożyłem mniej więcej na płasko i wsunąłem do kieszeni.

— Co w takim razie robimy? — zapytał.

Westchnąłem, nie wiedząc, co mu odpowiedzieć, a potem wyszarpnąłem mapę z kieszeni i jeszcze raz jej się przyjrzałem. Przenosiłem spojrzenie z mapy na drogę tartaczną i z powrotem.

— Wygląda na to, że ta droga omija łukiem górę i wraca w pobliże szlaku po drugiej stronie. Jeśli rzeczywiście tak jest i jeśli uda nam się znaleźć szlak, to trochę dalej jest szałas. Jeśli nie znajdziemy szlaku, to nie wiem, chyba pójdziemy tą drogą dalej w dół i poszukamy osłoniętego od wiatru miejsca na rozbicie namiotów. — Trochę bezradnie wzruszyłem ramionami. — Nie wiem. A ty co myślisz?

Katz patrzył na niebo, przyglądał się padającemu śniegowi.

— Ja myślę — odparł zamyślonym tonem — że chciałbym pomoczyć się w jacuzzi, zjeść na kolację duży stek z pieczonym ziemniakiem i mnóstwem śmietany, a kiedy mówię o mnóstwie śmietany, to mam na myśli naprawdę mnóstwo śmietany, a potem pobaraszkować z cheerleaderkami Dallas Cowboys na tygrysiej skórze przy ogniu trzaskającym w wielkim kamiennym kominku z gatunku tych, które mają w pensjonatach w ośrodkach narciarskich. Wiesz, o jakie mi chodzi? — Spojrzał na mnie pytającym wzrokiem. Skinąłem głową. — Ja mam takie preferencje, ale jeśli uważasz, że będziemy mieli lepszą zabawę, jeśli zrealizujemy twój plan, to jestem gotów go wypróbować. — Strzepnął sobie śnieg z brwi. — Poza tym szkoda byłoby zmarnować cały ten piękny śnieg.

Parsknął zgryźliwie i ponownie rzucił się w objęcia obłąkanej śnieżycy. Dźwignąłem plecak na grzbiet i ruszyłem w jego ślady.

Brnęliśmy stromą drogą smagani wiatrem. Tam, gdzie śnieg zalegał, był mokry, ciężki i tak głęboki, że wkrótce miał się stać nie do przejścia, a wtedy nie pozostałoby nam nic innego, niż zatrzymać się na nocleg. Nie było miejsca na rozbicie namiotu, zauważyłem z niepokojem — strome, zalesione zbocze po obu stronach drogi. Przez całkiem spory dystans — znacznie dłuższy, niż to wynikało z moich obliczeń — droga biegła prosto jak strzelił. Nawet gdyby gdzieś dalej odbiła w stronę szlaku, nie było pewności — a może nawet zbyt wysokiego prawdopodobieństwa — że go znajdziemy. Pośród drzew i przy tak głębokim śniegu można nie zauważyć szlaku nawet z trzech metrów. Byłoby szaleństwem schodzić z drogi tartacznej i próbować znaleźć szlak. Z drugiej strony chyba było szaleństwem, żeby podczas śnieżycy iść drogą tartaczną do góry.

Najpierw nieznacznie, a potem bardziej zdecydowanie droga zaczęła zawijać wokół góry. Po około godzinie ślamazarnego przedzierania się przez coraz głębszy śnieg dotarliśmy do płaskiego miejsca, w którym AT — a w każdym razie jakiś szlak — wyłaniał się z tyłu Albert Mountain i biegł dalej przez las po płaskim terenie. Zdziwiony i skonsternowany spojrzałem na mapę, z której nic takiego nie wynikało. Katz dwadzieścia metrów dalej zauważył biały znak i krzyknęliśmy z radości. Odnaleźliśmy AT. Od szałasu dzieliło nas tylko kilkaset metrów. Wszystko wskazywało na to, że dożyjemy dnia jutrzejszego.

Śnieg sięgał nam prawie do kolan i byliśmy zmęczeni, ale szliśmy żwawym krokiem. Katz ponownie krzyknął z radości na widok przybitej do niskiej gałęzi strzałki, która wskazywała w bok i głosiła: BIG SPRING SHELTER. Prosty drewniany szałas, otwarty z jednej strony, stał na zaśnieżonej polanie — w małej zimowej krainie czarów — około 150 metrów od głównego szlaku. Od razu zauważyliśmy, że jest ustawiony częścią bez ściany w stronę wiatru i że śnieg sięga już prawie do krawędzi platformy sypialnej. W najgorszym razie szałas miał jednak dać nam poczucie, że przynajmniej nie nocujemy pod gołym niebem.

Przeszliśmy przez polanę, podrzuciliśmy plecaki na platformę i w tej samej chwili zauważyliśmy, że są tam już dwie osoby — mężczyzna i około czternastoletni chłopak. Byli to Jim i Heath, ojciec i syn, pochodzili z Chattanooga, byli weseli i sympatyczni i ani trochę nie bali się śnieżycy. Wybrali się na weekendową wycieczkę (nie miałem świadomości, że jest weekend) i wiedzieli, że pogoda prawdopodobnie będzie nie najlepsza (chociaż aż tak fatalnej raczej się nie spodziewali), toteż byli dobrze przygotowani. Jim zabrał z sobą wielką płachtę budowlaną i teraz próbował ją rozpiąć na otwartej ścianie szałasu. Katz skoczył mu na pomoc, co nie było dla niego typowe. Foliowa płachta nie sięgała do samej ziemi, ale kiedy dołożyliśmy u dołu jedną z naszych, okazało się, że zasłoniliśmy cały front. Wiatr wściekle napierał na plastik i od czasu do czasu odrywał kawałek płachty, która zaczynała trzepotać, wydając odgłos podobny do strzału z pistoletu, i któryś z nas zrywał się na nogi, żeby ją z powrotem przytwierdzić. Cały szałas był zresztą niewiarygodnie przewiewny — w drewnianych ścianach i podłogach było pełno szczelin, przez które wlatywał lodowaty wiatr, a czasem również tumany śniegu — ale na zewnątrz byłoby nam nieporównanie mniej przytulnie.

Uwiliśmy więc sobie gniazdko, rozłożyliśmy maty i worki, uzupełniając legowisko ubraniami, których nie mieliśmy na sobie, i w pozycji horyzontalnej zrobiliśmy sobie kolację.

Ciemność zapadła szybko i ciężko, przez co odludzie na zewnątrz wydawało się jeszcze groźniejsze. Jim i Heath podzielili się z nami ciastem czekoladowym — wprost niebiańskie pyszności — a potem wszyscy czterej zaczęliśmy się szykować na długą, zimną noc na twardym drewnie, wsłuchani w upiorny wiatr i pękanie gniewnych gałęzi.

Kiedy się obudziłem, dookoła panowała cisza — z gatunku tych, które każą usiąść i zorientować się, gdzie jesteś. Plastikowa płachta oderwała się na odcinku kilkudziesięciu centymetrów, wpuszczając do środka nikłe światło. Śnieg wtargnął na platformę i przykrywał dolną część mojego śpiwora prawie centymetrową warstwą. Strzepnąłem go wierzgnięciem nóg. Jim i Heath zaczynali się budzić. Katz spał głębokim snem z ręką przerzuconą przez czoło i z rozdziawionymi ustami. Nie było jeszcze szóstej.

Postanowiłem pójść na rekonesans i sprawdzić, w jakim stopniu zostaliśmy odcięci od świata. Zawahałem się na skraju platformy, potem skoczyłem w zaspę — śnieg sięgał mi powyżej pasa, a kiedy zetknął się z gołą skórą pod moim ubraniem, górne powieki wystrzeliły mi do góry — i przebiłem się na polanę, gdzie śnieg był nieznacznie — ale tylko nieznacznie — płytszy. Nawet w odsłoniętych miejscach, pod parasolem iglastych drzew, sięgał prawie do kolan i szło się przez niego dosyć uciążliwie, ale widok był powalający. Każde drzewo miało na sobie gruby płaszcz bieli, każdy pień i głaz nosił zawadiacką śnieżną czapę i panowała taka idealna, bezkresna cisza, jaką można znaleźć tylko w wielkim lesie po obfitej śnieżycy. Tu i ówdzie grudy śniegu spadały z gałęzi, ale poza tym nie słychać było żadnych odgłosów. Pod nisko zwieszonymi gałęziami doszedłem do głównego szlaku. Appalachian Trail był puszystym kobiercem śniegu, wypukłym i sinawym, rozłożonym w długim, mrocznym tunelu przygiętych do ziemi rododendronów. Wyglądało na to, że szykuje się trudny marsz. Przeszedłem kilka metrów dla sprawdzenia. Szykował się trudny marsz.

Kiedy wróciłem do szałasu, Katz był już na nogach, poruszał się powoli i odprawiał rytuał porannych stęknięć, a Jim studiował mapy, które były nieporównanie lepsze od moich. Kucnąłem obok niego i zrobił mi miejsce, żebym lepiej widział. Od przełęczy Wallace Gap i asfaltowej szosy, starej drogi krajowej 64, dzieliło nas 9,8 kilometra. Półtora kilometra dalej, przy tej drodze, znajdował się prywatny kemping Rainbow Springs z prysznicami i sklepem. Nie wiedziałem, jak bardzo trudno będzie przejść ponad jedenaście kilometrów w głębokim śniegu, i nie do końca wierzyłem, że kemping będzie otwarty o tak wczesnej porze roku. Było jednak oczywiste, że upłynie wiele dni, zanim śnieg stopnieje, w związku z tym prędzej czy później trzeba będzie się stąd ruszyć. Lepiej zrobić to teraz, póki jest ładnie i bezwietrznie. Kto wie, kiedy przyjdzie następna śnieżyca i naprawdę odetnie nas od świata.

Jim postanowił, że on i Heath będą nam towarzyszyć przez pierwsze parę godzin, a potem skręcą w boczny szlak o nazwie Long Branch, który przez 3,7 kilometra schodził stromym wąwozem kończącym się blisko parkingu, gdzie zostawili samochód. Jim pokonał ten szlak już wiele razy i wiedział, czego się spodziewać. Mnie się to jednak nie bardzo podobało i zapytałem z wahaniem, czy to naprawdę dobry pomysł, żeby się wypuszczać na mało używany szlak, przy nieznanych warunkach, gdzie nie spotkają nikogo, jeśli stanie się im coś złego. Ku mojej uldze Katz zgodził się ze mną.

— Na AT przynajmniej zawsze są jacyś ludzie — powiedział. — Na bocznym szlaku mogą się przytrafić różne rzeczy.

Jim rozważył sprawę i powiedział, że jeśli będzie to źle wyglądało, zawrócą.

Katz i ja wypiliśmy po dwa kubki kawy, żeby się rozgrzać, a Jim i Heath dali nam trochę owsianki, co niezmiernie uszczęśliwiło Katza. Potem wszyscy ruszyliśmy w drogę. Było zimno i ciężko. Tunele przygiętych do ziemi rododendronów, które często ciągnęły się na kilkaset metrów, były niezwykle piękne, ale kiedy otarliśmy się o nie plecakami, zrzucały nam na głowy i szyje kilogramy śniegu. Jim, Katz i ja wymienialiśmy się na prowadzeniu, ponieważ lider zawsze najmocniej obrywa po głowie i musi wydeptać dziury w śniegu, co jest bardzo męczące.

Szlak łącznikowy schodził stromo pomiędzy pochylonymi sosnami — moim zdaniem zbyt stromo, żeby wrócić, gdyby okazał się nie do przejścia, a wiele na to wskazywało. Katz i ja nakłanialiśmy ich do zmiany decyzji, ale Jim powiedział, że przez całą drogę idzie się w dół, a szlak jest dobrze oznakowany, więc nie powinno być problemów.

— Wiecie, jaki jest dzisiaj dzień? — zapytał nagle Jim i na widok naszych zaskoczonych spojrzeń wyjaśnił: — Dwudziesty pierwszy marca.

Zaskoczenie nie ustąpiło z naszych twarzy.

— Pierwszy dzień wiosny.

Uśmiechnęliśmy się na tę złośliwość losu, uścisnęliśmy sobie ręce, życzyliśmy sobie nawzajem szczęścia i rozstaliśmy się.

Katz i ja maszerowaliśmy jeszcze trzy godziny, w milczeniu i powoli, przez zimny, biały las, zmieniając się w roli przecieracza szlaku. Około pierwszej nareszcie dotarliśmy do drogi 64, wyłączonej z użytku dwupasmówki przez góry. Nie została odśnieżona i nie zobaczyliśmy żadnych śladów opon. Znowu zaczęło sypać, umiarkowanie i bardzo ładnie. Ruszyliśmy w stronę kempingu. Uszliśmy kilkaset metrów, kiedy z tyłu dobiegł nas skrzypiący odgłos pojazdu mechanicznego, który ostrożnie posuwał się po śniegu. Odwróciliśmy się i zobaczyliśmy dużą terenówkę, która podjechała do nas. Szyba kierowcy opuściła się do połowy. To był Jim z Heathem. Przyjechali dać nam znać, że dotarli na miejsce, i sprawdzić, czy my też sobie poradziliśmy.

— Podrzucimy was na kemping — zaproponował Jim.

Z wdzięcznością wsiedliśmy do środka, nanosząc do pięknej kabiny śniegu, i pojechaliśmy w stronę kempingu. Jim powiedział nam, że mijali go po drodze do góry i wyglądał na otwarty, ale jeśli okaże się zamknięty, to zabiorą nas do Franklin, najbliższego miasta. Słyszeli w radiu prognozę pogody. Przez następne parę dni miał padać śnieg.

Wysadzili nas przy bramie kempingu — był otwarty — i odjechali, machając nam na pożegnanie. Rainbow Springs to był mały, prywatny kemping z kilkoma domkami, prysznicami i paroma budynkami nieokreślonego przeznaczenia stojącymi na dużej, płaskiej przestrzeni przeznaczonej dla camperów. Tuż za bramą, w dużym białym domu, mieściło się biuro, które tak naprawdę było sklepem wielobranżowym. Weszliśmy do środka i zobaczyliśmy, że są tam już wszyscy turyści, których spotkaliśmy na ostatnich trzydziestu kilometrach drogi. Cała ich grupa siedziała wokół opalanego drewnem pieca, jedząc chili con carne albo lody. Wszyscy byli rumiani i czyści. Kilku z nich już znaliśmy. Kemping prowadzili Buddy i Jensine Crossman, którzy robili wrażenie życzliwych i sympatycznych — być może dlatego, że w marcu z pewnością rzadko mieli aż tylu klientów. Zapytałem o domek.

Jensine zgasiła papierosa i roześmiała się z mojej naiwności, która przyprawiła ją o mały atak kaszlu.

— Skarbie, domki skończyły się dwa dni temu. Zostały dwa miejsca w baraku. Wszyscy, którzy przyjdą później, będą musieli spać na podłodze.

Barak nie należy do słów, które człowiek w moim wieku szczególnie chętnie słyszy, ale nie mieliśmy wyboru. Zameldowaliśmy się, dostaliśmy dwa bardzo małe i sztywne ręczniki i poczłapaliśmy przez kemping, żeby zobaczyć, co dostaniemy za nasze jedenaście dolarów od łebka. Odpowiedź: bardzo niewiele.

Barak był spartański i wyjątkowo brzydki. W większości wypełniało go dwanaście drewnianych trzypiętrowych prycz, każda z cienkim materacem bez pokrowca i brudną poduszką bez poszewki, wypchaną kawałkami styropianu. W jednym kącie stał brzuchaty piec, który syczał z cicha, otoczony półokręgiem zwiotczałych butów i udrapowany mokrymi wełnianymi skarpetami, które parowały niezbyt aromatycznie. Wyposażenie uzupełniał drewniany stolik i dwa zdezelowane krzesła, z których wyłaził wsad. Wszędzie wisiały suszące się rzeczy — namioty, ubrania, plecaki, osłony przeciwdeszczowe — z których kapała woda. Rolę podłogi pełnił goły beton, a rolę ścian sklejka bez izolacji termicznej. Wybitnie niezachęcające warunki, mniej więcej jak biwakowanie w garażu.

— Witamy w gułagu — powiedział jakiś człowiek z ironicznym uśmiechem i angielskim akcentem.

Nazywał się Peter Fleming i był wykładowcą na uniwersytecie New Brunswick, który przyjechał z północy na tygodniową wycieczkę pieszą, ale podobnie jak wszystkich innych zaskoczył go śnieg. Przedstawił nas wszystkim — każda osoba pozdrawiała nas życzliwym, ale nieobecnym skinieniem głowy — i pokazał, które prycze są wolne: jedna górna, prawie pod sufitem, druga dolna po przeciwnej stronie sali.

— Paczki od Czerwonego Krzyża przychodzą w ostatni piątek miesiąca, a zebranie komitetu do spraw ucieczki odbędzie się dzisiaj o godzinie dziewiętnastej. To chyba wszystko, co potrzebujecie wiedzieć.

— Nie zamawiajcie kanapki ze stekiem i serem filadelfijskim, chyba że chcecie rzygać całą noc — rozległ się nikły, ale emocjonalny głos z pogrążonej w ciemnościach pryczy w kącie.

— To jest Tex — wyjaśnił Flemming.

Pokiwaliśmy głowami.

Katz wybrał górną pryczę i natychmiast podjął mozolne wyzwanie, jakim było wejście na nią. Ja z przerażoną fascynacją obejrzałem swoją pryczę. Sądząc po plamach na materacu, poprzedni użytkownik nie tyle cierpiał na nietrzymanie moczu, ile rozkoszował się tą przypadłością. Swoim szczęściem podzielił się również z poduszką. Podniosłem ją i powąchałem, czego natychmiast pożałowałem. Rozłożyłem śpiwór, wzbogaciłem kolekcję skarpet na piecu, rozwiesiłem kilka rzeczy do suszenia, a potem usiadłem na pryczy i spędziłem przyjemne pół godziny na obserwowaniu wraz z innymi, jak Katz mozolnie wspina się na pryczę. Głównymi punktami tego widowiska były donośne stęknięcia, fikające w powietrzu nogi i usilne prośby do wszystkich gapiów i kibiców, żeby się odpieprzyli. Z mojego miejsca na widowni widziałem tylko jego obszerny zad i bezdomne kończyny dolne. Sylwetka Katza przywodziła na myśl ofiarę katastrofy okrętu, która na wzburzonym morzu kurczowo trzyma się jakiegoś prostokątnego elementu wraku, czy też osobę niespodziewanie uniesioną pod niebo przez balon meteorologiczny, który za chwilę miała wypuścić — w każdym razie kogoś desperacko walczącego o życie. Wziąłem moją poduszkę i podszedłem do niego, żeby zapytać, dlaczego nie zajął dolnej pryczy.

Miał zaczerwienioną twarz i histeryczną minę. Nie jestem nawet pewien, czy mnie rozpoznał.

— Bo ciepło idzie do góry, koleś, i jak już tam wejdę — a raczej jeśli tam wejdę — to się usmażę.

Pokiwałem głową — polemizowanie z wykończonym i rozjuszonym Katzem rzadko miało sens — i skorzystałem z okazji do podmiany poduszek.

Kiedy oglądanie tej mordęgi stało się już nie do wytrzymania, trzech z nas wepchnęło go na pryczę. Padł ciężko z niepokojącym skrzypnięciem drewna, co wpędziło w panikę nieśmiałego biedaka ze środkowej pryczy, po czym zakomunikował, że nie ma zamiaru opuszczać tego miejsca, dopóki nie stopnieje śnieg i wiosna nie dotrze w góry. Potem odwrócił się plecami i zasnął.

Poszedłem przez śnieg do łazienki, żeby sobie trochę potańczyć pod strumieniami lodowatej wody, a potem udałem się do sklepu i posiedziałem przy piecu z kilkoma innymi osobami. Nie było nic do roboty. Zjadłem dwa talerze chili — specjalność zakładu — przysłuchując się rozmowom. Ponad ogólny gwar wybijały się pomstowania Buddy'ego i Jensine na wczorajszych klientów, ale miło było usłyszeć jakiś inny głos niż Katza.

— Co za hołota — powiedziała z niesmakiem Jensine, wydłubując sobie spomiędzy zębów listek tytoniu. — Żadnego „proszę", żadnego „dziękuję". Nie tak jak wy, chłopcy. Uwierzcie mi, w porównaniu do nich jesteście jak powiew świeżego powietrza. Z baraku zrobili kompletny chlew, prawda, Buddy?

Przekazała pałeczkę swojemu mężowi.

— Godzinę dzisiaj po nich sprzątałem — oznajmił ponuro, co mnie zaskoczyło, bo barak nie sprawiał wrażenia sprzątanego w tym stuleciu. — Na podłodze wszędzie były kałuże i ktoś zostawił ohydną, starą koszulę flanelową, na której widok niedobrze się robiło. I spalili całe drewno na opał. Wczoraj zaniosłem zapas na trzy dni, a oni wszystko spalili do ostatniego patyka.

— Bardzo się ucieszyliśmy, gdy sobie pojechali — wtórowała mu Jensine. — Bardzo. Nie to, co wy, chłopcy. Jesteście powiewem świeżego powietrza, uwierzcie mi.

Na zapleczu zadzwonił telefon i poszła odebrać.

Siedziałem obok jednego z trzech studentów z Rutgers University, których co jakiś czas spotykaliśmy od drugiego dnia wyprawy. Teraz mieli domek, ale poprzednią noc spędzili w baraku. Pochylił się i powiedział do mnie szeptem:

— To samo mówiła wczoraj o ludziach, którzy tu nocowali poprzedniego dnia. Jutro to samo będzie mówiła o nas. Wczoraj było nas w baraku piętnastu.

— Piętnastu? — powtórzyłem zdumionym tonem. Już przy dwunastu było nie do wytrzymania. — Gdzie spała dodatkowa trójka?

— Na podłodze. Mimo to policzyli im jedenaście dolarów od łebka. Jak chili?

Spojrzałem na talerz takim wzrokiem, jakbym nie zastanawiał się nad tą potrawą, bo rzeczywiście się nie zastanawiałem.

— Dosyć okropne.

Pokiwał głową.

— Ciekawe, co powiesz po dwóch dniach jedzenia tego świństwa.

Kiedy wracałem do baraku, dalej padał śnieg, ale niezbyt intensywnie. Katz nie spał, leżał podparty łokciem, palił zachomikowanego papierosa i kazał ludziom podawać mu różne rzeczy — nożyczki, chustę, zapałki — kiedy potrzebował ich użyć, a potem prosił o odłożenie do plecaka. Trzech ludzi stało przy oknie i patrzyło na padający śnieg. Rozmowy dotyczyły wyłącznie pogody. Nie dało się przewidzieć, kiedy się stamtąd wydostaniemy. Nie sposób było uwolnić się od poczucia, że jesteśmy w pułapce.

Spędziliśmy okropną noc na pryczach, przy nikłym świetle roztańczonego żaru z pieca, do którego nieśmiały biedak (najwyraźniej nie był w stanie spać pod wiercącym się cielskiem Katza, które wyginało deski tuż nad jego głową) sumiennie dokładał, i spowici dyszącą, zbiorową symfonią nocnych odgłosów — westchnień, znużonych wydechów, charczącego chrapania, jednostajnego jęku agonii człowieka, który zjadł kanapkę ze stekiem i serem Philadelphia, monotonnego syczenia pieca — przypominało to ścieżkę dźwiękową starego filmu. Obudziliśmy się, zesztywniali i niewyspani, bladym świtem. Nadal padało i roztaczała się przed nami niezbyt zachęcająca perspektywa bardzo długiego dnia, w którym człowiek ma do wyboru siedzieć przy piecu w biurze albo leżeć na pryczy i czytać stare egzemplarze Reader's Digest, które wypełniały małą półkę koło drzwi. Potem rozeszła się wiadomość, że zaradny młodzieniec imieniem Zack, mieszkaniec jednego z domków, zdołał się dostać do Franklin, wypożyczył bus i oferuje podwiezienie do miasta za pięć dolarów od głowy. O mało się nie potratowaliśmy. Ku rozpaczy i wściekłości Buddy'ego i Jensine prawie wszyscy zapłacili i wyjechali. Czternastu z nas załadowało się do busa i rozpoczęliśmy długi zjazd do Franklin, leżącego w głębokiej dolinie, w której nie było śniegu.

We Franklin urządziliśmy sobie małe wakacje. Miasto było niewielkie, nudne i pozbawione atrakcji, ale przede wszystkim nudne — miejscowość z gatunku tych, w których z braku czegoś lepszego do roboty idziesz na spacer do tartaku, żeby popatrzeć, jak goście z wózkami widłowymi przenoszą drewno. Nie było żadnych rozrywek, nie dało się kupić książki ani nawet czasopisma, które by nie dotyczyło motorówek, stuningowanych samochodów albo broni palnej. We Franklin roiło się od turystów, których tak jak nas śnieg spędził z gór i nie mieli lepszego pomysłu na życie, niż siedzieć osowiale w knajpie albo pralni i kilka razy dziennie wybrać się na pielgrzymkę na drugi koniec głównej ulicy, żeby tęsknym wzrokiem spojrzeć na odległe, zaśnieżone, ewidentnie nieprzebyte wierzchołki górskie. Prognozy nie były korzystne. Krążyły pogłoski o dwumetrowych zaspach w Smokies. Mogło upłynąć wiele dni, zanim szlak będzie się nadawał do przejścia.

Pogrążyłem się w rozdygotanym przygnębieniu, pogłębionym przez świadomość, że Katz czuje się jak w niebie, wiedząc, że czeka go wiele dni leserowania w mieście — urlop od celów i wysiłku, możliwość wypróbowania różnych pozycji horyzontalnych. Ku mojej ogromnej irytacji kupił nawet magazyn z programem telewizyjnym, aby móc efektywniej zaplanować oglądanie na najbliższe dni.

Ja chciałem wracać na szlak, zaliczać kilometry. Po to przyjechaliśmy w Appalachy. Poza tym nudziłem się tak potwornie, że żadne porównania do mopsów tego nie oddadzą. Czytałem maty pod talerze w restauracjach, a potem odwracałem, żeby sprawdzić, czy nie ma czegoś z drugiej strony. W tartaku rozmawiałem przez płot z pracownikami. Trzeciego dnia późnym popołudniem stałem w Burger Kingu i zaabsorbowany studiowałem zdjęcia menedżera i całej kadry kierowniczej (rozmyślając o ciekawej okoliczności, że ludzie, którzy obejmują kierownicze stanowiska w branży hamburgerowej, zawsze wyglądają tak, jakby ich matka przespała się z Goofym), a potem przesunąłem się o krok w prawo, żeby sprawdzić, kto w tym miesiącu dostał nagrodę „Pracownik Miesiąca". W tym właśnie momencie dotarło do mnie, że muszę się stamtąd wyrwać.

Dwadzieścia minut później zakomunikowałem Katzowi, że następnego dnia rano wracamy na szlak. Był oczywiście skonsternowany i zrozpaczony.

— Ale w piątek leci *Archiwum X* — wykrztusił. — Właśnie kupiłem oranżadę waniliową.

— Rozczarowanie musi być przytłaczające — odparłem z bezdusznym uśmieszkiem.

— A śnieg? Nie przejdziemy.

Odpowiedziałem wzruszeniem ramion, które miało wyglądać optymistycznie, ale chyba było bliższe obojętnemu.

— Może się uda — powiedziałem.

— A jeśli się nie uda? Jeśli będzie następna śnieżyca? Moim zdaniem możemy mówić o szczęściu, że ostatnim razem uszliśmy z życiem. — Spojrzał na mnie z desperacją w oczach. — Mam w pokoju osiemnaście puszek oranżady — wypalił i natychmiast tego pożałował.

Uniosłem brew.

— Osiemnaście? Planujesz osiąść tutaj na stałe?

— Była promocja — wybąkał na swoją obronę i nadąsał się.

— Słuchaj, Stephen, przykro mi, że muszę zepsuć twoje balangowe plany, ale nie przyjechaliśmy tutaj pić napojów gazowanych i oglądać telewizji.

— Ale też nie przyjechaliśmy tutaj umrzeć — powiedział, już więcej jednak ze mną nie polemizował.

Wróciliśmy zatem na szlak i szczęście się do nas uśmiechnęło. Śnieg był głęboki, ale do przejścia. Jakiś samotny turysta, jeszcze bardziej niecierpliwy ode mnie, ruszył przed nami i trochę ugniótł śnieg, co ułatwiło nam zadanie. Na stromych podejściach było ślisko — Katz ciągle się ześlizgiwał, wywracał, klął na czym świat stoi — a na większych wysokościach czasem musieliśmy obchodzić wielkie zaspy, ale w żadnym miejscu droga nie była zablokowana.

Zresztą pogoda się poprawiła. Wyszło słońce, ociepliło się, górskie strumienie z gulgotem spłynęły roztopową wodą.

Dało się nawet słyszeć nieśmiałe ćwierkanie ptaków. Powyżej 1300 metrów śnieg zalegał, a powietrze było jak w lodówce, ale niżej śnieg każdego dnia ustępował o krok i trzeciego dnia zostały już tylko niewielkie płaty na północnych zboczach. Nie było wcale tak źle, chociaż Katz nie chciał tego przyznać, ale ja się nim nie przejmowałem. Po prostu szedłem. Byłem bardzo, bardzo szczęśliwy.

Przez dwa dni Katz prawie w ogóle się do mnie nie odzywał. Drugiego wieczoru o dziewiątej z jego namiotu dobiegł mnie rzadko słyszany w tych stronach dźwięk — pstryknięcie otwieranej puszki z napojem — i mój towarzysz drogi powiedział do mnie wojowniczym tonem:

— Chcesz wiedzieć, co to było, Bryson? Oranżada waniliowa. Zdradzić ci coś jeszcze? Piję ją teraz, a ty nie dostaniesz ani kropli. I wiesz co? Jest pyszna. — Usłyszałem siorbiący, celowo wzmocniony odgłos picia. — Mniam, mniam, niebo w gębie. — Kolejne siorbnięcie. — Wiesz, dlaczego piję akurat teraz? Bo jest dziewiąta — pora emisji *Archiwum X*. Mojego ulubionego serialu wszech czasów. — Potem usłyszałem następującą sekwencję akustyczną: długi odgłos picia, dźwięk odsuwania zamka namiotu, brzdęk pustej puszki lądującej na ściółce, dźwięk zasuwania zamka namiotu. — Rany, ale było dobre. A teraz pocałuj mnie w dupę i dobranoc.

Na tym sprawa się skończyła. Następnego dnia rano Katz obudził się w całkiem niezłym nastroju.

Nigdy nie polubił chodzenia po górach, chociaż przyznaję, bardzo się starał. Od czasu do czasu mgliście dostrzegał, że przebywanie w lesie zawiera w sobie coś nieuchwytnego i pierwotnego, co prawie wynagradza tę poniewierkę. Zdarzało się, że krzyczał z zachwytu na widok jakiegoś cudu natury albo patrzył na niego z podziwem, ale generalnie postrzegał trekking jako męczące, niehigieniczne, bezsensowne przemieszczanie się między odległymi strefami komfortu. Tymczasem ja byłem całkowicie, bezmyślnie i radośnie pochłonięty prostą czynnością stawiania nogi za nogą. Moje wrodzone roztargnienie czasem go fascynowało, czasem bawiło, ale najczęściej doprowadzało do szału.

Koło południa czwartego dnia po wyjściu z Franklin siedziałem na dużym, omszałym kamieniu i czekałem na Katza, ponieważ uświadomiłem sobie, że od dłuższego czasu go nie widziałem. Kiedy nareszcie się doczołgał, był jeszcze bardziej sponiewierany niż zazwyczaj. Miał gałązki we włosach, nowe rozdarcie flanelowej koszuli i strużkę wyschniętej krwi na czole. Zrzucił plecak na ziemię, ciężko usiadł obok mnie z bidonem, wypił długi łyk wody, wytarł czoło, sprawdził, czy ma krew na ręce, i wreszcie powiedział konwersacyjnym tonem:

— Jak się przedostałeś przez to drzewo?

— Jakie drzewo?

— No to zwalone. Na półce skalnej.

— Nie pamiętam — odparłem po dłuższym zastanowieniu.

— Jak to nie pamiętasz? Na litość boską, blokowało drogę.

Jeszcze raz próbowałem sobie przypomnieć i z przepraszającą miną pokręciłem głową. Widziałem, że w Katzu wzbiera wściekłość.

— Jakieś czterysta, pięćset metrów stąd. — Urwał, czekając na błysk olśnienia, i nie mógł uwierzyć, że się nie doczekał. — Po jednej stronie urwisko, po drugiej stronie gąszcz kolczastych krzewów nie do przejścia, a z przodu wielkie, zwalone drzewo. Musiałeś je zauważyć.

— Gdzie to dokładnie było? — zapytałem, tak jakbym grał na czas.

Katz nie umiał już ukryć złości.

— Tam niedaleko, kurde balans. Po jednej stronie urwisko, po drugiej chaszcze, z przodu wielki, zwalony dąb z mniej więcej takim prześwitem. — Przytrzymał dłoń jakieś czterdzieści centymetrów nad ziemią. — Bryson, nie wiem, co bierzesz, ale musisz mi trochę dać. Drzewo było za grube, żeby przejść górą, dołem nie dało się przecisnąć i nie dało się go obejść. Przedostanie się na drugą stronę zajęło mi pół godziny i cały się przy tym poharatałem. Jak możesz nie pamiętać?

— Może mi się później przypomni — powiedziałem optymistycznym tonem.

Katz pokręcił ze smutkiem głową. Nie mam pewności, dlaczego moje chwile zaćmienia tak go irytowały — może myślał, że udaję przymulonego, żeby go zdenerwować, a może uważał, że nieroztropnie próbuję przechytrzyć przeciwności losu, nie dostrzegając ich — ale poprzysiągłem sobie w duchu, że przez jakiś czas będę czujny i w pełni świadomy, żeby go nie rozstrajać. I całe szczęście, ponieważ dwie godziny później przeżyliśmy jeden z tych momentów uniesienia, które rzadko zdarzają się na szlaku. Wędrowaliśmy grzbietem góry o nazwie High Top, kiedy drzewa się rozstąpiły tuż przed granitowym belwederem, z którego rozciągał się wspaniały widok — nagle zobaczyliśmy nowy świat dużych, mocarnych, skalistych i dosyć poszarpanych gór zanurzonych w rozdygotanej mgiełce i obrzeżonych w oddali posępnymi chmurami, jednocześnie kuszący i groźny.

Dotarliśmy do Smoky Mountains.

Daleko w dole, wciśnięte w wąską dolinę, lśniło jezioro Fontana, długi, podobny do fiordu pas jasnozielonej wody. Na jego zachodnim końcu, w poprzek ujścia rzeki Little Tennessee, jest elektrownia wodna, wysoka na 146 metrów zapora zbudowana w latach trzydziestych przez Tennessee Valley Authority. Jest to największa zapora w Ameryce na wschód od Missisipi i swego rodzaju atrakcja turystyczna dla miłośników betonu. Pospieszyliśmy w jej stronę, mieliśmy bowiem przeczucie, że znajdziemy tam biuro turystyczne, co wiązało się z możliwością, że będzie tam kawiarnia i inne przyjemne znamiona cywilizacji. W najgorszym razie, spekulowaliśmy podnieceni, będą tam automaty do sprzedaży napojów i batoników tudzież łazienka, w której się umyjemy, nalejemy świeżej wody do bidonów i obejrzymy się w lustrze — przez chwilę będziemy czyści i schludni.

Biuro turystyczne, owszem, było, ale zamknięte. Do szyby przylepiono kartkę, z której wynikało, że otworzą je dopiero za miesiąc. Automaty były puste i niepodłączone do prądu i nawet z łazienek nie udało nam się skorzystać, z tej prostej przyczyny, że również były zamknięte. Katz znalazł kran na zewnętrznej ścianie i odkręcił go, ale woda nie popłynęła. Westchnęliśmy, wymieniliśmy stoickie spojrzenia ludzi doświadczonych przez los i poszliśmy dalej.

Szlak przechodził na drugą stronę jeziora wierzchem zapory. Góry, które mieliśmy przed sobą, nie tyle wyrastały z jeziora, ile stawały dęba jak spłoszone konie. Wystarczył jeden rzut oka, aby stwierdzić, że wchodzimy do krainy wielkiego majestatu i jeszcze większych wyzwań. Drugi brzeg jeziora wyznaczał południową granicę Parku Narodowego Great

Smoky Mountains. Przed nami leżało 2000 kilometrów kwadratowych gęstego, porastającego strome góry lasu. Czekało nas siedem dni i 114 kilometrów niezwykle trudnego marszu, który dzielił nas od cheeseburgerów, coca-coli, toalet ze spłuczką i bieżącej wody. Byłoby miło, gdybyśmy mogli przynajmniej wyruszyć z czystymi rękami i twarzami. Nie powiedziałem tego Katzowi, ale mieliśmy do pokonania szesnaście szczytów o wysokości ponad 1800 metrów, łącznie z Clingmans Dome, najwyższym punktem Appalachian Trail (2024 m n.p.m.). Byłem radośnie podniecony — nawet Katz sprawiał wrażenie ostrożnie podochoconego — i istniały po temu wszelkie powody.

Po pierwsze, właśnie wkroczyliśmy na teren trzeciego stanu na naszej trasie, Tennessee, co zawsze daje poczucie sukcesu. Na prawie całej swojej długości Smoky Mountains AT wyznacza granicę pomiędzy Karoliną Północną i Tennessee. Bardzo podobała mi się perspektywa, że kiedy tylko przyjdzie mi na to ochota, mogę stanąć lewą stopą w jednym stanie, a drugą w drugim, zdecydować, czy chcę odpocząć na zwalonym drzewie w Tennessee czy na kamieniu w Karolinie Północnej, wysikać się przez granicę stanu albo podjąć jakieś inne międzystanowe działania. Po drugie, z podnieceniem czekałem na to, co zobaczymy w tych pięknych, mrocznych, owianych legendami górach — gigantyczne salamandry, sięgające nieba tulipanowce czy przesławny trujący grzyb kielichowiec pomarańczowy, który jarzy się w nocy zielonkawym, fosforescencyjnym światłem zwanym foxfire. Może nawet uda nam się zobaczyć niedźwiedzia (z wiatrem, z bezpiecznej odległości, nieświadomego mojej obecności, jeśli zainteresowanego którymś z nas, to tylko Katzem), myślałem sobie. Przede wszystkim zaś miałem nadzieję, a nawet przekonanie, że wiosna nie może być daleko, że każdy mijający dzień przybliża nas do niej i nareszcie, w naturalnym raju Smoky Mountains, wybuchnie pełnią rozkwitu.

Smokies naprawdę są istnym rajem. Wchodziliśmy do „najpiękniejszego lasu mieszanego na świecie", jak to nazywają botanicy. Góry te dają mieszkanie zdumiewająco różnorodnej roślinności — ponad 1500 odmian kwiatów, 1000 gatunków krzewów, 530 gatunków mchów i porostów, 2000 odmian grzybów. Występuje tutaj 130 endemicznych gatunków drzew. W całej Europie jest ich tylko 85.

Obfitość tę zawdzięczamy żyznym ilastym glebom osłoniętych przed wiatrem dolin, ciepłemu i wilgotnemu klimatowi (wytwarzającemu sinawą mgiełkę, której góry zawdzięczają swoją nazwę), a przede wszystkim tej szczęśliwej okoliczności, że Appalachy mają przebieg południkowy. Podczas ostatniej epoki lodowcowej, kiedy lądolód przesuwał się na południe z Arktyki, na całym świecie północna flora uciekała w stronę zwrotnika. W Europie ogromna liczba endemicznych gatunków została zmiażdżona pomiędzy czołem lodowca a nieprzebytą barierą Alp i niższych gór. We wschodniej części Ameryki Północnej nie było takiej przeszkody na drodze ucieczki spod bieguna, toteż drzewa i inne rośliny wędrowały dolinami rzecznymi i przez góry, aż w końcu znalazły bezpieczne schronienie w Smokies, gdzie rosną do tej pory. Kiedy lądolód cofnął się do samego końca, rdzenne północne drzewa rozpoczęły długi proces powrotu na swoje dawne siedliska. Niektóre z nich, na przykład cyprysik żywotnikowaty i rododendron, dopiero teraz docierają do domu — co nam przypomina, że w skali geologicznej epoka lodowcowa zakończyła się całkiem niedawno.

Bogate życie roślinne sprowadza oczywiście bogate życie zwierzęce. W Smokies mieszka 67 gatunków ssaków, ponad

200 gatunków ptaków i 80 gatunków gadów i płazów — czyli więcej niż w zdecydowanej większości obszarów o porównywalnej powierzchni w strefie klimatu umiarkowanego. Góry te słyną przede wszystkim z niedźwiedzi. Ich liczebność na terenie parku szacuje się na 400–600 osobników. Wydaje się, że to niedużo, ale stanowią chroniczny problem, ponieważ wiele z nich przestało się bać ludzi. Smoky Mountains odwiedza dziewięć milionów osób rocznie, przy czym wiele z nich przyjeżdża na piknik, toteż niedźwiedzie nauczyły się kojarzyć ludzi z jedzeniem. Ludzie są dla nich spasionymi stworzeniami w czapkach bejsbolowych, które rozkładają na stołach piknikowych całe mnóstwo jedzenia, a potem trochę powrzeszczą i biegną po kamery wideo, kiedy przyjdzie miś, wdrapie się na stół i zacznie pożerać ich sałatkę ziemniaczaną i ciasto czekoladowe. Ponieważ niedźwiedziowi nie przeszkadza, że jest filmowany, i nie zwraca większej uwagi na swoją publiczność, całkiem często się zdarza, że jakiś idiota podejdzie do niego i spróbuje go pogłaskać, poczęstować ciastkiem albo wykonać inny niezbyt rozsądny manewr. Udokumentowany jest przypadek kobiety, która posmarowała palce swojego dziecka miodem, żeby niedźwiedź mógł go zlizać do kamery. Miś źle zrozumiał zapisane w scenariuszu wskazówki i odgryzł niemowlęciu dłoń.

Kiedy stanie się coś takiego — kilkanaście osób rocznie odnosi obrażenia, z reguły na placach piknikowych, na skutek jakichś swoich durnych działań — albo kiedy niedźwiedź staje się natarczywy czy agresywny, strażnicy parkowi strzelają do niego strzałką ze środkiem usypiającym, pętają i wywożą głęboko w las, daleko od dróg i placów piknikowych.

***

Oczywiście niedźwiedź jest niemal całkowicie uzależniony od ludzi, a raczej od ich jedzenia. Komu zabierze jedzenie w głębi lasu? Oczywiście mnie, Katzowi i innym takim jak my. Annały Appalachian Trail obfitują w opowieści o turystach napadniętych przez niedźwiedzie w lasach Smoky Mountains, kiedy więc zanurzaliśmy się w gęsty las porastający strome zbocza Shuckstack Mountain, trzymałem się bliżej Katza niż zazwyczaj, a czekan dzierżyłem jak pałkę. Katz oczywiście uznał to za idiotyczne.

Zwierzęciem najbardziej charakterystycznym dla Smokies jest jednak unikająca rozgłosu i przez to budząca niewielkie zainteresowanie salamandra. W górach tych mieszka dwadzieścia pięć gatunków salamandry, czyli więcej niż gdziekolwiek na świecie. Salamandry to bardzo ciekawe stworzenia i nie dajcie sobie wmówić, że jest inaczej. Przede wszystkim, to najstarsze ze wszystkich kręgowców lądowych. Kiedy zwierzęta po raz pierwszy wypełzły z morza, w awangardzie znalazły się właśnie salamandry, które od tej pory niewiele się zmieniły. U niektórych gatunków żyjących tutaj nie wykształciły się nawet płuca. (Gady te oddychają przez skórę). Większość salamander jest maleńka, nie przekraczają pięciu centymetrów długości, ale rzadki i wyjątkowo brzydki diabeł błotny może osiągnąć sześćdziesiąt centymetrów. Po prostu musiałem go zobaczyć.

Jeszcze bardziej zróżnicowaną i mniej znaną grupą zwierząt są małże słodkowodne. W Smoky Mountains mieszka 300 gatunków małży, czyli jedna trzecia wszystkich odmian. Noszą one przedziwne nazwy, takie jak purple wartyback, shiny pigtoe i monkeyface pearlymussel*. Niestety na tym kończy

* Odpowiednio: fioletowy brodawkowaty grzbiet, błyszczący świński palec i perłowy małż z małpią twarzą.

się zainteresowanie tymi stworzeniami. Niestety, nawet przyrodników nieszczególnie obchodzą, znikają więc w wyjątkowo szybkim tempie. Prawie połowa wszystkich gatunków występujących w tych górach jest zagrożona, a dwanaście prawdopodobnie wymarło.

Ponieważ żyją w parku narodowym, wydaje się to trochę zaskakujące. Przecież małże raczej nie rzucają się pod koła przejeżdżających samochodów. Najwyraźniej jednak Smokies powoli tracą swoje małże. Doprowadzanie do wymierania roślin i zwierząt należy zresztą do swoistej tradycji National Park Service. Najciekawszym, a z pewnością najbardziej dobitnym tego przykładem jest tutaj Park Narodowy Bryce Canyon. W tym założonym w 1923 roku parku w niecałe pięćdziesiąt lat pieczołowitych starań służba parkowa straciła siedem gatunków ssaków — zając *Lepus townsendii*, piesek preriowy, widłoróg, polatucha, bóbr, lis rudy i skunks plamisty — co niewątpliwie stanowi imponujący wynik. W dwudziestym wieku z amerykańskich parków narodowych zniknęły czterdzieści dwa gatunki ssaków.

W Smoky Mountains, niedaleko od miejsca, w którym maszerowaliśmy obecnie Katz i ja, w 1957 roku Park Service postanowiła „odzyskać" Abrams Creek, dopływ rzeki Little Tennessee, dla pstrąga tęczowego. Aby to osiągnąć, biolodzy wrzucili do strumienia gigantyczne ilości trującej substancji zwanej rotenon. Po paru godzinach dziesiątki tysięcy martwych ryb pływały po powierzchni wody jak jesienne liście — dla tych wszystkich zapalonych przyrodników musiała to być jedna z najpiękniejszych chwil w życiu. Pośród trzydziestu jeden gatunków, które wymordowano, była ryba z gatunku wariatek smolisty, której naukowcy nigdy wcześniej nie widzieli. Biolodzy ze służby parkowej dokonali zatem czegoś absolutnie niezwykłego — w tym samym momencie odkryli i zlikwidowali nieznany gatunek ryby (w 1980 roku w pobliskim strumieniu znaleziono inną ławicę wariatków).

Od tej pory minęło czterdzieści lat i w dzisiejszych bardziej oświeconych czasach takie szaleństwo byłoby oczywiście nie do pomyślenia. Dzisiaj National Park Service stosuje znacznie bardziej wyrafinowaną metodę anihilacji przyrody ożywionej: bezczynność. Na badania przeznacza śladowe środki — mniej niż 3 procent swojego budżetu — co tłumaczy, dlaczego nikt nie wie, ile gatunków małży wymarło, a tym bardziej dlaczego wymierają. Na wschodnim wybrzeżu w zatrważającym tempie znikają też lasy. W Smokies ponad 90 procent jodeł Frasera — to szlachetne drzewo występuje wyłącznie w południowych Appalachach — choruje albo umiera pod wpływem dwóch czynników: kwaśne deszcze i szkodnik z gatunku *Adelges piceae*. Na pytanie, co robią w tej sprawie, urzędnicy parkowi odpowiadają: „Uważnie monitorujemy sytuację". Czytaj: „Patrzymy, jak umierają".

To samo dotyczy tak zwanych *grassy balds* — bezdrzewnych, porośniętych trawą wierzchołków górskich o powierzchni do stu hektarów, które również występują wyłącznie w południowych Appalachach. Nikt nie wie, jak powstały, od kiedy istnieją i dlaczego pojawiają się na niektórych górach, a na innych nie. Niektórzy uważają je za zjawisko naturalne, powstałe na przykład na skutek pożaru wywołanego uderzeniem pioruna, a niektórzy sądzą, że są dziełem człowieka, który wypalił lub wykarczował teren na letnie pastwiska. Jedno jest pewne: Smokies utraciłyby bez nich swój niepowtarzalny charakter. Wyjście z chłodnego, ciemnego lasu po wielu godzinach marszu i znalezienie się na otwartej przestrzeni rozsłonecznionej hali pod kopułą błękitnego nieba, z sięgającymi po horyzont widokami w każdą stronę, to niezapomniane przeżycie, ale *balds* to coś więcej niż tylko trawiasta ciekawostka. Jak pisze Hiram Rogers, *balds* zajmują zaledwie 0,015 procent powierzchni gór, ale stanowią siedlisko aż 29 procent tamtejszej flory. Od niepamiętnych czasów były wykorzystywane najpierw przez Indian, a potem przez europejskich osadników do wypasania bydła w lecie, ale teraz, kiedy wypas jest zakazany, a Park Service nic nie robi, na wierzchołki gór w coraz większym stopniu wdzierają się takie gatunki jak głóg i ostrężnica. W ciągu najbliższych dwudziestu lat *balds* w Smoky Mountains mogą zniknąć. Od lat trzydziestych, kiedy otworzono park, straciły już 90 gatunków roślin, a co najmniej 25 wyginie w ciągu następnych kilku lat. Nie ma planu ratowania ich od zagłady.

Jeśli czytelnik odniósł wrażenie, że mam negatywny stosunek do służby parkowej i jej pracowników, jest to wrażenie błędne. Wręcz przeciwnie: podziwiam ich. Nie spotkałem ani jednego strażnika, który nie byłby pomocny, oddany swojej pracy i generalnie dobrze poinformowany. Spieszę jednak dodać, że strażników spotkałem bardzo niewielu, ponieważ większość z nich zwolniono, ale do tych, na który się natknąłem, nie mam najmniejszych zastrzeżeń. Moje pretensje nie dotyczą ludzi w terenie, tylko samej administracji służby parkowej. Na obronę parków narodowych wiele osób przytacza argument, że dysponuje ona niedorzecznie małymi środkami, co jest niewątpliwie prawdą. Przy uwzględnieniu inflacji budżet służby parkowej wynosi dzisiaj o 20 miliardów dolarów mniej niż dziesięć lat temu. W konsekwencji, mimo że liczba odwiedzających niepomiernie wzrosła — z 207 milionów w 1983 roku do prawie 300 milionów dzisiaj — zamyka się kempingi i ośrodki informacyjne, redukuje się liczbę strażników, a środki przeznaczane na bieżące utrzymanie są śmiesznie niskie. W 1997 roku koszty zaległych remontów w parkach narodowych szacowano na 6 miliardów dolarów. Po prostu skandal.

Z drugiej strony w 1991 roku, kiedy drzewa umierały, budynki się sypały, turyści odchodzili z kwitkiem z kempingów, na których utrzymanie nie było pieniędzy, a pracowników zwalniano w rekordowym tempie, krajowa służba parkowa urządziła sobie w Kolorado huczne obchody 75 rocznicy istnienia i wydała na to pół miliona dolarów. Nie jest to może aż tak bezmyślne jak wlanie setek litrów trucizny do górskiego potoku, ale trzeba przyznać, że truciciele ustawili poprzeczkę debilizmu bardzo wysoko.

Spójrzmy jednak na sprawę w szerszej perspektywie. Przepiękne Smokies ukształtowały się bez pomocy służby parkowej i również teraz tak naprawdę jej nie potrzebują. Powiem więcej: w świetle przedziwnych i chaotycznych zachowań służby parkowej (oto kolejna aberracja: w latach sześćdziesiątych National Park Service poprosiła Walt Disney Corporation o budowę parku rozrywki w kalifornijskim Sequoia National Park) obcięcie jej środków być może nie było takim złym pomysłem. Jestem pewien, że gdyby do budżetu wróciło 20 miliardów dolarów rocznie, prawie cała ta suma poszłaby na budowę kolejnych parkingów i infrastruktury turystycznej, nie zaś na ratowanie drzew, a już z pewnością nie na rekultywację cennych i pięknych trawiastych *balds*. Zresztą doprowadzanie do zniknięcia tych hal należy do elementów polityki służby parkowej. Ponieważ od lat zarzucano tej instytucji nadmierną ingerencję w naturalne procesy, postanowiła w ogóle nie ingerować, nawet gdyby nie ulegało najmniejszej wątpliwości, że ingerencja byłaby dla przyrody korzystna. Mówię wam, służba parkowa sama jest istnym cudem natury.

Zapadał zmrok, kiedy dotarliśmy do szałasu na Birch Spring Gap. Szałas stał nad mulistym strumieniem kilkadziesiąt metrów w dół zbocza od szlaku. W srebrzystym półmroku wyglądał wspaniale. W odróżnieniu od utylitarnych konstrukcji ze sklejki, które można napotkać na innych odcinkach szlaku, szałasy w Smokies zbudowano z kamienia w intencjonalnie staroświeckim, rustykalnym stylu, dzięki czemu ten na Birch Spring Gap wygląda z daleka jak malownicza i przytulna górska chata. Z bliska był już jednak mniej zachęcający. Wnętrze było ciemne, dach dziurawy, klepisko przypominało pudding czekoladowy, platforma do spania była ciasna i brudna i wszędzie walały się mokre śmieci. Woda ściekała po ścianach i tworzyła kałuże na platformie. Na zewnątrz nie było stołu piknikowego, inaczej niż przy większości innych szałasów, nie było też wychodka. Nawet według ascetycznych standardów Appalachian Trail szałas nie prezentował się zbyt komfortowo, ale przynajmniej mieliśmy go wyłącznie dla siebie.

Tak jak wszystkie szałasy na AT, miał tylko trzy ściany — do tej pory nie rozumiem, jaka idea się za tym kryje — ale tutaj w otwartą ścianę wstawiono drucianą bramę. Wisiała na niej tabliczka z następującym ostrzeżeniem: „Uwaga. Nocna aktywność niedźwiedzi. Drzwi muszą być zawsze zamknięte". Zainteresował mnie poziom tej aktywności, więc kiedy Katz gotował wodę na makaron, ja zajrzałem do książki gości. W każdym szałasie jest książka, w której turyści wpisują swoje uwagi o pogodzie, samopoczuciu i ewentualnych nietypowych zdarzeniach. Tutaj znalazłem tylko wzmiankę o paru niedźwiedziopodobnych nocnych odgłosach na zewnątrz. Największą uwagę kronikarzy dziejów szałasu wzbudziła niezwykle ożywiona krzątanina zameldowanych tam myszy i szczurów — relacje te okazały się zgodne z rzeczywistością.

Od momentu — precyzyjnie mówiąc, w tej samej sekundzie — kiedy przyłożyliśmy głowy do poduszek, usłyszeliśmy odgłosy gonienia i tuptania gryzoni. Nie znały pojęcia strachu i łaziły sobie swobodnie po naszych plecakach, a nawet głowach. Przeklinając z wściekłością, Katz tłukł wokół siebie bidonem i innymi przedmiotami, które miał pod ręką. W pewnym momencie włączyłem czołówkę i zauważyłem mysz na moim śpiworze, na wysokości klatki piersiowej, około piętnastu centymetrów od podbródka. Przysiadła na zadnich łapach i przyglądała mi się świdrującym wzrokiem. Odruchowo trzepnąłem ją przez śpiwór i odfrunęła zaskoczona.

— Dopadłem jedną! — zawołał Katz.

— Ja też! — odparłem z niemałą dumą.

Katz polował na czworakach, jakby chciał upodobnić się do myszy. Rozświetlał mrok latarką i od czasu do czasu przystawał, żeby rzucić butem albo walnąć o podłogę bidonem. Potem włazil z powrotem do śpiwora, przez jakiś czas leżał bez ruchu, wyrzucał z siebie jakieś przekleństwo, wyczołgiwał się z pieleszy i powtarzał całą procedurę. Ja schowałem się cały do śpiwora i ciasno zaciągnąłem ściągacz komina. Tak minęła noc: wybuch agresji Katza, okres ciszy, tupot mysich nóżek i kolejny wybuch agresji Katza. Jak na takie warunki spałem zaskakująco dobrze.

Sądziłem, że Katz obudzi się w fatalnym humorze, ale był dużo weselszy niż wieczorem.

— Grunt to porządnie się wyspać. Już nie mogę się doczekać najbliższej okazji — zakomunikował zgryźliwie, poruszywszy swoim ciężkim cielskiem i prychnąwszy z ukontentowaniem.

Jak się później okazało, źródłem jego dobrego nastroju był fakt, że zabił siedem myszy i był z siebie bardzo dumny — powiedziałbym nawet, że pysznił się jak gladiator. Kiedy podniósł do ust bidon, zauważyłem, że do dna przykleiło się trochę futra i kawałek jakiejś różowej miazgi. Od czasu do czasu konstatowałem — sądzę, że wszyscy trekkingowcy miewają takie myśli — jak daleko odchodzi się niekiedy na szlaku od cywilizowanych norm. To była jedna z tych chwil.

Na zewnątrz mgła wciskała się między drzewa. Poranek nie wyglądał zachęcająco. Kiedy ruszaliśmy, w powietrzu wisiała mżawka, która wkrótce przerodziła się miarowy, bezlitosny, ołowiany deszcz.

Deszcz potrafi wszystko zepsuć. Maszerowanie w pelerynie przeciwdeszczowej nie sprawia żadnej przyjemności. Szelest ortalionu i ustawiczne, dziwnie wzmocnione dudnienie deszczu o materiał działa bardzo przygnębiająco. A najgorsze jest to, że wcale nie jesteś suchy — ortalion chroni przed deszczem, ale pocisz się pod nim tak obficie, że jesteś przemoczony. Po południu szlak zamienił się w wartki strumień. Moje buty już dawno dały za wygraną. Byłem przemoczony i chlupałem przy każdym kroku. W niektórych częściach Smokies spada do 3000 milimetrów deszczu rocznie. To są trzy metry. Mnóstwo wody. Na nas przypadła całkiem spora jej część.

Uszliśmy piętnaście kilometrów do szałasu Spence Field. Nawet jak na nas nie był to wygórowany dystans, ale byliśmy przemoknięci i przemarznięci, a poza tym od następnego szałasu dzielił nas zbyt duży dystans. Służba parkowa — już się nawet nie oburzam, kiedy piszę takie rzeczy — narzuca turystom przemierzającym AT cały szereg szczegółowych, nieelastycznych, wkurzających reguł, między innymi to, żeby cały czas maszerować przed siebie energicznym krokiem, ani na metr nie zbaczać ze szlaku i spędzać każdą noc w szałasie. W praktyce oznacza to nie tylko, że każdego dnia należy pokonać określony dystans, ale również, że trzeba spędzić każdą noc na małej przestrzeni z obcymi ludźmi. Zdjęliśmy najbardziej przemoczone elementy ubrania i poszukaliśmy w plecakach czegoś suchego, ale nawet rzeczy przechowywane w strefach środkowych były wilgotne. W szałasie był kamienny kominek i jakaś życzliwa dusza naznosiła do środka chrustu na opał. Katz próbował w nim rozpalić, ale wszystko było takie mokre, że nie chciało się zająć. Nawet zapałki odmówiły posłuszeństwa. Westchnął zrezygnowany i skapitulował. Postanowiłem zaparzyć kawę na rozgrzewkę, ale kocher również się zbuntował.

Kiedy przy nim majstrowałem, z zewnątrz dobiegł nas szelest ortalionu i do szałasu weszły dwie kobiety, strzepujące wodę z powiek i przemoczone. Były z Bostonu i przyszły tutaj bocznym szlakiem z Cades Cove. Parę minut później weszło czterech studentów Wake Forest University, którzy mieli teraz przerwę międzysemestralną, potem nasz znajomy Jonathan i wreszcie dwóch brodaczy w średnim wieku. Po kilku dniach bez kontaktu z kimkolwiek nagle znaleźliśmy się pośród tłumu ludzi.

Wszyscy byli życzliwi i przyjaźni, ale nie dało się uciec od konkluzji, że metraż lokalu jest dalece niewystarczający. Nie po raz pierwszy przyszło mi do głowy, jak wspaniale by było, gdyby zrealizowano pierwotną wizję MacKaye'a — gdyby zamiast szałasów zbudowano prawdziwe schroniska z prysznicami, osobnymi łóżkami (dla mnie proszę z zasłonką i lampką do czytania) oraz mieszkającym tam na stałe dozorcą i kucharzem w jednym, który dmuchałby w domowe ognisko i zapraszał zdrożonych turystów do długiego stołu, na którym czekałaby potrawka z kluskami, chleb kukurydziany i — powiedzmy — placek z brzoskwiniami. Na werandzie stałyby bujane fotele, na których można by usiąść, zapalić fajkę i patrzeć, jak słońce chowa się za przepięknymi górami w oddali. Cóż to byłaby za rozkosz!

Siedziałem na skraju platformy zatopiony w tego rodzaju marzeniach i pochłonięty próbą doprowadzenia do wrzenia niewielkiej ilości wody — i byłem całkiem zadowolony z życia

— kiedy jeden z brodaczy w średnim wieku podszedł do mnie i przedstawił się jako Bob. Zadrżało mi serce, bo wiedziałem, że będziemy rozmawiać o sprzęcie. Miał to wypisane na twarzy. Nienawidzę rozmawiać o sprzęcie.

— Mogę zapytać, dlaczego kupiłeś plecak Gregory? — chciał wiedzieć Bob.

— Uznałem, że tak będzie łatwiej, niż nosić wszystko w rękach — zażartowałem.

Pokiwał z namysłem głową, jakby potraktował moją odpowiedź poważnie, a potem zakomunikował:

— Ja mam Kelty.

Korciło mnie, żeby mu powiedzieć: „Spróbuj oswoić się z myślą, Bob, że mam to głęboko w dupie", ale dyskusja o sprzęcie należy do trekkingowych obowiązków, tak jak wymiana grzecznościowych uwag ze spotkanymi w supermarkecie znajomymi rodziców, powiedziałem zatem:

— I co, jesteś z niego zadowolony?

— Tak, bardzo — odparł podekscytowany. — Powiem ci dlaczego.

Poszedł po plecak, żeby pokazać mi jego zalety — kieszenie na zatrzaski, worek na mapę, cudowna umiejętność mieszczenia w sobie różnych rzeczy. Szczególnie dumny był z jednego elementu wyposażenia dodatkowego, a mianowicie worka z przezroczystą szybką, przez którą widać było plastikowe buteleczki z witaminami i lekarstwami.

— Nie musisz odsuwać zamka, żeby sprawdzić, co tam masz — wyjaśnił i spojrzał na mnie wzrokiem domagającym się ode mnie wyrazów zdumienia i podziwu.

W tym momencie podszedł do nas Katz. Jadł marchewkę — nikt tak nie umie chomikować jedzenia jak on — i miał mnie o coś zapytać, kiedy jego spojrzenie padło na worek z przezroczystą szybką.

— O, worek z okienkiem. Czy to jest dla ludzi, którzy są za głupi, żeby go otworzyć?

— Mnie ten pomysł wydaje się bardzo praktyczny — odparował Bob urażonym tonem. — Pozwala sprawdzić zawartość bez konieczności odsuwania zamka.

Katz spojrzał na niego z autentycznym niedowierzaniem.

— Że co, że jesteś tak zajęty na szlaku, że nie możesz poświęcić trzech sekund na odsunięcie zamka i zajrzenie do środka? — Odwrócił się do mnie. — Studenci są chętni do wymiany pop tarts na snickersy. Co o tym myślisz?

— Ja to uważam za bardzo praktyczne rozwiązanie — powiedział Bob z cicha, jakby do siebie, ale zabrał plecak i już nas więcej nie molestował.

Niestety, moje rozmowy o sprzęcie prawie zawsze kończyły się w tym stylu: mój interlokutor oddalał się z urażonymi uczuciami i przyciśniętym do piersi hołubionym elementem ekwipunku. Uwierzcie mi, że nigdy nie miałem takiej intencji.

Smokies najwyraźniej się na nas uwzięły. Deszcz padał bez ustanku przez cztery dni, terkocząc o ortalion jak maszyna do pisania. Szlak zrobił się błotnisty i śliski. Każde zagłębienie wypełniała woda. Błoto stało się nieodłącznym składnikiem naszego życia. Brnęliśmy przez błoto, potykaliśmy się w błocie, wpadaliśmy w błoto, klękaliśmy w błocie, stawialiśmy plecaki w błocie, zostawialiśmy błoto na wszystkim, czego dotknęliśmy. I każdemu naszemu ruchowi towarzyszył rozjuszający, monotonny szelest ortalionu — w końcu człowiek miał ochotę wyjąć pistolet i go zastrzelić. Nie zobaczyłem niedźwiedzia, nie zobaczyłem salamandry, nie zobaczyłem foxfire, w gruncie rzeczy nie widziałem niczego oprócz strumyczków i kropelek wody na okularach.

Każdego wieczoru zatrzymywaliśmy się w przeciekających oborach, w których gotowaliśmy i mieszkaliśmy z obcymi ludźmi — całymi tłumami obcych ludzi, zmarzniętych, mokrych i człapiących, wymizerowanych i odchodzących od zmysłów z powodu nieustannego deszczu i uciążliwości wędrowania w takich warunkach. To było straszne. Im mocniej padało, tym ciaśniej robiło się w szałasach. Na wszystkich uniwersytetach Wschodniego Wybrzeża zaczęła się przerwa międzysemestralna i setki młodych ludzi wpadły na pomysł, żeby wybrać się na wycieczkę w Smoky Mountains. Szałasy w tych górach są przeznaczone dla wytrawnych piechurów, a nie niedzielnych wycieczkowiczów i czasem dochodziło do kłótni na tym tle, niezgodnie z duchem Appalachian Trail. Było gorzej niż strasznie.

Trzeciego dnia Katz i ja nie mieliśmy ani jednej suchej rzeczy i bez przerwy dygotaliśmy z zimna. Dotoczyliśmy się na szczyt Clingmans Dome — najwyższy punkt szlaku, z widokami, które przy dobrej pogodzie dodają sercu skrzydeł — i nie widzieliśmy nic, absolutnie nic oprócz majaczących kształtów umierających drzew w morzu skłębionej mgły.

Byliśmy przemoknięci i brudni, rozpaczliwie potrzebowaliśmy pralni, czystych, suchych ubrań, solidnego posiłku i wizyty w muzeum Believe It or Not. Przyszła pora na atrakcje Gatlinburga.

Ale najpierw musieliśmy jakoś tam dotrzeć.

Z Clingmans Dome do drogi krajowej 441, pierwszej asfaltowej szosy od zapory Fontana, po której przeszliśmy cztery dni wcześniej, dzieliło nas trzynaście kilometrów. Gatlinburg leżał dwadzieścia cztery kilometry dalej na północ, droga zmierzała serpentynami w dół. Nie mieliśmy ochoty wlec się taki kawał pieszo i wydawało się mało prawdopodobne, żebyśmy się załapali na autostop w parku narodowym, ale na pobliskim parkingu zauważyłem trzech młodych ludzi, którzy pakowali plecaki do dużego, eleganckiego auta z rejestracjami z New Hampshire. Podszedłem do nich, przedstawiłem się jako ich krajan z Granitowego Stanu i spytałem, czy znajdą w swoich sercach dostatecznie dużo litości, żeby zabrać dwóch znużonych życiem starszych panów do Gatlinburga. Zanim zdążyli odmówić, co ewidentnie było ich intencją, podziękowaliśmy im wylewnie i wsiedliśmy do tyłu. Tym samym zagwarantowaliśmy sobie ekskluzywną, ale dosyć posępną przejażdżkę do Gatlinburga.

Gatlinburg jest szokiem dla organizmu niezależnie od tego, z której strony po raz pierwszy zobaczymy to miasto, ale szczególnie jeśli przyjedziemy tam po długim pobycie w mokrym lesie. Znajduje się tuż za głównym wejściem do Parku Narodowego Great Smoky Mountains i specjalizuje się w dostarczaniu wszystkich tych rzeczy, którymi park nie dysponuje — takich jak restauracje, motele, sklepy z upominkami i chodniki, na których można sobie postać, a wszystko to stłoczone przy jednej, nieprawdopodobnie brzydkiej głównej ulicy. Wieloletni rozkwit gospodarczy tego miasta ugruntowany jest na powszechnym przekonaniu, że kiedy Amerykanie zapakują po sufit swoje samochody i pokonają gigantyczną odległość, żeby dotrzeć do miejsc olśniewających pięknem natury, muszą pograć w minigolfa i zjeść jakąś ociekającą tłuszczem potrawę. Park Narodowy Great Smoky Mountains to najbardziej popularny park narodowy w Ameryce, ale Gatlinburg — wprost nie do wiary — jest jeszcze bardziej popularny.

Innymi słowy, Gatlinburg prezentuje się okropnie, ale nie mieliśmy nic przeciwko temu. Po ośmiu dniach na treku byliśmy gotowi na takie okropności, a nawet tęskniliśmy za nimi. Zameldowaliśmy się w hotelu, gdzie powitano nas z wyczuwalnym brakiem serdeczności, dwa razy na nas zatrąbiono, kiedy przechodziliśmy przez główną ulicę (na szlaku człowiek zapomina, jak się przechodzi przez ulicę) i wreszcie stawiliśmy się w lokalu o nazwie Jersey Joe's Restaurant, gdzie zamówiliśmy cheeseburgery i colę u zblazowanej, hałaśliwie żującej gumę kelnerki, której serce nie zmiękło na widok naszych poczciwych uśmiechów. Byliśmy w połowie tego prostego i rozczarowującego posiłku, kiedy kelnerka rzuciła nam w przelocie rachunek. Wyniósł 20 dolarów 74 centy.

— Chyba pani żartuje — zaprotestowałem.

Kelnerka — nazwijmy ją Betty Slutz* — zatrzymała się, odwróciła, spojrzała na mnie, kowbojskim krokiem podeszła do stolika i wbiła we mnie spojrzenie, z którego emanowała bezbrzeżna pogarda.

— Jakiś problem?

— Dwadzieścia dolarów to trochę dużo za dwa burgery, nie wydaje się pani? — zapiszczałem głosem Bertiego Woostera, jakiego nigdy wcześniej u siebie nie słyszałem.

Mierzyła mnie wzrokiem jeszcze przez chwilę, a potem wzięła do ręki rachunek i zaczęła odczytywać na głos kolejne pozycje, akcentując każdą z nich plaśnięciem dłoni o blat.

— Dwa burgery. Dwa napoje. Stanowy podatek od sprzedaży. Miejski podatek od sprzedaży. Podatek od napojów. Napiwek. Łącznie: dwadzieścia dolarów siedemdziesiąt cztery centy. — Spuściła rachunek na stół i obdarzyła nas szyderczym śmiechem. — Witamy w Gatlinburgu, panowie.

Zaiste, serdecznie witamy.

Potem poszliśmy zwiedzić miasto. Bardzo mi zależało na obejrzeniu Gatlinburga, ponieważ czytałem o nim w znakomitej książce zatytułowanej *The Lost Continent*. Autor następująco opisuje pewną scenę, która rozegrała się na głównej ulicy: „Ulicą niespiesznie przechadzały się tłumy otyłych turystów w krzykliwych strojach, z aparatami fotograficznymi odbijającymi się od brzuchów, konsumując lody, watę cukrową i kukurydzę, czasem wszystko jednocześnie". Do czasu naszej wizyty nic się tam nie zmieniło. Te same chmary misiowatych ludzi w reebokach spacerowały pośród zapachów jedzenia, niosąc absurdalne produkty kulinarne i kubki z napojami wielkości wiadra. Gatlinburg pozostał tym samym kiczowa-

* *Slutz* — ang. prostytutka lub fleja.

tym, okropnym miastem. A przecież absolutnie bym go nie rozpoznał w tym opisie sprzed dziewięciu lat. Prawie każdy budynek, który pamiętałem, został zburzony i zastąpiony czymś nowym, przede wszystkim pasażami sklepowymi, które ciągnęły się od głównej ulicy i oferowały całą nową galaktykę możliwości zakupowych i gastronomicznych.

W książce *The Lost Continent* zamieściłem listę atrakcji turystycznych Gatlinburga z 1987 roku — Sala Pamięci Elvisa Presleya, Narodowe Muzeum Biblijne, Muzeum Figur Woskowych Gwiazdy nad Gatlinburgiem, Ripley's Believe It or Not Museum, Amerykańskie Historyczne Muzeum Figur Woskowych, Gatlinburg Space Needle, Bonnie Lou and Buster Country Music Show, Muzeum Policji, Centrum Wystawowe Księgi Rekordów Guinnessa, Irlene Mandrell Hall of Stars Museum i Shopping Mall, parę domów nawiedzanych przez duchy i trzy atrakcje z kategorii „inne", Hillbilly Village, Rajska Wyspa i Świat Iluzji. Po dziewięciu latach istniały tylko trzy z tych piętnastu obiektów. Oczywiście powstały w tym czasie inne — na przykład Mysterious Mansion, Hillbilly Golf czy kolejka Motion Master — a za dziewięć lat oferta z pewnością będzie wyglądała zupełnie inaczej, bo tak to już jest w Ameryce.

Wiem, że świat nigdy nie stoi w miejscu, ale tempo zmian w Stanach Zjednoczonych jest po prostu oszałamiające. W 1951 roku, kiedy się urodziłem, w Gatlinburgu była tylko jedna placówka handlowa — sklep wielobranżowy Ogle's. Potem, kiedy powojenny boom gospodarczy przyspieszył, ludzie zaczęli przyjeżdżać w Smoky Mountains samochodami i jak grzyby po deszczu zaczęły wyrastać motele, restauracje, stacje benzynowe i sklepy z upominkami. W 1987 roku w Gatlinburgu było 60 moteli i 200 sklepów z pamiątkami. Dzisiaj liczby te wynoszą odpowiednio 100 i 400. Na dodatek nie ma w tym niczego wyjątkowego.

Musimy sobie uzmysłowić, że połowa wszystkich biurowców i galerii handlowych w Ameryce powstała po 1980 roku. Połowa. Aż 80 procent budynków mieszkalnych w tym kraju pochodzi z okresu powojennego. W ciągu ostatnich piętnastu lat w Ameryce powstało 230 000 pokojów motelowych. Kawałek drogi od Gatlinburga znajduje się miasto Pigeon Forge, które dwadzieścia lat temu było senną wioską — a raczej dopiero aspirowało do tego statusu — znaną tylko jako rodzinna miejscowość Dolly Parton. Potem szacowna pani Parton zbudowała park rozrywki Dollywood. Teraz w Pigeon Forge jest 200 sklepów tworzących pięciokilometrowy szpaler po obu stronach drogi. Miasteczko jest większe i brzydsze od Gatlinburga, a na dodatek łatwiej tam zaparkować samochód, toteż oczywiście przyjeżdża tam więcej ludzi.

A teraz porównajmy to z Appalachian Trail. W roku naszej wyprawy szlak liczył pięćdziesiąt dziewięć lat. Jak na stosunki amerykańskie jest to bardzo nobliwy wiek. Szlaki w Oregonie i Santa Fe nie przetrwały tak długo, podobnie jak słynna Route 66. Lincoln Highway, stara droga od wybrzeża do wybrzeża, droga, która przeobraziła życie setek miasteczek, tak ważna i znana, że ochrzczono ją mianem „głównej ulicy Ameryki", nie przetrwała tak długo. Niewiele rzeczy w Ameryce przetrwało tak długo. Jeśli jakiś produkt nie jest nieustannie modernizowany, zastępuje się go innym, odsuwa na bok, porzuca bez skrupułów na rzecz czegoś większego, nowszego i — niestety — nieodmiennie brzydszego. A tutaj mamy nasz poczciwy, stary AT, który po sześciu dekadach wciąż ma się dobrze, jest piękny, ale niespecjalnie się z tym obnosi, wierny swoim założycielskim zasadom, błogo nieświadomy, że świat poszedł daleko do przodu. To naprawdę jest cud.

***

Katz potrzebował sznurówek, więc poszliśmy do sklepu ze sprzętem turystycznym i kiedy mój towarzysz był w dziale obuwniczym, ja się trochę poszwendałem. Na ścianie wisiała mapa Appalachian Trail przemierzającego czternaście stanów, ale ze Wschodnim Wybrzeżem tak przekręconym, żeby AT miał przebieg dokładnie południkowy. Dzięki temu manewrowi kartograf mógł zmieścić szlak w prostokącie o wymiarach 15 na 120 centymetrów. Spojrzałem na mapę z życzliwym, niemal właścicielskim zainteresowaniem — po raz pierwszy od wyjazdu z New Hampshire zobaczyłem szlak w całości — a potem pochyliłem się z rozszerzonymi oczami i odrobinę rozchylonymi ustami. Ze wspomnianych 120 centymetrów, które ciągnęły się mniej więcej od moich kolan do czubka głowy, pokonaliśmy zaledwie pięć.

Poszedłem po Katza i za rękaw przyciągnąłem go do mapy.

— Co? — spytał. — No co?

Katz nie lubił zagadek.

— Popatrz na mapę, a potem zobacz, ile przeszliśmy.

Spojrzał raz, a potem drugi. Uważnie obserwowałem emocje rysujące się na jego twarzy. Mina mu zrzedła.

— Jezu — wysapał w końcu. — Nawet nie zaczęliśmy — powiedział zdumiony.

Poszliśmy na kawę i długo siedzieliśmy w osłupiałym milczeniu. Wszystkie nasze dotychczasowe doświadczenia — cały wysiłek i trud, bóle, wilgoć, góry, obrzydliwie gumowaty makaron, śnieżyce, nużące wieczory z Mary Ellen, niekończące się, męczące, mozolnie zaliczane kilometry — wszystko to sprowadzało się do pięciu centymetrów. Włosy mi więcej urosły przez ten czas.

Trzeba było spojrzeć prawdzie w oczy i powiedzieć sobie wyraźnie, że nigdy nie dotrzemy do Maine.

***

W pewnym sensie była to wyzwalająca świadomość. Skoro nie jesteśmy w stanie przejść całego szlaku, to nie musimy. Była to dla nas nowa idea, która coraz bardziej nam się podobała. Zostaliśmy uwolnieni od brzemienia naszych zobowiązań. Nużący wymiar wyprawy — monotonna, idiotyczna i najzupełniej bezsensowna konieczność pokonania każdego metra kamienistej drogi pomiędzy Georgią i Maine — został z nas zdjęty. Od tej pory mogliśmy czerpać przyjemność z całego przedsięwzięcia.

Następnego dnia rano, po śniadaniu, rozłożyliśmy mapę na moim łóżku motelowym i zbadaliśmy możliwości, które nagle się przed nami otworzyły. Ostatecznie zdecydowaliśmy, że nie wrócimy na szlak w Newfound Gap, gdzie z niego zeszliśmy, ale trochę dalej, na przełęczy Spivey Gap w pobliżu Ernestville. Pozwalało to ominąć dalszą część Smokies, z ich zatłoczonymi szałasami i rygorystycznymi przepisami, i powrócić do świata, w którym mogliśmy się swobodnie poruszać. Sprawdziłem w książce telefonicznej firmy taksówkarskie. W Gatlinburgu były ich trzy. Zadzwoniłem do pierwszej na liście.

— Ile by kosztował kurs do Ernestville? — zapytałem.

— Nie wiem — brzmiała odpowiedź.

Trochę mnie to zbiło z tropu.

— No ale jak pan myśli, ile by to z grubsza wyniosło?

— Nie wiem.

— To jest o rzut beretem stąd.

Po dłuższej chwili milczenia głos powiedział:

— No.

— Nigdy tam nikogo nie woziliście?

— Nie.

— Z mapy wynika, że to będzie jakieś trzydzieści kilometrów. Zgadza się mniej więcej?

Kolejna chwila milczenia.

— A bo ja wiem.

— Ile u was kosztuje trzydzieści kilometrów?

— Nie wiem.

Przyjrzałem się słuchawce.

— Przepraszam pana, ale muszę panu to powiedzieć: jest pan głupszy, niż ustawa przewiduje.

Rozłączyłem się.

— Może nie jestem najwłaściwszą osobą do wygłaszania takich uwag — zagaił Katz — ale nie mam pewności, czy to jest najlepszy sposób na zagwarantowanie sobie szybkiej i życzliwej obsługi.

Zadzwoniłem do drugiej firmy taksówkarskiej i zapytałem o cenę kursu do Ernestville.

— Nie wiem — usłyszałem w słuchawce.

Do jasnej cholery, pomyślałem.

— Po co chce pan tam jechać? — zapytał mój rozmówca.

— Że co proszę?

— Po co chce pan jechać do Ernestville? Tam nic nie ma.

— Chcemy się dostać na Spivey Gap. Idziemy Appalachian Trail.

— Spivey Gap jest dziesięć kilometrów dalej.

— Chciałem się tylko z grubsza zorientować...

— Trzeba było od razu mówić, bo Spivey Gap jest dziesięć kilometrów dalej.

— No to ile by kosztował kurs na Spivey Gap?

— Nie wiem.

— Przepraszam, ale czy żeby zostać taksówkarzem w Gatlinburgu, trzeba zdać jakiś trudny egzamin z debilizmu?

— Co?

Rozłączyłem się i spojrzałem na Katza.

— Co jest z tym miastem? W moich smarkach jest więcej inteligentnych stworzeń niż tutaj.

Zadzwoniłem do trzeciej, ostatniej firmy i zapytałem, ile by kosztował kurs do Ernestville.

— A ile może pan zapłacić? — odszczeknął energiczny głos.

No, nareszcie facet, z którym można robić interesy, pomyślałem. Uśmiechnąłem się szeroko i powiedziałem:

— Nie wiem. Dolar pięćdziesiąt?

Usłyszałem w słuchawce ubawione prychnięcie.

— Wyniesie to pana trochę drożej. — Przerwa i skrzypnięcie odsuwanego krzesła. — Policzę panu według tego, co pokaże taksometr, ale powinno wyjść jakieś dwadzieścia dolców. Po co chce się pan tłuc do Ernestville?

Naświetliłem mu kwestię Appalachian Trail i Spivey Gap.

— Appalachian Trail? Musi pan mieć niezły bałagan pod sufitem. Kiedy chce pan jechać?

— Nie wiem. Można by teraz?

— A gdzie pan jest?

Podałem mu nazwę motelu.

— Będę za dziesięć minut. Góra piętnaście. Jak mnie nie będzie za dwadzieścia minut, to idźcie beze mnie i spotkamy się w Ernestville.

Rozłączył się. Znaleźliśmy nie tylko taksówkarza, ale także komika.

Kiedy czekaliśmy na ławce przed motelem, kupiłem w automacie egzemplarz „Nashville Tennessean", żeby sprawdzić, co się w świecie dzieje. Na czołówce był artykuł o tym, że parlament stanowy, w jednym z tych momentów iluminacji, które często nachodzą stany południowe, przeprowadzał ustawę zakazującą szkołom nauczania o ewolucji. Nauczyciele mieli mówić dzieciom, że Ziemia została stworzona przez Boga w siedem dni jakiś czas przed przełomem dziewiętnastego i dwudziestego wieku. Autor tekstu przypomniał czytelnikom, że Tennessee już przerabiało ten temat. W miasteczku Dayton — tak się składa, że niedaleko od Gatlinburga — w 1925 roku odbył się słynny proces Scopesa: władze stanowe pozwały nauczyciela Johna Thomasa Scopesa za propagowanie darwinowskich bredni. Jak wie prawie każdy Amerykanin, adwokat oskarżonego Clarence Darrow gruntownie ośmieszył prokuratora Williama Jenningsa Bryana, większość ludzi nie zdaje sobie jednak sprawy, że Darrow ostatecznie przegrał proces. Scopes został skazany, a obowiązującą w Tennessee ustawę zakazującą nauczania ewolucji w szkołach uchylono dopiero w 1967 roku. Teraz legislatura stanowa chciała ją przywrócić, dowodząc przy okazji, że zagrożenie dla mieszkańców Tennessee nie polega na tym, że mogą pochodzić od małpy, tylko że małpy mogą prześcignąć ich w rozwoju.

Nagle poczułem nieodparte pragnienie, żeby nie przebywać już tak daleko na Południu.

— Może pojedziemy do Wirginii? — zaproponowałem Katzowi.

— Co?

Parę dni wcześniej opowiadano nam w jednym z szałasów, jak piękne i przyjazne dla turystów jest Pasmo Błękitne (Blue Ridge) w Wirginii. Nasz rozmówca zapewniał nas, że kiedy już tam dotrzemy, prawie cały czas będziemy szli po płaskim, z niesamowitymi widokami nad szeroką doliną rzeki Shenandoah. Bez najmniejszego problemu można tam zrobić czterdzieści kilometrów dziennie. Z perspektywy zawilgłego, przeciekającego szałasu w Smokies brzmiało to jak raj. Idea ta nie chciała się ode mnie odczepić. Wyjaśniłem Katzowi, co mi chodzi po głowie.

Pochylił się do przodu ożywiony.

— Czyli mówisz, że mamy ominąć odcinek stąd do Wirginii? Przeskoczyć go?

Najwyraźniej chciał się upewnić, czy dobrze mnie zrozumiał. Skinąłem głową.

— Kurde, pewno, że chcę.

Kiedy minutę później przyjechał taksówkarz i wysiadł, żeby nam się przyjrzeć, wyjaśniłem mu z wahaniem i trochę nieporadnie — zupełnie nie przemyślałem tego pomysłu — że nie chcemy jechać do Ernestville, tylko do Wirginii.

— Do Wirginii?! — zawołał, tak jakbym go zapytał, czy gdzieś w pobliżu jest miejsce, w którym można by się zarazić syfilisem. Był niski, ale silnie zbudowany, wyglądał na co najmniej siedemdziesiąt lat, ale był bystrzejszy niż ja i Katz razem wzięci. Zrozumiał moją koncepcję, jeszcze zanim zdążyłem mu ją porządnie wyjaśnić. — W takim razie musicie jechać do Knoxville, tam wypożyczyć samochód i pojechać do Roanoke. Tak będzie najlepiej.

Pokiwałem głową.

— Ale jak się dostaniemy do Knoxville?

— Co by pan powiedział na taksówkę? — warknął takim tonem, jakby miał do czynienia z półgłówkiem. Albo trochę nie dosłyszał, albo po prostu lubił krzyczeć na ludzi. — Wyjdzie jakieś pięćdziesiąt dolarów — ocenił.

Katz i ja spojrzeliśmy na siebie.

— Dobra, może być — odparłem i wsiedliśmy do taksówki.

A zatem niespodziewanie zmierzaliśmy do Roanoke i pięknych zielonych gór Wirginii.

W lecie 1948 roku Earl V. Shaffer, młody człowiek, który właśnie wyszedł z wojska, jako pierwszy przeszedł cały Appalachian Trail w ciągu jednego lata. Bez namiotu i często orientując się według map samochodowych, szedł przez 123 dni, od kwietnia do sierpnia, pokonując średnio 27 kilometrów dziennie. Tak się złożyło, że podczas jego wyprawy „Appalachian Trailway News", organ Appalachian Trail Conference, opublikował długi artykuł Myrona Avery'ego i redaktora naczelnego Jeana Stephensona, w którym wyjaśnili, dlaczego przejście całego szlaku prawdopodobnie nie jest możliwe.

Szlak zastany przez Shaffera w niczym nie przypominał wypielęgnowanego i uporządkowanego korytarza, który istnieje dzisiaj. Chociaż minęło dopiero jedenaście lat od ukończenia szlaku, w 1948 roku popadał już w zapomnienie. Shaffer stwierdził, że duże odcinki były pozarastane albo zniszczone przez drwali. Szałasy były nieliczne, a oznakowanie dalece niekompletne. Shaffer często musiał się przedzierać przez zarośla z pomocą maczety albo wybierał złą drogę na nieoznakowanych rozwidleniach. Zdarzało mu się wejść na asfaltową drogę i stwierdzić, że jest kilkanaście kilometrów dalej, niż sądził. Wielu napotykanych przez niego mieszkańców okolicznych terenów nie wiedziało o istnieniu szlaku, a nawet jeśli widzieli, to ze zdumieniem się dowiadywali, że ciągnie się od Georgii aż po Maine. Shaffera często traktowali podejrzliwie.

Z drugiej strony w nawet najbardziej zapadłych wioskach prawie zawsze był sklep albo jadłodajnia, inaczej niż teraz, a kiedy Shaffer zboczył ze szlaku, na ogół mógł liczyć na to, że zatrzyma autobus liniowy, który podwiezie go do najbliższego miasta. Chociaż przez cztery miesiące nie spotkał prawie żadnych turystów, wzdłuż szlaku toczyło się prawdziwe życie. Często mijał małe gospodarstwa i domy albo widział pasterzy wypasających stada na trawiastych halach. Wszystko to dawno zniknęło. Dzisiaj AT jest zaprojektowaną dziczą — zaprojektowaną i narzuconą przez państwo, ponieważ wiele spośród mijanych przez Shaffera gospodarstw zostało później wykupionych i oddanych we władanie leśnym ostępom. W 1948 roku na Wschodnim Wybrzeżu Stanów Zjednoczonych mieszkało dwa razy więcej ptaków śpiewających niż dzisiaj. Nie licząc kasztanowców, leśne drzewa były zdrowe. Derenie, wiązy, choiny, jodły Frasera i świerki czerwone doskonale sobie radziły. Przede wszystkim zaś Shaffer miał 3000 kilometrów szlaku prawie wyłącznie dla siebie.

Kiedy na początku sierpnia, cztery miesiące po wyruszeniu, Shaffer dotarł do celu i zawiadomił o swoim osiągnięciu siedzibę Conference, nikt mu nie uwierzył. Musiał pokazać urzędnikom zdjęcia i dziennik wyprawy, a potem poddano go „sympatycznemu, ale gruntownemu przesłuchaniu", jak to później ujął w swojej relacji z wyprawy, zatytułowanej *Walking with Spring*.

Wiadomość o wyprawie Shaffera przyciągnęła wiele uwagi — dziennikarze robili z nim wywiady, a „National Geographic" opublikował długi artykuł na jego temat — i Appalachian Trail trochę się odrodził, ale turystyka piesza nigdy nie cieszyła się w Ameryce wielką popularnością i po kilku latach szlak znowu popadł w zapomnienie, jeśli pominąć paru zapaleńców i ekscentryków. Na początku lat sześćdziesiątych powstał plan wydłużenia drogi widokowej w Paśmie Błękitnym na południe od Smokies, co wiązałoby się z zabetonowaniem południowego odcinka AT. Plan nie został zrealizowany (ze względu na koszty, a nie jakieś szczególne protesty), ale w innych miejscach niektóre odcinki szlaku likwidowano, w innych zaś przybierał postać błotnistej, porytej koleinami dróżki przez obszary zabudowane. W 1958 roku, jak już wspominałem, ucięto ponad trzydzieści kilometrów na południowym końcu, od Mount Oglethorpe do Springer Mountain. W połowie lat sześćdziesiątych wszystko wskazywało na to, że przetrwają tylko porozrzucane fragmenty — w Smokies, Parku Narodowym Shenandoah — od Vermontu po Maine, reliktowe odcinki na terenie parków stanowych, gdzie indziej zakopane pod galeriami handlowymi i osiedlami mieszkaniowymi. Znaczna część szlaku przebiegała przez grunty prywatne i nowi właściciele często wypowiadali nieformalne umowy użyteczności, zmuszając zarządców szlaku do pospiesznego przenoszenia jego przebiegu na ruchliwe szosy lub inne drogi publiczne — miało to niewiele wspólnego z kontaktem z dziką przyrodą, który miał na myśli Benton MacKaye. Znowu się wydawało, że AT jest skazany na zagładę.

A potem los sprawił, że ministrem spraw wewnętrznych USA został Stewart Udall, który lubił chodzić po górach.

W 1968 roku za jego sprawą uchwalono ustawę o systemie szlaków narodowych. Ten ambitny i dalekosiężny akt prawny w dużym stopniu pozostał niezrealizowany. Przewidywał on powstanie 40 000 kilometrów nowych szlaków pieszych, z których większości do tej pory nie zbudowano. Ustawa doprowadziła jednak do wytyczenia Pacific Crest Trail i zabezpieczyła przyszłość AT, nadając mu status parku narodowego. Zagwarantowała również środki — 170 000 000 dolarów od 1978 roku — na wykup prywatnej ziemi celem stworzenia niezagospodarowanego buforu po obu stronach szlaku. Dzisiaj prawie cały szlak przebiega przez obszary chronione. Zaledwie 33 kilometry — mniej niż jeden procent całości — przebiegają drogami publicznymi, przede wszystkim mostami albo tam, gdzie AT przecina miasta.

W ciągu pięćdziesięciu lat od wyprawy Shaffera jego osiągnięcie udało się powtórzyć około 4000 osobom. Wśród wędrowców, którzy przechodzą cały szlak, można wyróżnić dwa typy: ci, którzy robią to w jeden sezon, zwani całościowcami, i ci, którzy rozkładają wyprawę na dwa lub więcej lat, zwani etapowcami. Najdłuższe przejście etapowe trwało czterdzieści sześć lat. Appalachian Trail Conference nie uznaje rekordów prędkości, argumentując, że byłoby to sprzeczne z duchem całego przedsięwzięcia, ale nie przeszkadza to niektórym próbować ustanawiać takie rekordy. W latach osiemdziesiątych niejaki Ward Leonard, z pełnym plecakiem i bez ekipy pomocniczej, pokonał szlak w sześćdziesiąt dni i szesnaście godzin — niesamowity wyczyn, jeśli zważyć, że pokonanie takiej odległości samochodem zajęłoby około pięciu dni. W maju 1991 roku „biegacz długodystansowy" David Horton i chodziarz długodystansowy Scott Grierson wyruszyli w drogę w odstępie dwóch dni. Horton miał ekipę pomocniczą, która czekała na niego na skrzyżowaniach i w innych strategicznych punktach, nie musiał więc nieść niczego oprócz bidonu. Każdego wieczoru samochód zawoził go do motelu albo prywatnego domu. Horton osiągnął średnią 61,6 kilometra, biegnąc dziesięć albo jedenaście godzin dziennie. Grierson szedł, a nie biegł, ale po osiemnaście godzin dziennie. Trzydziestego dziewiątego dnia Horton prześcignął rywala w New Hampshire i po pięćdziesięciu dwóch dniach i dziewięciu godzinach dotarł do celu. Grierson zjawił się dwa dni później.

Przejście całego szlaku w jednym sezonie mają na swoim koncie bardzo różni ludzie. Jeden z nich przekroczył osiemdziesiątkę. Inny szedł o kulach. Niewidomy Bill Irwin miał do pomocy psa przewodnika i przewrócił się około 5000 razy. Chyba najbardziej znaną, a z całą pewnością najczęściej opisywaną osobą z tego grona jest Emma „Babcia" Gatewood, która dwa razy pokonała cały szlak po sześćdziesiątce, mimo że była ekscentryczna, słabo wyposażona, odrobinę nierozgarnięta (tak naprawdę potwornie nierozgarnięta, ale nie chcę wyjść na człowieka nieżyczliwego) i ciągle gubiła drogę. Moim osobistym faworytem jest jednak niejaki Woodrow Murphy z Pepperell w stanie Massachusetts, który przeszedł cały szlak latem 1995 roku. Żywię sympatię do każdego człowieka, który ma na imię Woodrow, ale Murphy wzbudził mój szczególny podziw, kiedy przeczytałem, że ważył 160 kilo i wybrał się na Appalachian Trail, żeby zrzucić wagę. W pierwszym tygodniu wyciągał zaledwie osiem kilometrów dziennie, ale wytrwał, i w sierpniu, kiedy dotarł do swojego rodzinnego stanu, średnia przekroczyła już dwadzieścia kilometrów. Zrzucił dwadzieścia cztery kilo — w sumie niewiele na tle masy całkowitej — ale według najnowszych doniesień w przyszłym roku planuje powtórzyć swój wyczyn.

Znaczny odsetek całościowców dociera do Katahdin, a potem wyrusza w drogę powrotną do Georgii. Po prostu nie potrafią przestać iść, co skłania do zastanowienia. Zresztą im więcej czytam o całościowcach, tym bardziej się zastanawiam nad ich pobudkami. Weźmy Billa Irwina, niewidomego. O swojej wyprawie powiedział: „Chodzenie jako takie nie sprawiało mi przyjemności. Czułem się do tego zmuszony. To nie był mój wybór". Albo Davida Hortona, biegacza długodystansowego, który w 1991 roku ustanowił rekord szybkości. Jak sam stwierdził, stał się „mentalnym i emocjonalnym wrakiem" i kiedy biegł przez Maine, często płakał rzęsistymi łzami. Narzuca się zatem pytanie, po co ci ludzie to robią. Nawet Shaffer dokonał żywota jako odludek w głębokich lasach Pensylwanii. Nie chcę przez to powiedzieć, że Appalachian Trail odbiera ludziom rozum, tylko że wędrówkę podejmują określonego typu osoby.

A zatem czy bardzo się wstydziłem swojej kapitulacji w świetle faktu, że babcia w trampkach, piłka plażowa imieniem Woodrow i 3990 innych osób dotarło do Katahdin? Nie bardzo, a nawet w ogóle. Nadal miałem przejść Appalachian Trail, tylko niecały. Może trudno w to uwierzyć, ale Katz i ja zrobiliśmy już pół miliona kroków. Zrobienie pozostałych czterech i pół miliona kroków nie wydawało mi się absolutnie niezbędne do tego, żeby wyrobić sobie jakieś wyobrażenie o tym przedsięwzięciu.

Pojechaliśmy więc do Knoxville z naszym dowcipnym taksówkarzem, wypożyczyliśmy na lotnisku samochód i we wczesnych godzinach popołudniowych jechaliśmy na północ przez na poły zapomniany świat ruchliwych dróg, sygnalizacji świetlnej, gigantycznych skrzyżowań, wielkich tablic informacyjnych i całych hektarów galerii handlowych, stacji benzynowych, dyskontów, warsztatów samochodowych, parkingów itd. Nawet po jednym dniu spędzonym w Gatlinburgu szok kulturowy był potężny. Czytałem kiedyś o tym, jak mieszkający w brazylijskim lesie deszczowym Indianie z epoki kamiennej, którzy nie znali świata poza dżunglą, zostali zabrani do São Paulo albo Rio i na widok budynków, samochodów i przelatujących nad głowami samolotów wszyscy się posikali, jednocześnie i obficie. Teraz miałem pewne wyobrażenie o tym, jak się czuli.

Kontrast jest dojmujący. Na szlaku las jest twoim wszechświatem, bezkresnym i wszechobejmującym. Dzień po dniu doświadczasz tylko tego. W końcu niczego innego nie umiesz sobie wyobrazić. Masz oczywiście świadomość, że gdzieś za horyzontem istnieją ogromne miasta, dymiące fabryki i zatłoczone autostrady, ale w tej części kraju, gdzie jak okiem sięgnąć rosną drzewa, rządzi natura. Nawet miasteczka takie jak Franklin, Hiawassee, a nawet Gatlinburg to tylko przystanki porozrzucane w wielkim kosmosie lasu.

Ale jeśli człowiek zejdzie ze szlaku i oddali się od niego na znaczną odległość, tak jak my to teraz zrobiliśmy, uświadamia sobie, że żył w totalnym złudzeniu. Góry i lasy były tylko tłem — znajomym i bliskim, ale nie bardziej znaczącym i zauważanym niż chmury, które ocierały się o ich grzbiety. Prawdziwe życie toczyło się dokoła: stacje benzynowe, Wal-Marty, K-Marty, Dunkin' Donuts, wypożyczalnie wideo, niekończący się spektakl komercyjnej okropności, który rozstroił nawet Katza.

— Jezu, jakie to brzydkie — wyszeptał zdumiony, jakby nigdy wcześniej nie widział czegoś takiego.

Powiodłem za jego spojrzeniem i zobaczyłem gigantyczną galerię handlową z parkingiem o rozmiarach prerii. Zgodziłem się z nim: to było straszne. A potem, jednocześnie i obficie, posikaliśmy się.

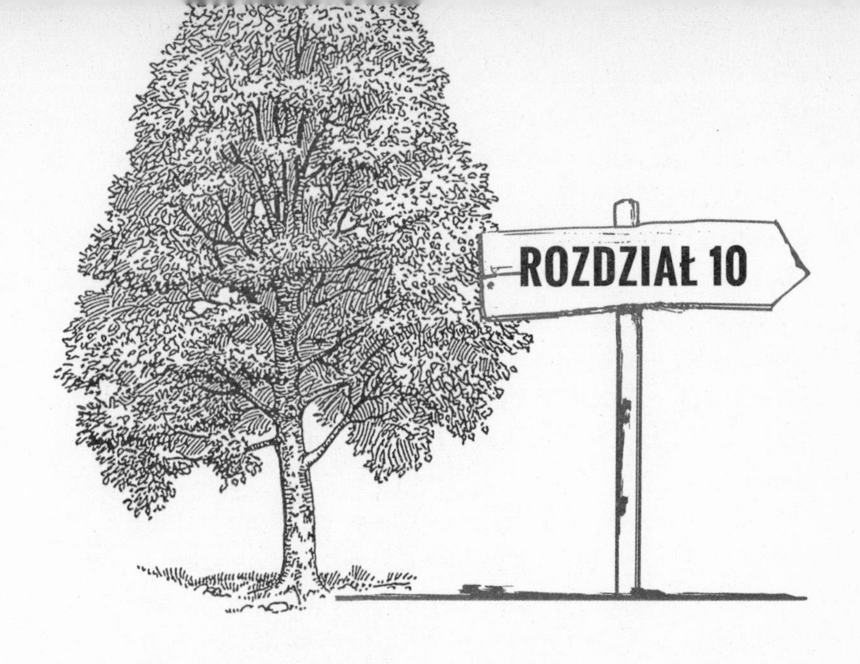


Jest obraz Ashera Browna Duranda zatytułowany *Pokrewne dusze*, często reprodukowany jako przykład dziewiętnastowiecznego amerykańskiego malarstwa krajobrazowego. Powstał w 1849 roku i pokazuje dwóch mężczyzn stojących na półce skalnej w górach Catskills. Chociaż sceneria sugeruje, że dotarcie do tego dostojnego i bezludnego świata wymagało całej wyprawy, dwaj mężczyźni są ubrani w długie płaszcze i szerokie krawaty, jakby wybierali się do swojego biura. Pod nimi, w mrocznej przepaści, strumień pędzi przez labirynt głazów, a w oddali, widoczne przez baldachim z liści, roztaczają się piękne, ale groźne niebieskie góry. Z prawej i z lewej chaotycznie wciskają się w kadr nieuporządkowane rzędy drzew, które znikają w pochłaniających wszystko ciemnościach.

Nie umiem wyrazić, jak bardzo chciałbym zanurzyć się w tym widoku. Krajobraz jest tak bardzo nieoswojony, a horyzont tak bardzo nieprzenikniony, że obraz działa na mnie jak pokusa dla zuchwałych. Oczywiście człowiek z pewnością by tam zginął — rozerwany na strzępy przez pumę czy rozpłatany tomahawkiem albo po prostu by zabłądził i runął w przepaść. Widać to na pierwszy rzut oka, ale co z tego? Człowiek odruchowo szuka na pierwszym planie zejścia nad strumieniem i zastanawia się, czy przez tę szczelinę z tyłu można dotrzeć do sąsiedniego wąwozu. Do widzenia, przyjaciele. Wzywa mnie przeznaczenie. Nie czekajcie z kolacją.

Dzisiaj oczywiście nie ma niczego porównywalnego. Być może nigdy nie było. Kto może wiedzieć, na jakie licencje poetyckie pozwalali sobie ci romantyczni pacykarze? Jeśli już ktoś w upalne lipcowe popołudnie wdrapuje się z paletą, składanym stołeczkiem i pudełkiem farb na jakąś widokową górę pośród niebezpiecznej dziczy, to musi namalować coś podniosłego i wspaniałego.

Ale nawet jeśli Appalachy sprzed epoki przemysłowej były tylko w połowie tak dzikie i dramatyczne, jak na obrazach Duranda i jemu podobnych, to musiały wyglądać niesamowicie. Trudno sobie dzisiaj wyobrazić, jak mało znany i jak wiele obiecujący był świat poza Wschodnim Wybrzeżem Ameryki. Kiedy Thomas Jefferson wysłał Lewisa i Clarka na tereny nieznane kartografom, był przekonany, że spotkają tam mamuty i mastodonty. Gdyby wiedziano wtedy o dinozaurach, z całą pewnością kazałby im przyprowadzić do Waszyngtonu triceratopsa.

Pierwsi ludzie, którzy zagłębili się w lasy od wschodu (poza Indianami, którzy dotarli tam jakieś 20 000 lat wcześniej), nie szukali prahistorycznych stworzeń, przejść na zachód ani nowych ziem pod osadnictwo. Szukali roślin. Botaniczne bogactwo Ameryki niezmiernie ekscytowało Europejczyków i wędrując po lasach, można było zdobyć chwałę i pieniądze.

Lasy Wschodniego Wybrzeża kłębiły się od flory nieznanej w Starym Świecie i zarówno naukowcy, jak i zapaleni amatorzy chcieli dostać kawałek tego tortu. Wyobraźmy sobie, co by było, gdyby kosmonauci znaleźli jutro dżunglę kwitnącą pod gazowymi chmurami Wenus. Wyobraźmy sobie, ile taki Bill Gates zapłaciłby za egzotyczny okaz wenusjańskiej roślinności, który mógłby posadzić w doniczce w swojej szklarni. Tej miary zdobyczą był w osiemnastym wieku rododendron — i mnóstwo innych amerykańskich roślin. Kamelia, hortensja, rudbekia, azalia, aster, pióropusznik strusi, surmia, lindera, muchołówka, winobluszcz pięciolistkowy, wilczomlecz. W lasach Ameryki zbierano te rośliny i setki innych, po czym przewożono je przez ocean do Anglii, Francji i Rosji, gdzie niecierpliwie czekali na nie nowi właściciele.

Zaczęło się od Johna Bartrama (to znaczy zaczęło się od tytoniu, ale z naukowców pierwszy był właśnie on), urodzonego w 1699 roku kwakra z Pensylwanii, który zainteresował się botaniką po lekturze książki na ten temat, po czym zaczął wysyłać nasiona i sadzonki do znajomego kwakra mieszkającego w Londynie. Zachęcony do dalszych poszukiwań, wyruszał na coraz bardziej ambitne wyprawy na odludne tereny, czasem pokonując grubo ponad 1000 kilometrów przez niegościnne góry. Chociaż był samoukiem, nie znał łaciny i słabo rozumiał systematykę Linneusza, był uzdolnionym kolekcjonerem roślin, obdarzonym niezwykłym instynktem, który pozwalał mu znajdować i rozpoznawać nieznane gatunki. Spośród 800 roślin odkrytych Ameryce w okresie kolonialnym około jednej czwartej przypada na Bartrama, a jego syn William zidentyfikował ich jeszcze więcej.

Przed upływem stulecia lasy na wschodzie roiły się od botaników — Peter Kalm, Lars Yungstroem, Constantine Samuel Rafinesque-Schmaltz, John Fraser, André Michaux,

Thomas Nuttall, John Lyon i całe mnóstwo innych. Było ich tak wielu i tak zawzięcie z sobą rywalizowali, że nie zawsze da się precyzyjnie stwierdzić, kto odkrył daną roślinę. Różne źródła podają, że Fraser odkrył od 44 do 215 roślin. Do jego niekwestionowanych odkryć należy pachnący południowy balsam, zwany też jodłą Frasera, tak charakterystyczny dla górskich obszarów Karoliny Północnej i Tennessee, ale drzewo to nosi jego imię tylko dlatego, że Fraser wspiął się na szczyt Clingmans Dome tuż przed swoim zawziętym rywalem Michaux.

Ludzie ci pokonywali ogromne obszary. Jedna z ekspedycji młodszego Bartrama trwała pięć lat i zawiodła go tak głęboko w dziewiczą puszczę, że ludzie postawili na nim krzyżyk. Kiedy Bartram wyszedł z lasu, odkrył, że Ameryka od roku toczy wojnę z Wielką Brytanią i że stracił swoich patronów. Wojaże Michaux zaprowadziły go z jednej strony na Florydę, a z drugiej strony nad Zatokę Hudsona. Heroiczny Nuttall dotarł aż nad Jezioro Górne, z braku funduszy pokonując znaczną część drogi na piechotę.

Badacze zbierali wiele okazów jednej rośliny, co niekiedy przybierało rabunkowe rozmiary. Lyon zerwał 3600 kwiatów *Magnolia macrophylla* z jednego zbocza góry, a wśród tysięcy innych roślin był piękny, czerwony kwiat, który przyprawił go o majaczenie i wywołał zapalenie skóry na całym ciele. Jak się okazało, Lyon odkrył trujący sumak. W 1765 roku John Nuttall znalazł szczególnie piękną kamelię, *Franklinia altamaha*, już wtedy rzadki kwiat, który w ciągu następnych dwudziestu pięciu lat całkowicie zanikł. Dzisiaj istnieje tylko odmiana hodowlana — wyłącznie dzięki staraniom Bartrama. Rafinesque-Schmaltz przez siedem lat wędrował po Appalachach i chociaż nie odkrył niczego szczególnego, przywiózł ze sobą 50 000 nasion i sadzonek.

Pozostaje zagadką, jak udało im się tego dokonać. Każdą roślinę trzeba było opisać, skatalogować i zidentyfikować, zebrać nasiona lub wyrwać sadzonkę — w tym drugim przypadku sadzonkę trzeba było przechowywać w ziemi owiniętej sztywnym papierem lub brezentem, podlewać i pielęgnować, a potem w jakiś sposób przetransportować przez dzikie bezdroża do krainy cywilizacji. Uciążliwości i zagrożenia były nieustanne i męczące. W lasach i górach roiło się od niedźwiedzi, węży i panter. Syn Michaux został poważnie poturbowany przez niedźwiedzia, który wyskoczył na niego zza drzewa. (Wydaje się, że baribale były w dawnych czasach znacznie bardziej agresywne niż dzisiaj. W prawie każdym dzienniku podróży można znaleźć relację o niespodziewanym, niesprowokowanym ataku. Można sądzić, że niedźwiedzie stały się bardziej powściągliwe, ponieważ nauczyły się kojarzyć ludzi z bronią palną). Również Indianie wrogo odnosili się do badaczy — chociaż nierzadko bawił ich widok białych europejskich dżentelmenów zbierających i wywożących rośliny, które rosły obficie na każdej łące i wzgórzu — a do tego dochodziły wszystkie choroby, które można było złapać w lesie, takie jak malaria i żółta febra. „Żaden z moich znajomych nie ma ochoty znosić tych wszystkich udręk i towarzyszyć mi w moich peregrynacjach", narzekał z goryczą John Nuttall w liście do swojego angielskiego patrona. I trudno im się dziwić.

Ale cały ten wysiłek był bardzo opłacalny. Szczególnie cenione nasiona kosztowały nawet pięć gwinei od sztuki. Podczas jednej z podróży John Lyon zarobił 900 funtów na czysto, co stanowiło znaczny majątek, a rok później pojechał znowu i zainkasował niewiele mniejszą sumę. Jedną z podróży Frasera sfinansowała Katarzyna Wielka, ale kiedy botanik wrócił do domu, okazało się, że na tronie w Petersburgu zasiada już inny car, który nie interesował się roślinami, uznał Frasera za wariata i nie wywiązał się z umowy. Fraser zabrał więc wszystko do Londynu, gdzie założył ogród i wiódł dostatni żywot ze sprzedaży azalii, rododendronów i magnolii angielskim arystokratom.

Inni błąkali się po lasach dla czystej radości odkrywania czegoś nowego. Najpiękniejszym przykładem takiej postawy jest Thomas Nuttall, inteligentny, ale niewykształcony pomocnik drukarza z Liverpoolu, który w 1808 roku przyjechał do Ameryki i niespodziewanie odkrył w sobie botaniczną pasję. Podjął dwie długie wyprawy, które sfinansował z własnej kieszeni, dokonał licznych ważnych odkryć i wielkodusznie oddał znaczną część roślin, na których mógł zarobić fortunę, ogrodowi botanicznemu w swoim rodzinnym mieście. W zaledwie dziewięć lat, zaczynając od zera, stał się największym autorytetem od amerykańskich roślin. W 1817 roku napisał (a także osobiście złożył do druku) przełomowe dzieło *Genera of North American Plants*, które prawie do końca stulecia stanowiło najważniejsze kompendium amerykańskiej botaniki. Cztery lata później mianowano go dyrektorem ogrodu botanicznego Uniwersytetu Harvarda. Stanowisko to piastował przez kilkanaście lat z wielkim zaangażowaniem, co nie przeszkodziło mu zostać czołowym autorytetem od ptaków. W 1832 roku opublikował ceniony tekst o skrzydlatym świecie Ameryki. Ze wszystkich dostępnych źródeł wynika, że był człowiekiem życzliwym i cieszącym się szacunkiem wszystkich ludzi, którzy go poznali. W dziejach ludzkości niewiele jest piękniejszych życiorysów.

Już w czasach Nuttalla lasy Ameryki zaczęły ulegać dramatycznym zmianom. Pantery, łosie i wilki kanadyjskie całkowicie wytrzebiono, a bobry i niedźwiedzie cudem uniknęły ich losu. Wielkie sosny wejmutki pierwszego pokolenia w lasach północy, osiągające ponad siedemdziesiąt metrów — co odpowiada dwudziestopiętrowemu budynkowi — ścinano na maszty okrętowe lub po prostu karczowano pod uprawę roli, a prawie cała reszta zniknęła przed upływem stulecia. Tak beztroski sposób gospodarowania brał się z poczucia, że amerykańskie lasy są w gruncie rzeczy niewyczerpane. Dwustuletnie pekany ścinano tylko po to, żeby łatwiej się zrywało orzechy z najwyższych gałęzi. Z każdym mijającym rokiem charakter lasów dostrzegalnie się zmieniał, ale jeszcze całkiem niedawno — serce mnie boli, kiedy pomyślę, jak bardzo niedawno — obficie rosło jedno drzewo, które podtrzymywało przy życiu rajski charakter dziewiczego amerykańskiego lasu: kasztanowiec.

Żadne inne drzewo nie może się z nim równać. Amerykański kasztanowiec osiąga wysokość trzydziestu metrów i ma niezwykle rozległą koronę — milion liści rozciąga się na powierzchni do czterdziestu arów. Sosny ze Wschodniego Wybrzeża są co prawda dwa razy wyższe, ale kasztanowce cechowała masywność i symetria, która umieszczała je w innej lidze. Na poziomie ziemi miały trzy metry średnicy i sześć metrów obwodu. Widziałem zdjęcie z początku dwudziestego wieku, na którym ludzie urządzają sobie piknik w zagajniku kasztanowców niedaleko od miejsca, w którym wędrowaliśmy teraz z Katzem, na terenie dzisiejszego Jefferson National Forest. Radośni piknikowicze są elegancko ubrani, panie trzymają w rękach parasole, mężczyźni mają sumiaste wąsy i meloniki na głowach. Całe towarzystwo siedzi na kocu na polanie, a w tle widać ukośne snopy światła i niezwykle majestatyczne drzewa. Ludzie wydają się przy nich tacy malutcy, że człowiek zadaje sobie pytanie, czy wymiary nie zostały dla żartu zmanipulowane, jak na tych starych pocztówkach z arbuzami wielkości stodoły albo kolbą kukurydzy zajmującą całą furmankę i dowcipnym podpisem TYPOWA SCENA Z GOSPODARSTWA ROLNEGO W IOWA, ale tak to naprawdę kiedyś wyglądało — na dziesiątkach tysięcy kilometrów kwadratowych gór i dolin od Północnej i Południowej Karoliny aż po Nową Anglię — to już jednak przeszłość.

W 1904 roku pracownik ogrodu zoologicznego w nowojorskiej dzielnicy Bronx zauważył, że piękne kasztanowce na terenie zoo pokryły się pomarańczowymi naroślami, jakich nigdy wcześniej nie widziano. Po kilku dniach drzewa zaczęły usychać. Zanim naukowcy zidentyfikowali źródło choroby, czyli azjatycki grzyb *Endothia parasitica* — prawdopodobnie zawleczony z Dalekiego Wschodu w dostawie drzew lub desek — kasztanowce były martwe, a epidemia ogarnęła znaczne obszary Appalachów, gdzie co czwarte drzewo było kasztanowcem.

Przy całej swojej masie drzewo jest bardzo delikatnym organizmem. Jego życie wewnętrzne toczy się w obrębie trzech cienkich jak papier warstw tkanki, łyka, ksylemu i kambium, tuż pod korą, tworzących wilgotną opończę wokół martwej twardzieli, czyli tkanki zdrewniałej. Niezależnie od tego, jak wysokie urośnie drzewo, masa żywych komórek, rzadko rozmieszczonych pomiędzy korzeniami i liśćmi, wynosi zaledwie parę kilo. Pracowite komórki w tych trzech warstwach wykonują wszystkie skomplikowane czynności potrzebne do utrzymania drzewa przy życiu, z niezwykłą sprawnością, która należy do cudów natury. Bez hałasu i zamieszania każde drzewo w lesie podnosi ogromne ilości wody — grubo ponad tysiąc litrów w przypadku dużego drzewa w upalny dzień — od korzeni do liści, skąd woda powraca do atmosfery. Wyobraźmy sobie, jaki byłby łoskot, zamęt i klekot maszyn, gdyby podobną ilość wody miała podnieść straż pożarna.

Transport wody to tylko jedno z wielu zadań wykonywanych przez łyko, ksylem i kambium. Poza tym produkują one ligninę i celulozę, regulują magazynowanie i produkcję taniny, soku, żywicy i olejków, wydzielają minerały i składniki odżywcze, przetwarzają skrobię na cukry (tak powstaje syrop klonowy) i robią mnóstwo innych rzeczy, ale ponieważ wszystko to odbywa się w obrębie tej cienkiej warstwy, drzewo jest bardzo podatne na działanie inwazyjnych organizmów. Drzewa musiały zatem wykształcić rozbudowane mechanizmy obronne. Kiedy nacięty kauczukowiec zaczyna sączyć z siebie lateks, wysyła w ten sposób następujący komunikat do owadów i innych szkodników: „Nie ma tu niczego smacznego dla ciebie. Znikaj!". Inną metodą odstraszania destrukcyjnych stworzeń takich jak gąsienice jest pompowanie do liści taniny, która powoduje, że liście są mniej smaczne, co skłania gąsienice do poszukiwania pożywienia gdzie indziej. Przy poważniejszych agresjach drzewa potrafią nawet przekazać innym osobnikom informację o zagrożeniu. Sąsiednie dęby nasilają wtedy wytwarzanie taniny, żeby lepiej znieść nadchodzącą napaść.

Takie metody pozwalają naturze utrzymywać się przy życiu. Problem powstaje w sytuacji, kiedy drzewo trafia na agresora, na którego ewolucja go nie przygotowała. Skrajnym przykładem takiego braku przystosowania była inwazja *Endothia parasitica* na amerykańskie kasztanowce. Pasożyt ten bez wysiłku wnika w drzewo, pożera komórki kambium i szykuje się do ataku na następne drzewo, jeszcze zanim zaatakowany osobnik zorientuje się — chemicznie mówiąc — co go dopadło. Pasożyt przenosi się za pomocą zarodników, których w każdej narośli powstają setki milionów. W ciągu jednego przelotu między drzewami jeden dzięcioł może przenieść miliard zarodników. W szczytowym okresie amerykańskiej zarazy kasztanowej kilkugodzinny wiatr transportował biliony zarodników na okoliczne wzgórza. Śmiertelność wynosiła sto procent. W niewiele ponad trzydzieści pięć lat amerykański kasztanowiec stał się tylko wspomnieniem. Same Appalachy w ciągu jednego pokolenia straciły cztery miliardy drzew, porastających jedną czwartą powierzchni gór. Była to oczywiście wielka tragedia, ale pomyślmy, co by było, gdyby tego rodzaju choroby mogły atakować więcej niż jeden gatunek — co by było, gdybyśmy zamiast zarazy kasztanowców, holenderskiej choroby wiązów czy antraknozy dereni mieli po prostu ogólną zarazę leśną — atakującą na oślep, niepowstrzymaną chorobę, która trzebiłaby całe lasy? I rzeczywiście jest taka plaga. Nazywa się kwaśny deszcz.

Ale może na razie już wystarczy tych informacji naukowych. Proszę was jednak, żebyście zachowali w pamięci to, co teraz powiem: w lasach Appalachów nie było ani jednego dnia, żebym nie odczuwał wdzięczności za to, co się do dzisiaj zachowało.

Las, przez który szliśmy teraz z Katzem, w niczym nie przypominał boru, który znało jeszcze pokolenie mojego ojca, ale przynajmniej byliśmy otoczeni drzewami. To było wspaniałe uczucie, znowu znaleźć się w tej znajomej scenerii. Pod każdym dostrzegalnym względem był to taki sam las, jaki zostawiliśmy za sobą w Karolinie Północnej — takie same mocno pochylone drzewa, taka sama wąska, brązowa ścieżka, taka sama głęboka cisza, zakłócana tylko naszymi stęknięciami i dyszeniem podczas wdrapywania się na zbocza, które były równie strome, chociaż trochę krótsze od tych, z którymi się parę dni temu pożegnaliśmy. Co ciekawe, mimo że przenieśliśmy się o kilkaset kilometrów na północ, wiosna sprawiała tutaj wrażenie bardziej zaawansowanej.

Drzewa, przede wszystkim dęby, powypuszczały pąki i zdarzały się kępy kwiatów — sangwinaria, trójlist i serduszka — wyrastające spośród dywanu zeszłorocznych liści. Promienie słońca przenikały przez gałęzie w górze, rzucając na ścieżkę plamy światła, a w powietrzu wyczuwało się charakterystyczną, upajającą rześkość wiosny. Zdjęliśmy najpierw kurtki, a potem swetry. Świat znowu wydawał się przyjazny.

Najlepsze były widoki z lewa i prawa, piękne i złociste. Pasmo Błękitne ciągnie się przez Wirginię 650-kilometrowym grzbietem o szerokości dwóch do trzech kilometrów, z nielicznymi głęboko wciętymi przełęczami w kształcie litery V, ale zasadniczo biegnie dość płasko na wysokości około tysiąca metrów n.p.m. Na zachodzie szeroka, zielona Dolina Wirginijska dociera do Alleghenów, a na wschodzie widnieje sielskie przedgórze zwane Piedmontem. Kiedy wdrapaliśmy się na jakąś górę i podeszliśmy do skalnego urwiska, nie widzieliśmy ciągnących się aż po horyzont kopulastych, zielonych gór, lecz rozciągały się przed nami panoramiczne widoki na zamieszkany świat: farmy, małe wsie, zagajniki i kręte szosy, z oddali wszystko niezwykle malownicze. Nawet autostrada międzystanowa ze skrzyżowaniami w kształcie czterolistnych koniczyn wyglądała przyjaźnie i rozsądnie, jak na ilustracjach w książeczkach dla dzieci z moich chłopięcych lat, ukazujących Amerykę zapracowaną i w ciągłym ruchu, ale nie aż tak bardzo rozgorączkowaną, żeby utraciła swój urok.

Przez tydzień marszu nie spotkaliśmy prawie nikogo. Pewnego dnia poznałem mężczyznę, który uprawiał turystykę mieszaną: pieszo-rowerowo-samochodową. Rano przewoził rower kilkanaście kilometrów dalej, wracał samochodem do punktu wyjścia, pokonywał te kilkanaście kilometrów szlakiem na nogach i wracał na rowerze po samochód. Robił to przez dwa tygodnie w kwietniu każdego roku i oceniał, że potrzebuje jeszcze około dwudziestu lat na przebycie całego szlaku. Innego dnia szedłem za starszym mężczyzną, który wyglądał na co najmniej siedemdziesięciolatka i był dosyć chudy. Niósł mały, staroświecki plecak z brezentu w kolorze piaskowym i drałował niewiarygodnym tempem. Dwa albo trzy razy na godzinę widziałem go kilkadziesiąt metrów przed sobą znikającego między drzewami. Chociaż maszerował znacznie szybciej ode mnie i nie zauważyłem, żeby kiedykolwiek odpoczywał, utrzymywał dystans między nami. Zawsze kiedy otworzyła się przede mną kilkudziesięciometrowa przestrzeń, widziałem jego znikające w lesie plecy. Tak jakbym śledził ducha. Próbowałem go dogonić, ale nie mogłem. Ani razu nie zauważyłem, żeby na mnie patrzył, ale byłem pewien, że jest świadom mojej obecności. W lesie wyrabia się w człowieku swoisty szósty zmysł, który pozwala wyczuć, że ktoś jest w pobliżu. W takich sytuacjach zawsze się zatrzymujesz i dajesz się dogonić, chociażby po to, żeby wymienić uprzejmości i zapytać o prognozę pogody. Ten człowiek nigdy się jednak nie zatrzymywał, nie zmieniał tempa, nie oglądał za siebie. Późnym popołudniem zniknął i już nigdy więcej go nie widziałem.

Wieczorem powiedziałem o tym Katzowi.

— Jezu, teraz jeszcze ma omamy — mruknął pod nosem.

Ale następnego dnia to Katz widział tego człowieka przez cały dzień — za plecami, blisko, jednak nigdy go nie doganiał. Przedziwna historia. Potem już żaden z nas nigdy go nie widział. Zresztą nikogo już nie widzieliśmy.

Dzięki temu każdej nocy mieliśmy szałasy wyłącznie dla siebie, co bardzo nas cieszyło. Jak nisko człowiek musi się stoczyć, jeśli zachwyca go perspektywa spędzenia nocy w intymnym gronie na zbitej z desek zadaszonej platformie — ale byliśmy zachwyceni. Na tym odcinku szlaku większość szałasów była nowa i czyściutka. Kilka z nich zaopatrzono nawet w miotłę — przytulny, domowy akcent. Ponadto miotły były używane — my ich zawsze używaliśmy, pogwizdując sobie przy tym — co dowodzi, że wędrowiec na AT odpowiedzialnie wykorzysta każde urządzenie, które może poprawić jego komfort życia. W pobliżu każdego szałasu był wychodek, źródło wody pitnej i stół piknikowy, mogliśmy więc przygotowywać i jeść posiłki w z grubsza normalnych pozycjach, zamiast siedzieć w kucki na mokrych pniach. Na Appalachian Trail jest to wielki luksus. Czwartej nocy, kiedy zbliżałem się do końca jedynej zabranej w podróż książki i otworzyła się przede mną mało przyjemna perspektywa, że od tej pory po kolacji będę leżał w półmroku i słuchał chrapania Katza — byłem ucieszony i niezmiernie wdzięczny, kiedy stwierdziłem, że któryś z wcześniejszych mieszkańców szałasu zostawił powieść Grahama Greene'a. Jeśli człowiek uczy się czegoś na Appalachian Trail, to właśnie cieszenia się z drobnych rzeczy — umiejętność, która każdemu by się przydała.

Byłem szczęśliwy. Pokonywaliśmy dwadzieścia pięć kilometrów dziennie, czyli znacznie mniej niż obiecane nam czterdzieści, ale według naszych kryteriów całkiem solidny dystans. Czułem się uskrzydlony, sprawny i po raz pierwszy od wielu lat mój brzuch nie wyglądał jak piłka plażowa. Pod koniec dnia dalej byłem zmęczony i sztywny — to się nie zmieniło — lecz osiągnąłem punkt, w którym bóle i pęcherze stały się tak fundamentalnym elementem mojego istnienia, że przestałem je zauważać. Za każdym razem, kiedy opuszczasz wygodny, higieniczny świat miast i zapuszczasz się w góry, przechodzisz przez kilka faz transformacji — stopniowo zanurzasz się w świecie nędzy — i za każdym razem masz poczucie, jakbyś nigdy wcześniej tego nie doświadczył. Pod koniec pierwszego dnia czujesz się odrobinę brudny, co trochę ci przeszkadza; drugiego dnia czujesz się odrażająco brudny; trzeciego dnia przestaje cię to obchodzić; czwartego dnia już nie pamiętasz, że może być inaczej. Również odczucie głodu zmienia się według ustalonego schematu. Pierwszego wieczoru jesteś głodny jak wilk i nie możesz się doczekać, kiedy zjesz makaron; drugiego wieczoru jesteś głodny jak wilk, ale żałujesz, że nie ma niczego innego w jadłospisie; trzeciego wieczoru nie masz ochoty na makaron, ale wiesz, że musisz coś zjeść; czwartego wieczoru nie masz apetytu, ale automatycznie zasiadasz do jedzenia, bo wieczorem zawsze się tak robi. Nie wiem dlaczego, ale jest to dziwnie przyjemne.

A potem dzieje się coś, co uświadamia ci, jak bardzo — przeogromnie — chcesz wrócić do cywilizowanego świata. Szóstego wieczoru, po długim dniu w nietypowo gęstym lesie, wyszliśmy na niewielką trawiastą polanę nad wysokim urwiskiem, z którego rozciągał się szeroki, rewelacyjny, niczym niezmącony widok na północ i zachód. Słońce osuwało się za odległy, sinoszary grzbiet Alleghenów, a światło wypełniające obniżenie między Appalachami i Alleghenami — rozległe, regularnie uporządkowane ziemie rolne z kępami drzew i domami farmerów — zaczynało powoli tracić kolory. Nasze serce zabiło jednak żywiej na widok czego innego, a mianowicie miasta — pierwszego prawdziwego miasta, które widzieliśmy od tygodnia — znajdującego się o jakieś dziesięć kilometrów na północ. Z naszego punktu obserwacyjnego mogliśmy dostrzec duże, jasne i kolorowe neony przydrożnych restauracji i moteli. Nigdy w życiu nie widziałem niczego choćby w połowie tak pięknego, choćby w jednej czwartej tak kuszącego. Mógłbym przysiąc, że czuję zapach smażących się steków. Wpatrywaliśmy się w to cudo całe wieki, jakby chodziło o coś, o czym czytaliśmy w książkach, ale nie wierzyliśmy, że kiedykolwiek uda nam się to zobaczyć.

— Waynesboro — powiedziałem w końcu do Katza.

Skwapliwie pokiwał głową.

— Jak daleko?

Wyjąłem mapę i sprawdziłem.

— Szlakiem około trzynastu kilometrów.

Znowu pokiwał skwapliwie głową.

— Świetnie — powiedział.

Uzmysłowiłem sobie, że była to najdłuższa rozmowa, jaką odbyliśmy od paru dni, ale nie było potrzeby czegokolwiek dodawać. Przez tydzień byliśmy w drodze i następnego dnia mieliśmy pójść do miasta. Nie trzeba było tego formułować na głos. Przejdziemy trzynaście kilometrów, wynajmiemy pokój, weźmiemy prysznic, zadzwonimy do domu, zrobimy pranie, zjemy kolację, kupimy prowiant, oglądniemy telewizję, prześpimy się w łóżku, zjemy śniadanie, wrócimy na szlak. Po co dyskutować o takich oczywistościach? Wszystko, co robiliśmy, było dla nas oczywiste. Mistrzostwo świata w komunikacji międzyludzkiej.

Rozbiliśmy namioty i w resztkach wody ugotowaliśmy makaron, a potem siedzieliśmy obok siebie na pniu i jedliśmy w milczeniu, twarzą w stronę Waynesboro. Na blade wieczorne niebo wspiął się księżyc w pełni i bił od niego biały wewnętrzny żar, który nieodparcie kojarzył się z kremem w ciastku Oreo. (Po jakimś czasie spędzonym na szlaku wszystko kojarzy się z jedzeniem). Po długiej ciszy odwróciłem głowę w stronę Katza i zapytałem tonem pełnym nadziei, a nie oskarżycielskim:

— Umiesz gotować coś oprócz makaronu?

Zadałem to pytanie pod kątem zakupów, na które wybieraliśmy się następnego dnia.

Katz długo się zastanawiał.

— Francuskie tosty — powiedział w końcu, umilkł na dłuższą chwilę, a potem zapytał: — A ty?

— Nie — odparłem po długim namyśle. — Nic.

Zastanowił się, jakie wnioski płyną z naszej rozmowy, przez chwilę sprawiał wrażenie, że chce coś powiedzieć, ale pokręcił po stoicku głową i ponownie zajął się jedzeniem makaronu.

Kwestia do przemyślenia: w ciągu dwudziestu minut Katz i ja pokonywaliśmy na Appalachian Trail dłuższy dystans niż przeciętny Amerykanin pokonuje w ciągu tygodnia. Kiedy Amerykanin ma coś do zrobienia poza domem, w 93 procent przypadków korzysta z samochodu. To jest absurdalne. Kiedy przeprowadziliśmy się do Stanów Zjednoczonych, chcieliśmy mieszkać w niedużym mieście, żeby móc chodzić na piechotę do sklepów, na pocztę i do biblioteki. Tak trafiliśmy do Hanower w stanie New Hampshire. Jest to małe, sympatyczne miasteczko uniwersyteckie z dużymi błoniami, pełnymi zieleni ulicami mieszkalnymi i staroświecką główną ulicą. Z prawie każdego miejsca da się bez większego wysiłku dojść do centrum na piechotę, ale prawie nikt tego nie robi. Mam sąsiada, który jeździ samochodem do miejsca pracy oddalonego o 800 metrów od domu. Z kolei pewna znajoma — najzupełniej sprawna — jeździ autem po dziecko do koleżanki, która mieszka sto metrów dalej. Kiedy kończą się lekcje, wszystkie dzieci (z wyjątkiem czwórki rozwydrzonych bachorów z angielskim akcentem) są odwożone samochodami na odległość od kilkuset metrów do kilometra. (Te dzieci, które mieszkają dalej, jeżdżą autobusem). Większość uczniów szesnastoletnich i starszych ma własne samochody. To również jest absurdalne. Przeciętny Amerykanin pokonuje średnio 2,25 kilometra tygodniowo na piechotę — obejmuje to przejście z samochodu do biura i z biura do samochodu oraz krążenie po supermarkecie i galeriach handlowych — co daje zaledwie 320 metrów dziennie.

Ale w Hanower przynajmniej można chodzić pieszo, jeśli ktoś ma ochotę. W wielu amerykańskich miejscowościach jest to dzisiaj po prostu niemożliwe. Uświadomiłem to sobie dobitnie następnego dnia w Waynesboro, kiedy wynajęliśmy pokój w hotelu i zjedliśmy ekstrawagancko obfite późne śniadanie. Zostawiłem Katza w pralni (z jakiegoś powodu uwielbiał robić pranie — uwielbiał czytać wystrzępione czasopisma i obserwować cudowną przemianę, jakiej ulegały w pralce nasze obrzydliwie brudne łachy) i poszedłem poszukać jakiegoś środka odstraszającego owady.

W Waynesboro jest tradycyjna, w miarę ładna dzielnica biznesowa zajmująca kilka kwartałów, ale jak to często bywa w dzisiejszych czasach, większość sklepów wyniosła się do galerii handlowych na peryferiach, a w centrum zostały tylko banki, biura firm ubezpieczeniowych tudzież zapyziałe lombardy i komisy. Wiele sklepów było zamkniętych albo zlikwidowanych. Nigdzie nie mogłem znaleźć środka przeciw owadom. Przed pocztą stał człowiek, który zasugerował, żebym spróbował w K-Marcie.

— Gdzie pan zostawił samochód? — zapytał, chcąc mi wyjaśnić, jak mam dojechać.

— Nie mam samochodu.

Mocno go to zbiło z tropu.

— Naprawdę? Ale to będzie ze dwa kilometry stąd.

— Nie szkodzi.

Pokręcił z powątpiewaniem głową, jakby chciał zrzucić z siebie odpowiedzialność za to, co zamierza mi powiedzieć.

— W takim razie niech pan idzie Broad Street, skręci w prawo koło Burger Kinga, a potem idzie cały czas prosto, ale wie pan, to może być nawet dwa i pół kilometra. Z powrotem też pan chce iść na nogach?

— Tak.

— Kawał drogi.

— Mam ze sobą prowiant.

Jeśli zdał sobie sprawę, że żartowałem, to nie dał tego po sobie poznać.

— W takim razie życzę powodzenia — powiedział.

— Dziękuję.

— Wie pan, za rogiem jest postój taksówek — rzucił mi koło ratunkowe.

— Naprawdę wolę pójść pieszo — wyjaśniłem.

Pokręcił z zakłopotaniem głową.

— No to życzę powodzenia — powtórzył.

No i poszedłem. Było ciepłe popołudnie, a ja poczułem się lekko jak motyl. Nie uwierzycie, jakie to przyjemne, móc nareszcie pochodzić sobie bez plecaka, sprężyście i zwiewnie. Z plecakiem człowiek idzie zgarbiony i pochylony do przodu, ze wzrokiem utkwionym w ziemi. Człapie, bo na więcej go nie stać. Bez plecaka jest wolny. Idzie wyprostowany. Rozgląda się wokół siebie. Podskakuje, przechadza się, spaceruje.

W każdym razie aż do czwartej przecznicy. Potem dociera do obłąkanego skrzyżowania koło Burger Kinga i odkrywa, że nowa sześciopasmówka do K-Martu jest długa, prosta, bardzo ruchliwa i pozbawiona jakichkolwiek udogodnień dla pieszych — nie ma chodników, nie ma przejść, nie ma wysepek na środku, nie ma przycisków na słupach sygnalizacji świetlnej. Szedłem przez stację benzynową, podjazdy moteli, parkingi restauracji, wspinałem się przez betonowe bariery, deptałem trawniki i przeciskałem się przez zaniedbane żywopłoty na granicach posesji. Na wiaduktach przez strumienie i przepusty — powiem wam na ucho, że urbaniści uwielbiają przepusty — nie pozostawało mi nic innego, jak iść ulicą przyciśnięty do zakurzonych barierek. Kilku mniej uważnych kierowców w ostatniej chwili szarpnęło kierownicą, żeby mnie ominąć. Cztery razy zatrąbiono na mnie, ponieważ miałem czelność poruszać się po mieście bez blaszanej osłony. Jeden z mostów był tak niebezpieczny, że ogarnęły mnie poważne wątpliwości. Zauważyłem, że przepływa pod nim wąska strużka, którą można bez problemu przeskoczyć, więc postanowiłem nie korzystać z wiaduktu. Przelazłem przez barierkę i stoczyłem się po nasypie. Znalazłem się w niewidocznej z góry strefie szarego, lepkiego błota, przeskoczyłem przez wodę, wgramoliłem się na nasyp po drugiej stronie i wyszedłem z powrotem na drogę zachlapany błotem i pięknie udekorowany ostami. Kiedy nareszcie dotarłem na K-Mart Plaza, okazało się, że jestem po złej stronie ulicy i czeka mnie przeprawa przez sześć pasów nieprzyjacielskiego ruchu samochodowego. Zanim przebyłem parking i wkroczyłem do klimatyzowanego, rozbrzmiewającego sklepową muzyczką hipermarketu, byłem tak brudny, jak po kilku dniach na szlaku, i cały się trząsłem.

Jak się okazało, w K-Marcie nie prowadzili środków odstraszających owady.

Zawróciłem i wyruszyłem w drogę powrotną, ale tym razem, w przypływie szaleństwa, nad którym nie mam zamiaru się rozwodzić, poszedłem na przełaj przez pola uprawne i strefę przemysłową. Podarłem sobie dżinsy o drut kolczasty i jeszcze bardziej się ubrudziłem. Po powrocie do miasta zastałem Katza siedzącego w słońcu na krześle ogrodowym na trawniku koło motelu, świeżo wykąpanego, w wypranym ubraniu i ze szczęśliwą miną, jaką można zobaczyć tylko u piechura, który odpoczywa w mieście. Formalnie rzecz biorąc, pastował buty, ale tak naprawdę siedział, obserwował miejskie życie i z rozmarzeniem rozkoszował się słońcem. Powitał mnie bardzo serdecznie. W mieście Katz zawsze odradzał się na nowo.

— Rany boskie, jak ty wyglądasz! — zawołał zachwycony, że widzi mnie takiego zapaskudzonego. — Co żeś ty robił? Jesteś strasznie brudny. — Pełnym podziwu wzrokiem obejrzał mnie od stóp do głów, po czym powiedział poważnym tonem: — Znowu łajdaczyłeś się z maciorami, co, Bryson?

— Ha, ha, ha, bardzo dowcipne.

— To nie są zbyt higieniczne zwierzęta, niezależnie od tego, jak atrakcyjne mogą ci się wydawać po miesiącu spędzonym na szlaku. I nie zapominaj, że nie jesteśmy już w Tennessee. Tutaj to jest prawdopodobnie zakazane — w każdym razie jeśli nie masz zaświadczenia od weterynarza. — Poklepał sąsiednie krzesło rozpromieniony, zachwycony swoimi docinkami. — Usiądź i wszystko mi opowiedz. Jak ma na imię? Domina? — Pochylił się ku mnie i zapytał konfidencjonalnym tonem: — Głośno kwiczała?

Usiadłem obok niego.

— Jesteś po prostu zazdrosny.

— Właśnie, że nie. Ja też zawarłem dzisiaj ciekawą znajomość, w pralni. Ma na imię Beulah.

— Beulah? Jaja sobie robisz?

— Niestety nie.

— Kto dzisiaj ma na imię Beulah?

— Na przykład ona. Bardzo miła kobieta. Niezbyt rozgarnięta, ale bardzo miła, z takimi słodkimi dołeczkami tutaj. — Pokazał mi palcem. — Ma cudowne ciało.

— Doprawdy?

Pokiwał głową.

— Oczywiście — uzupełnił — głęboko ukryte pod stukilogramową warstwą kolebiącego się tłuszczu. Na szczęście nie mam nic przeciwko pokaźnym kobietom, pod warunkiem że nie trzeba poszerzać drzwi, żeby weszła do mieszkania.

Powrócił do pieczołowitego glansowania buta.

— W jaki sposób ją poznałeś?

— Bardzo interesujący. Poprosiła mnie, żebym podszedł i rzucił okiem na jej majtki.

Pokiwałem głową.

— No jasne.

— Zaklinowały jej się w bębnie — wyjaśnił.

— Miała je na sobie? Mówiłeś, że jest niezbyt rozgarnięta.

— Prała je, ściągacz się zaklinował i poprosiła mnie, żebym jej pomógł je wyciągnąć. Wielkie majty — dodał zamyślonym tonem i na chwilę pogrążył się we wspomnieniach, po czym podjął swoją opowieść: — Wyszarpnąłem je, ale były kompletnie podarte, więc zażartowałem sobie: „Mam nadzieję, że ma pani drugą parę, bo te są kompletnie podarte".

— Stephen, cóż za wyrafinowany dowcip!

— Na Waynesboro wystarczy, uwierz mi. Teraz słuchaj uważnie, mój brudny świniorypie, co mi powiedziała: „Chciałbyś wiedzieć, skarbie?". — Poderwał brwi do góry. — Umówiliśmy się na siódmą pod remizą strażacką.

— Co, zostawiła tam w depozycie zapasowe majtki?

Spojrzał na mnie poirytowanym wzrokiem.

— Nie, takie po prostu wyznaczyła miejsce spotkania. Idziemy na kolację do Pappa John's Pizza. A potem, przy odrobinie szczęścia, zrobimy to, co ty robiłeś przez cały dzień. Tyle że ja nie będę musiał przełazić przez płot i wabić jej warzywami. Przynajmniej taką mam nadzieję. Popatrz, co tu mam — powiedział i sięgnął po papierową torbę, która leżała na trawie. Wyjął różowe damskie majtki, które uczciwie można było nazwać obszernymi. — Pomyślałem, że jej dam. W ramach żartu.

— W restauracji? Jesteś pewien, że to dobry pomysł?

— Zrobię to dyskretnie.

Trzymał majtki w rozpostartych ramionach. Ewidentnie nie mieściły się w żadnej rozmiarówce.

— Jeśli się jej nie spodobają, możesz ich użyć jako płachty podłogowej. Wybacz, ale muszę cię o to zapytać — czy ich rozmiar jest elementem twojego żartu...

— Beulah to duża kobieta — przerwał mi Katz i znowu radośnie szarpnął brwiami do góry. Starannie i nabożnie poskładał majtki i włożył je z powrotem do torby. — Bardzo duża.

Zjadłem więc kolację sam w lokalu o nazwie Coffee Mill Restaurant. Czułem się trochę dziwnie bez Katza po tylu dniach jego nieustannego towarzystwa, ale również przyjemnie, z tego samego powodu. Jadłem stek, czytając książkę opartą o cukierniczkę, bez reszty zadowolony z życia. Nagle zauważyłem kątem oka, że w moją stronę idzie Katz, zaniepokojony i spanikowany.

— Bogu dzięki, że cię znalazłem — powiedział i usiadł naprzeciwko mnie w loży. Pocił się obficie. — Ściga mnie jeden facet.

— O czym ty gadasz?

— Mąż Beulah.

— Beulah ma męża?

— Wiem, wiem. Niesamowity zbieg okoliczności. Na całej planecie jest tylko dwóch mężczyzn, którzy mają ochotę się z nią przespać, i obaj znajdują się w tym samym mieście.

Byłem trochę zagubiony.

— Nie rozumiem. Co się stało?

— Stałem przed remizą, tak jak się umówiliśmy, a tu podjeżdża czerwony pikap, wysiada z niego jakiś grubas z naprawdę wściekłą miną, mówi, że jest mężem Beulah i chce zamienić ze mną parę słów.

— I co zrobiłeś?

— A jak myślisz? Uciekłem.

— Nie dogonił cię?

— Dwieście pięćdziesiąt kilo żywej wagi. Raczej nie jest typem sprintera, bardziej takim Rambo, co ci odstrzeli jaja. Od pół godziny jeździ po mieście i mnie szuka. Uciekałem przez podwórza, wbiegałem na sznury z praniem i takie tam. W końcu jeszcze jeden facet zaczął mnie ścigać, bo wziął mnie za złodzieja. Co ja mam teraz zrobić, Bryson?

— Po pierwsze, przestań podrywać grubaski w pralniach.

— Tak, tak, tak.

— Po drugie, ja wyjdę, sprawdzę, czy droga wolna, i dam ci znak przez okno.

— Tak? A potem?

— A potem jak najszybszym krokiem wrócisz do motelu, osłaniając rękami jaja i modląc się, żeby ten facet cię nie wypatrzył.

Katz milczał przez chwilę.

— To wszystko? Nic lepszego nie przychodzi ci do głowy?

— A ty masz lepszy plan?

— Nie, ale ja nie studiowałem przez cztery lata.

— Stephen, nie uczyli mnie na studiach, jak ratować ci

tyłek w Waynesboro. Skończyłem nauki polityczne. Gdyby twój problem miał coś wspólnego ze szwajcarską ordynacją wyborczą, to prawdopodobnie byłbym w stanie ci pomóc.

Westchnął, cofnął się w krześle i skrzyżował ramiona, ponuro rekapitulując swoją sytuację i zastanawiając się, jak się w nią wpakował.

— Nie pozwól mi zamienić ani słowa z kobietą, niezależnie od jej kategorii wagowej, przynajmniej do momentu, aż wydostaniemy się ze stanów południowych. Tutaj wszyscy są uzbrojeni po zęby. Obiecujesz mi?

— Obiecuję.

Kiedy ja kończyłem kolację, Katz siedział jak na szpilkach i bez przerwy obracał głową, żeby sprawdzić, czy w którymś oknie nie pojawi się tłusta, rozjuszona twarz. Kiedy zapłaciłem rachunek, obaj podeszliśmy do drzwi.

— Za minutę mogę nie żyć — powiedział smętnym tonem i uścisnął mnie za przedramię. — Posłuchaj, jeśli facet mnie zastrzeli, zrób coś dla mnie. Zadzwoń do mojego brata i powiedz mu, że przed jego domem zakopałem puszkę po kawie z dziesięcioma tysiącami dolarów.

— Zakopałeś dziesięć tysięcy dolarów przed domem swojego brata?

— Oczywiście, że nie, ale straszny z niego kutas i chcę mu zrobić brzydki kawał. Chodźmy.

Wyszedłem na zewnątrz. Na ulicy nie było nikogo, zero pieszych, zero samochodów. Waynesboro siedziało w domu, przed telewizorem. Skinąłem na Katza. Jego głowa wysunęła się na zewnątrz. Spojrzał na boki i pomknął ulicą z prędkością, która przy jego gabarytach zasługiwała na najwyższy podziw. Ja potrzebowałem kilku minut na dotarcie do motelu. Po drodze nikogo nie widziałem. Zapukałem do drzwi pokoju Katza.

Komicznie tubalny i stanowczy głos powiedział natychmiast:

— Kto tam?

Westchnąłem.

— Bubba T. Flubba. Mamy ze sobą do pogadania, chłoptysiu — powiedziałem, zaciągając jak południowiec.

— Nie rób sobie jaj, Bryson. Widzę cię przez judasza.

— To po co pytasz, kto tam?

— Ćwiczę.

Zaczekałem chwilę.

— Zamierzasz mnie wpuścić?

— Nie mogę. Przystawiłem do drzwi komodę.

— Serio?

— Idź do swojego pokoju, zadzwonię do ciebie.

Mój pokój był tuż obok, ale telefon już dzwonił, kiedy wszedłem. Katz chciał znać każdy szczegół mojego powrotu do domu i przedstawił mi swój rozbudowany plan obrony obejmujący użycie ciężkiej, ceramicznej podstawy lampy, a na ostatnim etapie ucieczkę tylnym oknem. Moim zadaniem było odwrócenie uwagi napastnika, najlepiej przez podpalenie jego pikapa, a następnie pobiegnięcie w przeciwnym kierunku. Jeszcze dwa razy, w tym raz po północy, Katz zadzwonił do mnie z informacją, że widział przejeżdżającego za oknem czerwonego pikapa. Rano odmówił zejścia na śniadanie, więc poszedłem do supermarketu, zrobiłem zakupy żywnościowe i kupiłem dla nas obu jedzenie na wynos w Hardee's. Katz nie opuszczał swojego pokoju aż do momentu, kiedy przed motelem stanęła taksówka z włączonym silnikiem. Od szlaku dzieliło nas sześć kilometrów. Katz przez całą drogę patrzył przez okno za siebie.

***

Taksówkarz wysadził nas na Rockfish Gap, przy południowej bramie do Parku Narodowego Shenandoah. Nie mogłem się już doczekać, ponieważ jest to wyjątkowo piękna okolica — oczywiście właśnie dlatego zrobiono tam park narodowy — ale trochę niepokoiła mnie perspektywa spędzenia następnych siedmiu albo ośmiu nocy — i 162 kilometrów — w rygorystycznym reżimie narzuconym przez regulamin parku narodowego. Na Rockfish Gap jest budka, w której zmotoryzowani muszą kupić bilet wstępu, a turyści piesi uzyskać zezwolenie na przejście szlakiem. Zezwolenie jest darmowe — do najszlachetniejszych tradycji Appalachian Trail należy fakt, że jest w całości darmowy — ale trzeba wypełnić długi formularz, w którym podaje się dane osobowe, trasę i wszystkie planowane miejsca biwaków, co jest trochę absurdalne, bo jeśli ktoś jest tutaj pierwszy raz i nie zna terenu, to nie wie, ile kilometrów dziennie pokona. Do formularza załączone były rozliczne przepisy i ostrzeżenia o wysokich mandatach i natychmiastowym nakazie zejścia ze szlaku, który groził za... właściwie wszystko. Wypełniłem formularz najlepiej, jak umiałem, i podałem strażniczce przez okienko.

— Czyli chce pan przejść szlakiem? — powiedziała radośnie, aczkolwiek niezbyt inteligentnie, wzięła formularz bez patrzenia na niego, obficie opieczętowała i oderwała kawałek, który miał posłużyć jako zezwolenie na chodzenie po gruntach, których teoretycznie byliśmy właścicielami.

— W każdym razie mamy zamiar spróbować — odparłem.

— Ja też muszę się kiedyś wybrać. Słyszałam, że jest przepięknie.

Muszę przyznać, że osłupiałem.

— Nigdy nie była pani na szlaku?

„Przecież jest pani strażniczką", chciałem dodać.

— Niestety nie — odpowiedziała tęsknym tonem. — Mieszkam tu od urodzenia, ale jeszcze nie byłam w górach. Kiedyś na pewno się wybiorę.

Katz, który ani na chwilę nie zapominał o mężu Beulah, ciągnął mnie w stronę bezpiecznego lasu, ale ja byłem zaintrygowany.

— Od jak dawna jest pani strażniczką? — zawołałem na odchodnym.

— W sierpniu minie dwanaście lat — powiedziała z dumą.

— Musi pani kiedyś spróbować. Tam jest naprawdę przepięknie.

— Może przy okazji zrzuciłabyś trochę sadła z tyłka — mruknął pod nosem Katz i zniknął w lesie.

Spojrzałem na niego z zaciekawieniem i zaskoczeniem — Katz nie miał w zwyczaju wygłaszać takich nielitościwych uwag — i złożyłem to na karb braku snu, niewyżycia seksualnego i nadmiernej konsumpcji kiełbasek z Hardee's.

Park Narodowy Shenandoah ma swoje problemy. W jeszcze większym stopniu niż Smokies cierpi na chroniczne niedobory funduszy (cynicy powiedzieliby, że na chroniczne marnotrawstwo funduszy). Wiele kilometrów bocznych szlaków zamknięto, inne zarastają. Gdyby nie fakt, że 80 procent długości szlaków (w tym cały AT na terenie parku) utrzymują ochotnicy z Potomac Appalachian Trail Club, sytuacja byłaby znacznie gorsza. Kemping Matthews Arm, jeden z największych tego rodzaju obiektów na terenie parku, zamknięto w 1993 roku z braku pieniędzy i do tej pory nie funkcjonuje. Wiele innych biwakowisk jest czynnych tylko przez parę miesięcy w roku. W latach osiemdziesiątych zamknięte były nawet szałasy przy szlaku. Nie wiem, jak oni to zrobili — to znaczy, jak można zamknąć budynek, który w gruncie rzeczy jest wiatą? — a tym bardziej dlaczego, ponieważ zabronienie turystom spędzania nocy na drewnianej platformie raczej nie poprawi sytuacji finansowej parku, ale utrudnianie życia turystom należy do tradycji parków ze Wschodniego Wybrzeża. Kilka miesięcy wcześniej wszystkie parki narodowe, razem ze wszystkimi instytucjami, które nie są niezbędne do bieżącego funkcjonowania państwa, zamknięto na kilka tygodni podczas przepychanek budżetowych pomiędzy prezydentem Clintonem i kongresem. Shenandoah, mimo wiecznego braku pieniędzy, znalazł jednak środki na umieszczenie przy każdym wejściu na AT strażnika, który zawracał turystów z drogi. W konsekwencji parędziesiąt Bogu ducha winnych osób musiało bezsensownie obejść park asfaltową drogą, zanim mogli podjąć swoją długą wędrówkę. Czujność ta z pewnością kosztowała służbę parkową co najmniej 20 000 dolarów, czyli kilkaset dolarów na każdego niebezpiecznego turystę, któremu zakazano wstępu.

Do problemów, które dyrekcja parku stwarza sobie sama, dochodzą czynniki, na które zarządcy nie mają większego wpływu. Należy do nich nadmierna liczba odwiedzających. Park ma wprawdzie ponad 160 kilometrów długości, ale szerokość nie przekracza trzech kilometrów, co przy dwóch milionach turystów rocznie oznacza, że ten wyjątkowo wąski korytarz jest strasznie zatłoczony. Kempingi, ośrodki informacyjne, parkingi, place piknikowe, AT i Skyline Drive — droga widokowa, która biegnie grzbietem gór — obijają się o siebie łokciami. Jedna z najbardziej ulubionych przez turystów tras parkowych, na Old Rag Mountain, jest tak oblegana, że w letnie weekendy ludzie czasem muszą ustawiać się w kolejce.

Kolejna niepokojąca sprawa to zanieczyszczenie powietrza. Trzydzieści lat temu w pogodne dni można było zobaczyć z Shenandoah oddalony o 120 kilometrów Washington Monument. Dzisiaj przy wysokim stężeniu smogu widoczność nie przekracza czterech kilometrów i nigdy nie jest większa niż pięćdziesiąt. Kwaśne deszcze prawie całkowicie wytruły pstrągi w parkowych strumieniach. W 1983 roku pojawiły się brudnice nieparki i od tej pory unicestwiły wiele hektarów dębów i orzeszników. Chrząszcz *Dendroctonus frontalis Zimmermann* wyrządził podobne szkody w lasach iglastych, a inny chrząszcz, *Odontota dorsalis*, groźnie (chociaż na szczęście z reguły nie śmiertelnie) atakuje tysiące robinii akacjowych. W zaledwie siedem lat mszyca *Adelges tsugae* wytrzebiła ponad 90 procent choin. Zanim dotrze do was ta książka, umrze większość pozostałych drzew tego gatunku. Wywoływana przez grzyby nieuleczalna choroba o nazwie antraknoza zabija piękne derenie nie tylko tutaj, ale w całej Ameryce. Za niedługo dereń, podobnie jak amerykański kasztanowiec i amerykański wiąz, w gruncie rzeczy przestanie istnieć. Innymi słowy, trudno sobie wyobrazić bardziej ekologicznie obciążone środowisko niż Park Narodowy Shenandoah.

Pomimo tego wszystkiego miejsce to nadal zachwyca. Jest to chyba najpiękniejszy park narodowy, jaki w życiu widziałem. Jeśli wziąć pod uwagę te wszystkie niemożliwe do spełnienia i wzajemnie sprzeczne oczekiwania, jakim podlega, zarządzanie parkiem należy uznać za znakomite. Prawie natychmiast stał się moim ulubionym odcinkiem Appalachian Trail.

Wędrowaliśmy przez gęste lasy bardzo łatwą trasą, na odcinku 6,5 kilometra przewyższenie wyniosło zaledwie 150 metrów. W Smokies na wysokość 150 metrów podchodzi się... około 150 metrów. Taki wariant bardziej mi się podobał. Pogoda była ładna i rzeczywiście miałem poczucie, że nadchodzi wiosna. Zewsząd otaczało nas życie — bzyczące owady, wiewiórki smyrgające po gałęziach, ptaki ćwierkające i podskakujące, pajęczyny połyskujące srebrzyście w słońcu. Dwa razy spłoszyłem przepiórki — zawsze jest to dla mnie przerażające doświadczenie: wybuch ściółki pod stopami, tak jakby ktoś wystrzelił z pistoletu zwinięte w kulkę skarpety, a potem szelest piór i agresywny hałas. Widziałem sowę, która patrzyła na mnie niewzruszonym wzrokiem z pobliskiego konara, i całe tłumy saren, które unosiły głowy, żeby się na mnie pogapić bez cienia strachu, a kiedy je minąłem, beztrosko powracały do szczypania trawy. Sześćdziesiąt lat temu w tym zakątku Pasma Błękitnego nie było saren. Myśliwi je wytępili. W 1936 roku, kiedy powstał park, dokonano reintrodukcji trzynastu jeleni wirginijskich, które szybko się rozmnożyły, ponieważ ludzie przestali na nie polować, a naturalnych drapieżników jest tutaj niewiele. Dzisiaj w parku żyje 5000 jeleni, które pochodzą od tej pierwotnej trzynastki albo przywędrowały gdzieś z okolicy.

Zważywszy na to, że park jest bardzo wąski i trudno tutaj mówić o naprawdę dzikich obszarach, mieszka w nim zaskakująco dużo zwierząt. Rysie, niedźwiedzie, rude i szare lisy, bobry, skunksy, szopy, polatuchy i nasze przyjaciółki salamandry imponują liczebnością, chociaż rzadko się je widuje, ponieważ są to w większości zwierzęta nocne albo boją się ludzi. Podobno Shenandoah może się poszczycić największym zagęszczeniem baribali na świecie — jeden niedźwiedź przypada mniej więcej na dwa kilometry kwadratowe powierzchni parku. Co jakiś czas pojawiają się doniesienia o pumach — informują o tym nawet strażnicy parkowi, którzy powinni wiedzieć, że to niemożliwe, ponieważ pumy już od ponad siedemdziesięciu lat nie występują na Wschodnim Wybrzeżu. Istnieje mikroskopijne prawdopodobieństwo, że przetrwały w jakichś enklawach lasów na północy — o tym później (proszę o odrobinę cierpliwości, myślę, że się opłaci) — ale nie na takim małym i ciasnym obszarze jak Park Narodowy Shenandoah.

Nie widzieliśmy niczego szczególnie egzotycznego ani nawet odrobinę egzotycznego, ale nawet widok wiewiórek i saren był przyjemny, ponieważ dawał poczucie, że las jest zamieszkany. Późnym popołudniem wyszedłem zza zakrętu i zobaczyłem, że przez ścieżkę przechodzi indyczka z małymi. Matka była dostojna i nieustraszona, a pisklęta za bardzo zaabsorbowane przewracaniem się i wstawaniem, żeby mnie zauważyć. Tak powinno wyglądać w lesie. Moja radość nie miała granic.

Maszerowaliśmy do piątej i rozbiliśmy obóz nad spokojnym strumieniem na niewielkiej polanie tuż koło szlaku. Ponieważ mieliśmy za sobą tylko jeden dzień drogi, dysponowaliśmy obfitymi zapasami żywności, łącznie z takimi artykułami o krótkiej przydatności do spożycia jak sery i chleb, które trzeba było zjeść, zanim się zepsują albo pokruszą w plecakach, więc urządziliśmy sobie ucztę, a potem siedzieliśmy na kłodach, paliliśmy papierosy i rozmawialiśmy o tym i owym do czasu, kiedy natarczywe i liczne małe muchówki — niewidzialniki, jak się je powszechnie nazywa na AT, ponieważ nie widać ich, tylko słychać — zapędziły nas do namiotów. Pogoda była idealna do spania — na tyle chłodno, że potrzeba śpiwora, ale na tyle ciepło, że można spać w bieliźnie. Nie mogłem się doczekać, kiedy zapadnę w długi, regenerujący sen i nawet mi się to udało, ale o jakiejś nieokreślonej śródnocnej godzinie w pobliżu rozległ się dźwięk, od którego moje oczy błyskawicznie się otworzyły. Normalnie potrafię spać w każdych warunkach — nie budzi mnie burza, chrapanie Katza ani jego hałaśliwe nocne załatwianie się. Odgłos, który mnie obudził, musiał zatem być bardzo głośny albo bardzo nietypowy. Usłyszałem szelest liści i trzask łamanych gałęzi, a potem głośne, jakby poirytowane chrumkanie.

Niedźwiedź!

Wyprostowałem się jak struna. Każdy neuron w moim mózgu był rozbudzony i panicznie biegał w koło jak mrówki, na których kopiec ktoś nadepnął. Odruchowo sięgnąłem po nóż, a potem uzmysłowiłem sobie, że zostawiłem go w plecaku, który stał przed namiotem. Po wielu nocach spokojnego snu w głębi lasu przestaliśmy przywiązywać wagę do nocnych środków ostrożności.

Znowu usłyszałem jakiś hałas, tym razem całkiem blisko.

— Stephen, śpisz? — szepnąłem.

— Nie — odpowiedział sennym, ale normalnym głosem.

— Co to było?

— Skąd mam wiedzieć?

— To mi wygląda na jakieś duże zwierzę.

— W lesie wszystko wygląda na duże zwierzę.

Fakt. Kiedyś przez nasz obóz przeszedł skunks, a brzmiało to jak dinozaur. Rozległ się kolejny głośny szelest, a potem gulgot od strony strumienia. Nieznana istota piła wodę.

Na kolanach podszedłem do drzwi namiotu, ostrożnie rozsunąłem siatkę i wyjrzałem na zewnątrz, ale ciemności były nieprzeniknione. Jak najciszej wciągnąłem do namiotu plecak i w świetle latarki poszukałem scyzoryka. Kiedy go znalazłem i otworzyłem, z przerażeniem zobaczyłem, że ostrze jest żałośnie małe. Nóż doskonale nadawał się na przykład do smarowania chleba, ale raczej nie do obrony przed setką kilogramów żarłocznego futra.

Ostrożnie, bardzo ostrożnie wyczołgałem się z namiotu i włączyłem latarkę, której światło było niepokojąco słabe. Zwierzę patrzyło na mnie z odległości czterech do pięciu metrów. Nie widziałem jego kształtów ani rozmiarów — tylko parę pałających oczu. Milczało wpatrzone we mnie.

— Stephen — szepnąłem — zapakowałeś nóż?

— Nie.

— Masz coś ostrego?

— Obcinacz do paznokci — odparł po chwili namysłu.

Ogarnęła mnie rozpacz.

— A jakieś bardziej niebezpieczne narzędzie? Tutaj na pewno coś jest.

— Pewnie tylko skunksy.

— Jeśli to skunks, to bardzo duży. Oczy ma metr nad ziemią.

— W takim razie sarna.

Nerwowo rzuciłem w zwierzę patykiem, ale się nie poruszyło. Sarna by czmychnęła. Ten osobnik mrugnął i dalej gapił się na mnie.

Poinformowałem o tym Katza.

— Pewnie samiec. One nie są takie płochliwe. Spróbuj na niego krzyknąć.

Ostrożnie zawołałem:

— Ej! Ty tam! Spadaj!

Stworzenie znowu mrugnęło, imponująco nieporuszone.

— Ty krzyknij — zaproponowałem.

— Zjeżdżaj stąd, paskudna bestio! — zawołał Katz, przedrzeźniając mnie bezlitośnie. — Proszę się natychmiast oddalić, nędzna kreaturo!

— Idiota — powiedziałem i przyciągnąłem swój namiot do jego namiotu.

Nie do końca wiedziałem, co chcę przez to osiągnąć, ale poczułem się odrobinę bezpieczniej, że jestem bliżej Katza.

— Co ty robisz?

— Przesuwam namiot.

— Świetny pomysł. Biedne zwierzę będzie kompletnie skołowane.

Wytężałem wzrok, ale widziałem tylko te dwa tak szeroko osadzone ślepia, które patrzyły na mnie z kilku metrów jak w kreskówce. Nie umiałem zdecydować, czy wolę być na zewnątrz martwy czy też wewnątrz czekający na śmierć. Byłem boso, w bieliźnie i cały się trząsłem. Chciałem tylko jednego: żeby zwierzę sobie poszło. Rzuciłem w nie niedużym kamieniem. Myślę, że trafiłem, ponieważ podskoczyło z hałasem, co spowodowało, że o mało nie narobiłem w majtki ze strachu i zacząłem skamleć, a potem wydało z siebie odgłos, który był najbardziej zbliżony do warkotu. Przyszło mi do głowy, że być może nie powinienem go prowokować.

— Co ty wyprawiasz, kretynie? Zostaw je w spokoju i pójdzie sobie.

— Jak możesz być taki spokojny?

— A co mam robić? Twoja histeria wystarczy za nas dwóch.

— Wybacz, ale chyba mam prawo być odrobinę zaniepokojony. Jestem w lesie, na kompletnym odludziu, jest ciemno, gapi się na mnie niedźwiedź, a ja jestem z facetem, który nie ma się czym bronić, nie licząc obcinacza do paznokci. Pozwól, że zadam ci jedno pytanie. Jeśli to jest niedźwiedź i cię zaatakuje, to co planujesz — zrobić mu pedikiur?

Zastanowił się.

— Kiedy przyjdzie co do czego, to się zastanowię — odparł Katz, nie dając się wytrącić z równowagi.

— Jak przyjdzie co do czego? Już przyszło, debilu. Tam jest niedźwiedź, do jasnej cholery. Patrzy na nas. Czuje zapach makaronu, snickersów i — o kurde.

— Co?

— O kurde.

— Co?

— Są dwa. Widzę drugą parę oczu.

Właśnie w tym momencie zaczęły się kończyć baterie w latarce. Światło migotało, a potem zgasło. Uciekłem do namiotu, histerycznie dźgając się niezbyt mocno w udo, i w popłochu zacząłem szukać zapasowych baterii. Gdybym był niedźwiedziem, wybrałbym ten moment na atak.

— Idę spać — zakomunikował Katz.

— O czym ty gadasz? Nie możesz iść spać.

— Oczywiście, że mogę. Robię to co wieczór od wielu lat.

Usłyszałem, jak przetacza się na drugi bok i wydaje z siebie serię charczących dźwięków, nieco podobnych do niedźwiedzich.

— Stephen, nie wolno ci spać — powiedziałem apodyktycznym tonem.

On jednak zlekceważył mój zakaz i zasnął zdumiewająco szybko.

Stworzenie, ale raczej stworzenia zaczęły znowu pić, bulgocząc hałaśliwie. Nie znalazłem żadnych zapasowych baterii, więc odrzuciłem latarkę na bok i założyłem na głowę czołówkę, sprawdziłem, czy działa, i wyłączyłem. Siedziałem bardzo długo na kolanach, twarzą do drzwi namiotu, nadstawiałem ucha, ściskałem czekan jak pałkę, gotowy odeprzeć atak, i trzymałem nóż pod ręką jako ostatnią deskę ratunku. Niedźwiedzie — a w każdym razie zwierzęta — piły jeszcze chyba przez dwadzieścia minut, a potem po cichu wróciły tam, skąd przyszły. Ucieszyłem się, ale wiedziałem z przeczytanych książek, że zwierzęta mogą wrócić. Nasłuchiwałem i nasłuchiwałem, ale w lesie zaległa cisza, której nic nie zmąciło.

W końcu wypuściłem z ręki czekan, włożyłem sweter — dwa razy przerywając tę czynność, żeby posłuchać, czy zwierzęta nie przyszły z rewizytą — i po bardzo długim czasie wróciłem do śpiwora, żeby się ogrzać. Leżałem wpatrzony w całkowite ciemności i wiedziałem, że już nigdy nie będę w stanie spać w lesie z lekkim sercem.

Potem stopniowo zmorzył mnie sen, któremu nie umiałem się oprzeć.

Sądziłem, że Katz będzie rano nieznośny, a tymczasem był dla mnie zaskakująco miły. Zawołał mnie na kawę i kiedy wyszedłem z namiotu, zmaltretowany i niewyspany, powiedział do mnie:

— Wszystko w porządku? Wyglądasz okropnie.

— Nie wyspałem się.

Pokiwał głową.

— Naprawdę myślisz, że to był niedźwiedź?

— Skąd mam wiedzieć?

Nagle przypomniałem sobie o worku na żywność — niedźwiedzie z reguły przychodzą właśnie po niego — i odwróciłem się: worek nadal wisiał kilka metrów nad ziemią na gałęzi jakieś sześć metrów od nas. Zdeterminowany niedźwiedź zapewne zdołałby ściągnąć go na dół. Szczerze mówiąc, nawet moja babcia zdołałaby ściągnąć go na dół.

— Może jednak to nie był niedźwiedź — powiedziałem rozczarowany.

— Wiesz, co tutaj mam? Tak na wszelki wypadek — powiedział Katz i poklepał się po kieszeni koszuli ze znaczącą miną. — Obcinacz do paznokci. Nigdy nic nie wiadomo. Świat roi się od niebezpieczeństw. Wyciągnąłem wnioski z wczorajszej lekcji, przyjacielu — dodał i parsknął śmiechem.

Ruszyliśmy w las. Appalachian Trail prawie przez całą długość Parku Narodowego Shenandoah biegnie równolegle do Skyline Drive i często się z nią przecina, ale na ogół nie sposób się tego domyślić. Zdarza się, że człapiesz przez leśne sanktuarium i nagle widzisz między drzewami samochód oddalony od ciebie zaledwie o kilkanaście metrów — widok ten nigdy nie przestaje zaskakiwać.

Na początku lat trzydziestych Potomac Appalachian Trail Club — ukochane dziecko Myrona Avery'ego, instytucja przez jakiś czas w gruncie rzeczy nieodróżnialna od Appalachian Trail Conference — był ostro krytykowany przez inne stowarzyszenia turystyczne, zwłaszcza patrycjuszowski Appalachian Mountain Club z Bostonu, za brak sprzeciwu wobec budowy Skyline Drive przez park. Śmiertelnie urażony Avery w grudniu 1935 roku wysłał do MacKaye'a mocno obraźliwy list, który oficjalnie zakończył relacje — już wtedy mało intensywne — między nimi. Nigdy więcej ze sobą nie rozmawiali, chociaż trzeba przyznać, że MacKaye złożył hołd Avery'emu po jego śmierci w 1952 roku i wielkodusznie stwierdził, że bez niego szlak nigdy by nie powstał. Wiele osób nie znosi drogi widokowej, ale Katzowi i mnie całkiem się spodobała. Od czasu do czasu opuszczaliśmy szlak i przez parę godzin szliśmy szosą. W tak wczesnej fazie sezonu — był początek kwietnia — nie jeździły tamtędy prawie żadne samochody, traktowaliśmy więc Skyline Drive jako szeroką, wyasfaltowaną alternatywną ścieżkę. Było to dla nas nowe doświadczenie, chodzić po twardym podłożu na otwartej przestrzeni, w ciepłym słońcu, po wielu tygodniach przebywania w gęstym lesie. Zmotoryzowani bez wątpienia byli bardziej rozpieszczani od nas i mieli dużo wygodniejsze życie. Przy drodze było wiele punktów widokowych, z których rozciągały się przepiękne panoramy (chociaż nawet teraz, przy słonecznej wiosennej pogodzie, brudna mgiełka ograniczała widok do kilkunastu kilometrów), tablice informacyjne z ciekawymi faktami na temat parkowej fauny i flory, a nawet kosze na śmieci. Stwierdziliśmy zgodnie, że na szlaku też przydałoby się coś takiego. Kiedy zrobiło się za gorąco, rozbolały nas stopy (asfalt jest prawdziwą torturą dla stóp) albo po prostu przyszła nam ochota zmienić otoczenie, wracaliśmy do znajomego, chłodnego, zapraszającego świata lasu. Było to bardzo przyjemne, wręcz luksusowe, móc wybierać między różnymi opcjami.

Na jednym z parkingów przy Skyline Drive stała tablica informacyjna, która zwracała uwagę czytelników na pobliskie zbocze pięknie porośnięte choinami, ciemnymi, prawie czarnymi rdzennymi drzewami iglastymi, szczególnie charakterystycznymi dla Pasma Błękitnego. Drzewa te, podobnie jak wszystkich innych przedstawicieli tego gatunku przy Appalachian Trail i nie tylko, zabijają mszyce przypadkowo przywleczone tu z Azji w 1924 roku. Zarząd Krajowej Służby Parkowej zakomunikował ze smutkiem, że instytucji tej nie stać na leczenie drzew. Jest ich zbyt dużo i rosną na zbyt rozległej przestrzeni, żeby udało się zrealizować program opryskiwania drzew z samolotów. Mam pewien pomysł. Może by tak wyleczyć chociaż część drzew? Może by tak wyleczyć chociaż jedno drzewo na dobry początek? Zarząd dodał jednak optymistycznie, że jest nadzieja, iż niektóre drzewa wyzdrowieją siłami natury. Ręce same składają się do oklasków.

Sześćdziesiąt lat temu w Paśmie Błękitnym nie rosły prawie żadne drzewa. Niemal całą powierzchnię gór zajmowały grunty uprawne. Na niektórych odcinkach leśnych szlak przebiega dzisiaj wzdłuż resztek kamiennych murków, jakie niegdyś oddzielały od siebie pola, a pewnego dnia minęliśmy niewielki cmentarz — co nam przypomniało, że jest to jeden z nielicznych regionów górskich w całych Appalachach, w których mieszkali kiedyś ludzie. Mieli jednak pecha, ponieważ uznano ich za niegodnych tego miana. W latach dwudziestych socjologowie i inni naukowcy z miast wypuścili się w te góry i wszyscy byli przerażeni tym, co zobaczyli. Mieszkańcy żyli w nędzy. Ziemia była wyjątkowo nieurodzajna. Zdarzało się, że uprawiano rolę na prawie pionowych zboczach. Trzy czwarte mieszkańców nie umiało czytać. Większość nie chodziła do szkoły. Odsetek nieślubnych urodzeń wynosił 90 procent. Nie znano pojęcia higieny. Zaledwie 10 procent domów miało chociażby prymitywny wychodek. Z drugiej strony Pasmo Błękitne było niezwykle piękne i dogodnie położone z punktu widzenia pewnej nowej warstwy społecznej, a mianowicie zmotoryzowanych turystów. Rozwiązanie narzucało się samo: przesiedlić ludzi z gór do dolin, żeby mogli wieść swój nędzny żywot na mniejszych wysokościach, zbudować szosę widokową, po której mieszkańcy miast mogliby sobie jeździć w niedziele, i wreszcie urządzić w górach jedną wielką strefę rekreacyjną z kempingami, restauracjami, lodziarniami, minigolfem, zjeżdżalniami i wszystkimi innymi maszynkami do zarabiania szybkich pieniędzy.

Przedsiębiorcy mieli jednak pecha, ponieważ przyszedł Wielki Kryzys i filozofia komercyjna na jakiś czas zeszła na dalszy plan. Pod wpływem filozofii socjalistycznej (bo tak należy ją nazwać, chociaż w Ameryce pojęcie to jest zakazane), która panowała za prezydentury Franklina Roosevelta, państwo wykupiło te ziemie. Mieszkańców przesiedlono i Cywilny Korpus Inżynieryjny zabrał się do budowy uroczych kamiennych mostków, placów piknikowych, ośrodków informacyjnych i innych obiektów. W lipcu 1936 roku dokonano oficjalnego otwarcia parku. Park Narodowy Shenandoah zawdzięcza swoją sławę w dużym stopniu jakości wykonania infrastruktury. Jest to jeden z bardzo nielicznych przykładów amerykańskich wielkich projektów budowlanych — drugi to Zapora Hoovera, a osobiście dodałbym do tego jeszcze Mount Rushmore — które dobrze się wkomponowują w naturalny krajobraz, a nawet go upiększają. Chyba między innymi dlatego lubiłem szosę widokową, z jej szerokimi, trawiastymi poboczami i kamiennymi murkami, kunsztownie zaaranżowanymi brzozowymi zagajnikami i łagodnymi zakrętami, zza których wyłaniały się zapierające dech w piersiach, starannie skomponowane panoramy. Wszystkie prowincjonalne drogi powinny być projektowane w tym stylu i przez jakiś czas rzeczywiście tak je projektowano. Nieprzypadkowo pierwsze amerykańskie *highways* nazywano *parkways*. Taka była ich koncepcja — parki, przez które można przejechać samochodem.

Na Appalachian Trail w Paśmie Błękitnym nie widać żadnych śladów tej estetyki — trudno tego oczekiwać na szlaku prowadzącym przez obszary dzikie — ale można ją dostrzec w architekturze szałasów, które mają w sobie coś z malowniczej rustykalności szałasów w Smokies, ale są przestronniejsze, czystsze i wygodniejsze, bez tych okropnych, przygnębiających drucianych furtek.

Katz uznał ten pomysł za absurdalny, ale ja nalegałem, żebyśmy po nocy spędzonej nad strumieniem nocowali wyłącznie w szałasach — intuicja mi podpowiadała, że szałasów będzie mi się łatwiej broniło przed grasującymi niedźwiedziami, a poza tym grzechem byłoby nie skorzystać z pięknych szałasów w Shenandoah. Każdy z nich miał swój urok, był dogodnie usytuowany i zaopatrzony w źródło wody pitnej, stół piknikowy i wychodek. Przez dwie noce mieliśmy szałasy wyłącznie dla siebie, a trzeciego wieczoru, kiedy zaczęliśmy sobie gratulować tej znakomitej passy, usłyszeliśmy kakofonię głosów zbliżających się przez las. Wyjrzeliśmy za róg i zobaczyliśmy zastęp skautów, którzy wchodzili na polanę. Przywitaliśmy się, a potem z nogami dyndającymi z platformy do spania obserwowaliśmy, jak rozstawiają na polanie namioty i rozkładają sprzęt. Ucieszyliśmy się, że mamy do oglądania coś innego oprócz nas samych. Było trzech dorosłych instruktorów i siedemnastu skautów, uroczo nieporadnych. Namioty wznosiły się do góry, a potem oklapywały lub przewracały się na bok. Jeden z instruktorów poszedł po wodę i wpadł do potoku. Nawet Katz przyznał, że to lepsze od telewizji. Po raz pierwszy od wyjazdu z New Hampshire poczuliśmy się szlakowymi wyjadaczami.

Kilka minut później przyszedł wesoły samotny turysta. Nazywał się John Connolly i uczył w szkole średniej w północnej części stanu Nowy Jork. Szedł szlakiem od czterech dni, przypuszczalnie niedaleko za nami, i każdą noc spędzał pod gołym niebem, co wydało mi się niesamowicie odważne. Nie spotkał żadnych niedźwiedzi — pokonywał szlak etapami od wielu lat i widział niedźwiedzia tylko raz: w głębi lasu w Maine mignął mu zadek uciekającego misia. Wkrótce potem na polanie pojawili się dwaj mężczyźni, nasi rówieśnicy z Louisville — Jim i Chuck, obaj bardzo sympatyczni, skromni i dowcipni. Odkąd wyjechaliśmy z Waynesboro, spotkaliśmy może czterech turystów, a teraz nagle zalał nas tłum ludzi.

— Jaki dzisiaj dzień? — zapytałem.

Wszyscy przerwali swoje czynności i wpadli w głęboki namysł.

— Piątek — powiedział ktoś po dłuższej chwili. — Tak, dzisiaj jest piątek.

To wyjaśniało sprawę — początek weekendu.

Siedzieliśmy wszyscy przy stole piknikowym, gotowaliśmy i jedliśmy. Było bardzo miło. Trzej pozostali byli doświadczonymi piechurami i powiedzieli nam wszystko, co warto wiedzieć o dalszych odcinkach Appalachian Trail aż po Maine, które nadal wydawało się tak odległe, jakby leżało w innej galaktyce. Potem rozmowa przeszła na ulubiony temat trekkingowców — jak bardzo zatłoczony stał się szlak. Connolly opowiadał, że w 1987 roku w środku lata przeszedł prawie połowę szlaku i zdarzało się, że przez wiele dni nie widział nikogo. Jim i Chuck skwapliwie mu sekundowali.

Wielokrotnie spotkałem się z tym stwierdzeniem i rzeczywiście nie ulega wątpliwości, że turystykę pieszą uprawia dzisiaj więcej ludzi. Do lat siedemdziesiątych Appalachian Trail pokonywało w całości mniej niż 50 osób rocznie. Jeszcze w 1984 roku takich śmiałków było mniej niż 100. Na przełomie lat osiemdziesiątych i dziewięćdziesiątych ich liczba przekroczyła 200, a dzisiaj zbliża się do 300. Wzrost jest ogromny, ale 300 osób rocznie to wciąż mikroskopijnie mało. Tuż przed wyjazdem przeczytałem w lokalnej gazecie z New Hampshire wywiad z pracownikiem odpowiedzialnym za utrzymanie szlaku. Człowiek ten powiedział, że dwadzieścia lat temu z trzech kempingów na jego odcinku korzystało kilkunastu gości na tydzień w lipcu i sierpniu, a teraz bywa ich nawet stu tygodniowo. Mnie najbardziej zaskakuje, że dawniej było ich tak mało. Przede wszystkim jednak stu turystów tygodniowo na trzech kempingach w szczycie sezonu zdecydowanie nie powala na kolana.

Być może patrzę na sprawę z niewłaściwej perspektywy, ponieważ przez wiele lat uprawiałem wędrówki piesze w zatłoczonej, małej Anglii, ale przez całe lato nie przestawało mnie zaskakiwać, jak bardzo pusty jest szlak. Nikt nie wie dokładnie, ilu ludzi chodzi po Appalachian Trail, ale szacuje się, że jest to od trzech do czterech milionów rocznie. Przyjmijmy, że są to cztery miliony i załóżmy, że trzy czwarte z nich wybierają się na szlak w sześciu najcieplejszych miesiącach roku. Daje to średnio 16 500 osób w jednym dniu, czyli 4,6 osoby na kilometr, czyli jedną osobę na 220 metrów. Tymczasem na bardzo niewielu odcinkach notuje się tak wysokie zagęszczenie. Bardzo wysoki odsetek spośród tych czterech milionów koncentruje się na szczególnie popularnych obszarach i w określonych dniach, przede wszystkim w weekendy — Presidential Range w New Hampshire, Park Stanowy Baxter w Maine, Mount Greylock w Massachusetts, Smokies i Park Narodowy Shenandoah. Wysoki odsetek ogólnej liczby turystów stanowią tak zwani reebokowcy — ludzie, którzy parkują samochód, przechodzą 400 metrów, wracają do samochodu i odjeżdżają, by już nigdy w życiu nie powtórzyć tak forsownego przedsięwzięcia. Podsumowując, nie dajcie sobie wmówić, że Appalachian Trail jest rozdeptywany.

Kiedy ludzie narzekają na tłok, nie mają na myśli samego szlaku, tylko szałasy — i tutaj trudno się z nimi nie zgodzić, bo rzeczywiście czasem w szałasach brakuje miejsca. Szkopuł w tym, że szałasów jest za mało, a nie turystów za dużo. Park Narodowy Shenandoah dysponuje zaledwie ośmioma szałasami, z których w każdym może wygodnie przenocować nie więcej niż osiem osób, góra dziesięć, a długość szlaku na terenie parku wynosi 162 kilometry. Z grubsza odpowiada to przeciętnemu zagęszczeniu szałasów na całym Appalachian Trail. Odległości pomiędzy poszczególnymi szałasami mieszczą się w dosyć szerokim zakresie, ale średnio jeden przypada na około szesnaście kilometrów (w sumie jest ich 240). A zatem na szlaku liczącym 3540 kilometrów może jednocześnie przenocować pod dachem zaledwie 2500 turystów. W promieniu jednego dnia jazdy od Appalachian Trail mieszka 100 milionów Amerykanów, więc trudno się dziwić, że 2500 miejsc noclegowych czasem nie wystarcza. Mimo to w niektórych kręgach słychać coraz głośniejsze postulaty na rzecz zmniejszenia liczby szałasów, żeby zniechęcić do nadmiernego wykorzystywania szlaku — jest to dla mnie zupełnie niezrozumiałe.

A zatem kiedy rozmowa przeszła na temat zatłoczenia na szlaku i tego, że dzisiaj czasem się widuje kilkanaście osób dziennie, podczas gdy dawniej człowiek mógł mówić o szczęściu, kiedy spotkał dwóch innych turystów, jak zawsze uprzejmie słuchałem, po czym powiedziałem:

— Powinniście najpierw pochodzić sobie po Anglii.

Jim odpowiedział mi na to życzliwym, cierpliwym tonem:

— Ale my nie jesteśmy w Anglii, Bill.

Może jest coś na rzeczy.

Oto inny powód, dla którego bardzo, ale to bardzo lubię Park Narodowy Shenandoah, a jednocześnie wyjaśnienie, dlaczego prawdopodobnie nie zaliczam się do grona prawdziwych amerykańskich trekkingowców — cheeseburgery. Na terenie Parku Narodowego Shenandoah co krok można kupić cheeseburgery, a także coca-colę z lodem, frytki, lody i mnóstwo innych pyszności. Aczkolwiek do niepohamowanej komercjalizacji, o której wcześniej mówiłem, nigdy nie doszło — z czego oczywiście bardzo się cieszę — wspomniany *esprit de commerce* w Shenandoah częściowo się zachował. Na terenie parku co kawałek znajduje się kemping albo punkt informacyjny z restauracjami i sklepami — i Appalachian Trail, niech mu Bóg błogosławi, składa wizytę prawie każdemu z nich. Jest to całkowicie niezgodne z duchem AT, żeby umożliwiać piechurom odpoczynek w restauracji, ale nigdy nie spotkałem turysty, który nie byłby tym zachwycony.

Nasze pierwsze doświadczenia z tym rozpieszczaniem Katz, Connolly i ja przeżyliśmy następnego dnia rano, kiedy pożegnaliśmy się z Jimem, Chuckiem i skautami, którzy zmierzali na południe. Mniej więcej w porze lunchu dotarliśmy do tętniącej życiem stacji turystycznej o nazwie Big Meadows.

Kompleks ten obejmuje kemping, schronisko, restaurację, sklep z pamiątkami, supermarket oraz gigantyczną chmarę ludzi rozlokowanych na wielkiej łące. (Big Meadows znaczy właśnie „wielkie łąki", ale nazwa pochodzi od faceta, który nazywał się Meadows, co z jakiegoś powodu bardzo mi się spodobało). Zostawiliśmy plecaki na trawie i pospieszyliśmy do zatłoczonej restauracji, gdzie żarłocznie rzuciliśmy się na wszystko, co tłuste, a następnie udaliśmy się na zewnątrz, żeby położyć się na trawie, zapalić papierosy, pobekać i uruchomić procesy trawienne. Kiedy tak leżeliśmy oparci o plecaki, jakiś turysta w dosyć debilnym słomkowym kapeluszu podszedł do nas z lodami w garści i spojrzał na nas życzliwie.

— Idziecie szlakiem? — zapytał.

Potwierdziliśmy.

— I cały czas niesiecie te plecaki?

— Dopóki nie znajdziemy kogoś, kto je za nas poniesie — odparł wesoło Katz.

— Ile przeszliście dzisiaj?

— Jakieś trzynaście kilometrów.

— Trzynaście kilometrów! Rany boskie! Po południu ile zamierzacie zrobić?

— Następne trzynaście kilometrów.

— Serio? Dwadzieścia sześć kilometrów na nogach? Z tymi ciężarami na plecach? Ja cię kręcę, ale czad! Bernice, choć tutaj na chwilę — zawołał. — Musisz to zobaczyć. — Odwrócił się z powrotem w naszą stronę. — Co wy tam macie? Ubrania i inne klamoty, co?

— I prowiant — dodał Connolly.

— Nosicie ze sobą prowiant?

— Musimy.

— Jejku, ale czad.

Przyszła Bernice i towarzysz wyjaśnił jej, że wykorzystujemy własne nogi do poruszania się po świecie.

— Świetne, co? Mają w plecakach żarcie i tak dalej.

— Naprawdę? — powiedziała Bernice z podziwem i zainteresowaniem. — Czyli cały czas idziecie?

Pokiwaliśmy głowami.

— Tutaj też doszliście? Całą drogę pokonaliście na nogach?

— Wszędzie chodzimy — powiedział Katz z poważną miną.

— W życiu byście tutaj nie doszli!

— A jednak — nie ustępował Katz, którego rozpierała duma.

Poszedłem zadzwonić do domu z telefonu wrzutowego i skorzystać z ubikacji. Kiedy wróciłem kilka minut później, wokół Katza zgromadziła się niewielka grupa entuzjastycznych kibiców, którym demonstrował teorię i praktykę rozmaitych troków i zapięć przy swoim plecaku. Potem ktoś go poprosił, żeby założył plecak i pozował do zdjęć. Nigdy nie widziałem go takiego szczęśliwego.

Katz kontynuował swoją prezentację, a Connolly i ja poszliśmy rozejrzeć się po strefie detalicznej kompleksu. Uzmysłowiłem sobie, że prawdziwi trekkingowcy odgrywają marginalną rolę w komercyjnym życiu parku narodowego. Zaledwie trzy procent spośród dwóch milionów osób odwiedzających Shenandoah wypuszcza się dalej niż na kilka metrów poza teren zagospodarowany, że się tak wyrażę. Dziewięćdziesiąt procent turystów przyjeżdża samochodami albo camperami. Sklep, do którego weszliśmy, był przeznaczony właśnie dla nich. Prawie wszystkie artykuły wymagały podgrzania w mikrofalówce, upieczenia w piekarniku albo przechowywania w zamrażalce bądź też sprzedawano je w wielkich opakowaniach dla całej rodziny. (Ilu piechurów potrzebuje zestawu dwudziestu czterech bułek hamburgerowych?) Typowego prowiantu turystycznego — rodzynki, orzechy, małe, łatwe do transportu opakowania albo konserwy — w ogóle nie prowadzili, co w sklepie na terenie parku narodowego może zaskakiwać.

Ponieważ wybór był ograniczony, a my za wszelką cenę chcieliśmy uniknąć konieczności dalszego żywienia się makaronem (bardzo ucieszyła nas wiadomość, że Connolly również jest makaronowcem), kupiliśmy dwadzieścia cztery hot dogi z odpowiednimi bułkami, dwulitrową butelkę coca-coli i dwa duże opakowania herbatników. Potem zgarnęliśmy Katza, który z żalem zakomunikował adorującej go publiczności, że musi ją opuścić, bo góry na niego czekają, i dzielnie pomaszerowaliśmy z powrotem do lasu.

Na noc zatrzymaliśmy się na uroczej, osłoniętej polanie Rock Springer, w szałasie na stromym zboczu, z którego rozciągał się widok na dolinę Shenandoah. Szałas miał nawet huśtawkę, dwumiejscową, przymocowaną łańcuchami do okapu. Jak można było przeczytać na przykręconej do oparcia tabliczce, zamontowano ją dla uczczenia pamięci niejakiej Theresy Affronti, która uwielbiała Appalachian Trail — muszę przyznać, że bardzo mnie to ujęło. Wcześniejsi użytkownicy szałasu zostawili cały asortyment konserw — fasolę, kukurydzę, mielonkę, marchewkę — starannie ustawionych na krokwi. Na Appalachian Trail jest to rozpowszechniona praktyka. Zdarza się nawet, że miłośnicy szlaku przychodzą do szałasów z ciasteczkami domowego wypieku albo pieczonymi kurczakami. Piękny zwyczaj.

Kiedy gotowaliśmy kolację, przyszedł całościowiec — pierwszy w sezonie — który zmierzał z północy na południe. Pokonał tego dnia czterdzieści dwa kilometry i kiedy usłyszał, że w jadłospisie są hot dogi, uznał, że umarł i trafił do nieba. Sześć hot dogów na głowę to było więcej, niż Katz, Connolly i ja mogliśmy w siebie zmieścić, więc zjedliśmy po cztery, do czego dołożyliśmy po parę garści herbatników, a resztę zostawiliśmy sobie na śniadanie. Młody całościowiec jadł tak żarłocznie, jakby to był jego pierwszy w życiu posiłek. Obalił sześć hot dogów, poprawił puszką marchewek i z wdzięcznością przyjął od nas kilkanaście sztuk oreo, którymi się rozkoszował, starannie przeżuwając każde ciastko. Powiedział, że wyruszył z Maine w głębokim śniegu i kilka razy spowalniały go śnieżyce, ale mimo to wyciągał średnią czterdzieści kilometrów dziennie. Miał tylko metr sześćdziesiąt pięć wzrostu i gigantyczny plecak, więc nic dziwnego, że jadł jak wieprz. Planował pokonać szlak w trzy miesiące, co wymagało kilkunastu godzin marszu dziennie. Kiedy się obudziliśmy, dopiero świtało, ale jego już nie było. Zostawił na swoim legowisku karteczkę z podziękowaniami za kolację i życzeniami powodzenia. Nie dowiedzieliśmy się nawet, jak miał na imię.

Koło jedenastej uświadomiłem sobie, że znacznie oddaliłem się od Katza i Connolly'ego, którzy cały czas gadali z sobą i szli niezbyt mocnym tempem. Postanowiłem zaczekać na nich w uroczej leśnej dolince między niewysokimi wzgórzami. Było tam wszystko, czego człowiek może oczekiwać od leśnej scenerii — szemrzący potok, kobierzec bujnych paproci, dostojne, szeroko rozstawione drzewa — i przemknęło mi przez myśl, jak przyjemnie by się tam obozowało.

Niecały miesiąc później na ten sam pomysł najwyraźniej wpadły dwie młode kobiety, Lollie Winans i Julianne Williams. Rozbiły namioty w tym zacisznym wąwozie, a potem poszły przez las do pobliskiego Skyland Lodge, kolejnego kompleksu handlowego, żeby zjeść kolację w tamtejszej restauracji. Nie wiadomo dokładnie, co się potem wydarzyło, ale policja podejrzewa, że ktoś je zauważył, kiedy jadły posiłek, a potem szedł za nimi do wąwozu. Znaleziono je trzy dni później w namiotach ze związanymi rękami i poderżniętymi gardłami. Nie wiadomo, jaki mógł być motyw tej zbrodni. Nigdy nie wytypowano osoby podejrzanej. Śmierć tych kobiet prawdopodobnie na zawsze pozostanie zagadką. Oczywiście wtedy jeszcze o tym nie wiedziałem, więc kiedy Katz i Connolly mnie dogonili, stwierdziłem po prostu, że jest tam bardzo ładnie. Zgodzili się ze mną, a potem poszliśmy dalej.

Zjedliśmy z Connollym lunch w Skyland, a potem nas opuścił, żeby wrócić autostopem na Rockfish Gap i pojechać do domu. Katz i ja pożegnaliśmy się z nim i ruszyliśmy w dalszą drogę, bo w końcu na tym polegało nasze życie. Maszerowaliśmy jeszcze przez trzy dni, jedząc w restauracjach i nocując w szałasach, które znowu mieliśmy prawie wyłącznie dla siebie.

Ostatniego dnia na terenie parku, czyli szóstego od wyruszenia z Rockfish Gap, niebo cały czas było zachmurzone i wiał silny wiatr, a po kilku godzinach lunął zimny deszcz i nie przestał padać aż do wieczora. Dzień był okropny pod prawie każdym względem. Wczesnym popołudniem zorientowałem się, że straciłem osłonę przeciwdeszczową (czyli kompletnie bezużyteczny, źle zaprojektowany szajs, za który zapłaciłem 25 dolarów) i wszystkie rzeczy w moim plecaku mieściły się w przedziale od wilgotnych do przesiąkniętych wodą. Na szczęście jakiś czas wcześniej zacząłem wkładać śpiwór do dwóch worków na śmieci (kosztowały mnie 35 centów od sztuki), więc przynajmniej śpiwór miałem suchy. Przez dwadzieścia minut czekałem na Katza schowany pod konarem drzewa, a kiedy się pojawił, natychmiast zapytał:

— Gdzie twój czekan?

Zgubiłem mój ukochany czekan — przypomniałem sobie, że oparłem go o drzewo, żeby zawiązać sznurówkę — i ogarnęła mnie rozpacz. Czekan przez sześć i pół tygodnia wiernie mi towarzyszył w wędrówce przez góry i stał się częścią mnie. Był dla mnie łącznikiem z dziećmi, za którymi potwornie tęskniłem. Zbierało mi się na płacz. Powiedziałem Katzowi, że prawdopodobnie zostawiłem go na Elkwallow Gap, jakieś sześć kilometrów z tyłu.

— Pójdę po niego — powiedział bez wahania i zabrał się do zdejmowania plecaka. Znowu miałem ochotę się rozpłakać — powiedział to najzupełniej szczerze — ale nie mogłem go puścić. To było za daleko, a poza tym po przełęczy chodziło mnóstwo ludzi i na pewno ktoś zabrał sobie czekan na pamiątkę.

Poszliśmy dalej i dotarliśmy do szałasu Gravel Springs. Było dopiero wpół do trzeciej. Planowaliśmy pokonać jeszcze co najmniej dziesięć kilometrów, ale byliśmy kompletnie przemoczeni, a deszcz nie ustępował, więc postanowiliśmy się zatrzymać. Nie miałem ani jednej suchej rzeczy, więc rozebrałem się do bokserek i wczołgałem do śpiwora. Było to najdłuższe popołudnie, jakie pamiętam: znudzony czytałem książkę, od czasu do czasu podnosząc wzrok, żeby się pogapić na strumienie deszczu.

Jakby tego wszystkiego było mało, koło piątej zjawiła się hałaśliwa grupa złożona z sześciu osób, trzech mężczyzn i trzech kobiet, komicznie odzianych w stroje turystyczne à la Ralph Lauren — kurtki safari, płócienne kapelusze z szerokimi rondami i zamszowe buty. Idealny strój na przechadzkę po werandzie w Mackinac albo safari w jeepie, ale na pewno nie na chodzenie po górach. Jedna z kobiet, która podążała kilka kroków za resztą i tak ostrożnie brnęła przez błoto, jakby było radioaktywne, zajrzała do szałasu i na nasz widok powiedziała z nieskrywanym niesmakiem:

— O rany, musimy nocować z kimś innym?

Byli głupi, nieprzyjemni, zajęci wyłącznie sobą — wszystko to w stopniu, który w innych okolicznościach byłby fascynujący — i nie znali obowiązującej na szlaku etykiety. Deptali po nas, spychali w kąt, spryskiwali wodą strzepywaną z ubrania i walili po głowach beztrosko porzucanymi elementami ekwipunku. Ze zdumieniem obserwowaliśmy, jak ubranie rozwieszone przez nas do suszenia jest spychane na bok, żeby zrobić miejsce na ich rzeczy. Siedziałem smętny, nie mogąc się skoncentrować na książce, kiedy dwóch mężczyzn kucnęło obok mnie w świetle mojej czołówki i odbyło następującą rozmowę:

— Nigdy tego wcześniej nie robiłem.

— Czego? Nie nocowałeś w szałasie?

— Nie, nigdy nie patrzyłem przez lornetkę bez zdejmowania okularów.

— Myślałem, że chodzi ci o nocowanie w szałasie — ha! ha! ha!

— Chodziło mi o patrzenie przez lornetkę bez zdejmowania okularów — ha! ha! ha!

Mniej więcej po pół godzinie podszedł do mnie Katz, uklęknął obok mnie i szepnął:

— Jeden z tych facetów właśnie powiedział do mnie „panie kolego". Spieprzam stąd.

— Co zamierzasz zrobić?

— Rozbić namiot na polanie. Idziesz ze mną?

— W majtkach? — spytałem zrezygnowanym tonem.

Katz z pokiwał ze zrozumieniem głową i wstał.

— Panie i panowie — zaintonował — czy mogę was prosić o uwagę? Przepraszam pana, panie kolego, pana również proszę o uwagę. Idziemy stąd i rozbijamy namioty, więc będziecie mieli dla siebie caluteńki szałas, ale mój przyjaciel jest w bokserkach i obawia się urazić damy i być może podniecić panów — dodał z pełną satysfakcji kpiną w głosie. — Chciałbym państwa poprosić, żebyście odwrócili na chwilę głowy, żeby mój przyjaciel mógł z powrotem włożyć na siebie mokre ubranie. Ja tymczasem chciałbym się z państwem pożegnać i podziękować, że na jakiś czas użyczyliście nam państwo kilku centymetrów miejsca. Bardzo miło się z państwem przebywało.

Potem wyskoczył na deszcz. Ubrałem się pospiesznie. Otoczony milczeniem i odwracanymi z zakłopotaniem spojrzeniami, z nikłym, bezemocjonalnym „do widzenia" na ustach zeskoczyłem z platformy. Hałasowali jeszcze po zapadnięciu zmroku, a potem hałasowali po pijaku do północy. Zastanawiałem się, czy w odruchu miłosierdzia albo wyrzutów sumienia nie przyślą nam jakiegoś znaku pokoju — może ciastka albo hot doga — ale nie przysłali.

Kiedy obudziliśmy się następnego dnia rano, deszcz już nie padał, ale świat wciąż był mdły i posępny, a z drzew skapywała woda. Daliśmy sobie spokój z gotowaniem kawy. Za wszelką cenę chcieliśmy się stamtąd wyrwać. Złożyliśmy namioty i spakowaliśmy plecaki. Katz poszedł zdjąć ze sznurka koszulę i zameldował mi później, że nasza szóstka przyjaciół nadal smacznie śpi. Krytycznym tonem dodał, że widział dwie puste butelki po whisky.

Dźwignęliśmy plecaki na grzbiety i ruszyliśmy w drogę. Po jakichś czterystu metrach, kiedy szałas zniknął już z pola widzenia, Katz mnie zatrzymał.

— Pamiętasz tę kobietę, która powiedziała: „O rany, musimy nocować z kimś innym" i zepchnęła nasze ubrania na bok? — zapytał.

Skinąłem głową. Oczywiście, że pamiętałem.

— Od razu zastrzegam, że nie jestem z tego dumny, ale kiedy poszedłem po koszulę, zauważyłem, że jej buty stoją na samym skraju platformy, no i zrobiłem coś złego.

— Co?

Próbowałem sobie wyobrazić, co takiego mógł zrobić, ale nie potrafiłem.

Otworzył dłoń i zobaczyłem w niej dwie sznurówki. Potem jego twarz rozpromienił uśmiech — szeroki uśmiech zwycięzcy. Włożył sznurowadła do kieszeni i poszedł dalej.

Na tym zakończyła się pierwsza część naszej wielkiej przygody. Ruszyliśmy do oddalonego o 29 kilometrów Front Royal, gdzie za dwa dni miała nas odebrać moja żona (pod warunkiem, że dotrze tam samochodem z New Hampshire przez nieznany teren).

Musiałem zrobić sobie miesiąc przerwy na inne rzeczy — przede wszystkim na próbę przekonania Amerykanów do zakupu jednej z moich książek, co było zadaniem o tyle trudnym, że nie miała ona nic wspólnego z bezproblemową utratą wagi, bieganiem z wilkami, osiągnięciem szczęścia w neurotycznej epoce czy procesem O.J. Simpsona. (Mimo to sprzedała się w sześćdziesięciu egzemplarzach). Katz zamierzał wrócić do Des Moines, gdzie załatwił sobie sezonową pracę na budowie, ale obiecał, że wróci w sierpniu i przejdzie ze mną osławiony, niebezpieczny odcinek Appalachian Trail w Maine, zwany Hundred Mile Wilderness.

Na początkowym etapie naszej wyprawy z całym przekonaniem mówił, że przejdzie cały szlak, nie przerwie wędrówki podczas mojej nieobecności i dołączę do niego w czerwcu, ale kiedy mu teraz o tym przypomniałem, roześmiał się szyderczo i powiedział, żebym wreszcie zszedł na ziemię.

— Szczerze mówiąc, jestem zdumiony, że dotarliśmy aż tutaj — powiedział i musiałem przyznać mu rację.

Z Amicalola pokonaliśmy 800 kilometrów, co daje 1 250 000 kroków. Mieliśmy wszelkie powody do dumy. Byliśmy teraz prawdziwymi wędrowcami. Sraliśmy w lesie i spaliśmy z niedźwiedziami. Już na zawsze mieliśmy pozostać ludźmi gór.

Do Front Royal dotarliśmy koło siódmej, kompletnie wykończeni, i weszliśmy do pierwszego motelu, który napotkaliśmy na naszej drodze. Był strasznie zapyziały, ale tani. Materac się zapadał, obraz w telewizorze podskakiwał, jakby jakiś elektryczny podzespół bezlitośnie go szturchał, a drzwi nie dało się zamknąć. Udawały zamknięte, ale wystarczyło pchnąć je od zewnątrz palcem, żeby się otworzyły. Trochę mnie to zmartwiło, ale potem uświadomiłem sobie, że nikt nie będzie się zasadzał na moje mienie, więc po prostu przymknąłem drzwi i poszedłem po Katza, żeby zabrać go na kolację. W pobliskiej restauracji zjedliśmy steki, a potem z radością wróciliśmy do naszych telewizorów i łóżek.

Następnego dnia rano poszedłem do K-Martu i kupiłem dwa pełne zestawy nowych ubrań — skarpetki, bieliznę, dżinsy, tenisówki, chusteczki do nosa i dwie najbardziej krzykliwe koszule, jakie udało mi się znaleźć (jedna ze statkami i kotwicami, druga z motywem „słynne zabytki europejskie"). Wróciłem do motelu, wręczyłem Katzowi jeden zestaw — co niezmiernie uradowało mojego towarzysza drogi — poszedłem do swojego pokoju i włożyłem na siebie nowy strój. Spotkaliśmy się dziesięć minut później na parkingu motelowym, schludni i eleganccy, i obficie skomplementowaliśmy się nawzajem. Mieliśmy cały wolny dzień, który zaczęliśmy od zjedzenia śniadania. Potem udaliśmy się na niespieszną przechadzkę po niewielkiej dzielnicy biznesowej w centrum, dla zabicia czasu pokręciliśmy się po tanich sklepach, znaleźliśmy sklep z ekwipunkiem turystycznym, w którym kupiłem czekan (dokładnie taki sam, jak ten, który zgubiłem), zjedliśmy lunch, a po południu oczywiście postanowiliśmy pospacerować. W końcu na tym polegało nasze życie.

Trafiliśmy na tory kolejowe, które podążały w ślad za statecznymi zakolami rzeki Shenandoah. Nie ma niczego przyjemniejszego, niczego sympatyczniej kojarzącego się z wakacjami letnimi niż przechadzka wzdłuż torów kolejowych w nowej koszuli. Szliśmy bez pośpiechu i określonego celu, ludzie gór na wakacjach, gawędząc o tym i owym, od czasu do czasu schodząc z drogi pociągowi towarowemu i rozkoszując się szczodrymi promieniami słońca, kuszącym blaskiem dwóch bezkresnych, srebrnych wstęg torów i nieskomplikowaną przyjemnością, jaką daje poruszanie się na nogach, które nie czują zmęczenia. Spacerowaliśmy prawie do zachodu słońca. Nie mogliśmy piękniej spędzić ostatniego dnia podróży.

Następnego dnia rano zeszliśmy na śniadanie, a potem przez całe trzy godziny czekaliśmy przy wjeździe na parking motelowy i wypatrywaliśmy samochodu wypełnionego rozpromienionymi, wytęsknionymi twarzami. Na pewno umiecie sobie wyobrazić scenę powitania — serdeczne uściski, gorączkowe wyjaśnienia dotyczące problemów ze znalezieniem właściwego skrętu i motelu, entuzjastyczne oceny nowej, wysportowanej sylwetki taty i znacznie mniej entuzjastyczne oceny jego nowej koszuli, wzajemne mierzwienie sobie włosów, cała ta metafizyczna radość z ponownego spotkania po długiej rozłące. Nagle przypomniałem sobie o Katzu, który stał obok i uśmiechał się zakłopotany, i wciągnąłem go w te uroczystości.

Zawieźliśmy Katza na lotnisko w Waszyngtonie, gdzie miał zarezerwowany popołudniowy lot do Des Moines. W poczekalni uświadomiłem sobie, że znajdujemy się już w różnych wszechświatach — on zaprzątnięty kwestią, jak trafić do odpowiedniej bramki, ja zaprzątnięty świadomością, że moja rodzina czeka, że samochód stoi na zakazie parkowania, że zbliża się godzina szczytu — rozstaliśmy się więc trochę niezręcznie, obaj przebywając myślami gdzie indziej, życząc sobie nawzajem bezpieczniej podróży i umawiając się na ponowne spotkanie w sierpniu. Kiedy zniknął, ogarnął mnie żal, ale potem wróciłem do samochodu, zobaczyłem moją rodzinę i przez wiele tygodni w ogóle nie myślałem o Katzu.

Pod koniec maja wróciłem na szlak. Wybrałem się na spacer do lasu koło naszego domu z niewielkim plecakiem, do którego zapakowałem butelkę wody, dwie kanapki z masłem orzechowym, mapę (*pro forma*) i nic więcej. Zaczęło się lato, więc las był pełen życia, zieleni, śpiewu ptaków tudzież chmar komarów i gzów. Przez pagórkowaty teren dotarłem do oddalonego o osiem kilometrów miasteczka Etna, gdzie usiadłem koło starego cmentarza i zjadłem kanapki, po czym wróciłem do domu. Zdążyłem na lunch. Czułem się dziwnie niespełniony.

Następnego dnia pojechałem samochodem pod Mount Moosilauke, która znajduje się 80 kilometrów od mojego domu na południowym krańcu Gór Białych. Moosilauke to jedna z najpiękniejszych gór w Nowej Anglii, potężna i majestatyczna, ale ponieważ dookoła nic nie ma, nie budzi większego zainteresowania. Jest własnością Dartmouth College w Hanover i uczelniany klub turystyczny znakomicie opiekuje się tym obszarem od początku dwudziestego wieku. To właśnie tutaj Dartmouth Club wprowadził w Ameryce narciarstwo alpejskie i w 1933 roku na zboczach Moosilauke odbyły się pierwsze mistrzostwa kraju. Potem jednak narciarstwo przeniosło się do ośrodków położonych bliżej głównych dróg i o Moosilauke znowu zapomniano. Dzisiaj nikt by się nie domyślił, że była to kiedyś sławna góra.

Zostawiłem samochód na małym, gruntowym parkingu (oprócz mojego nie było tam żadnych innych aut) i ruszyłem w las. Tym razem oprócz wody, kanapek z masłem orzechowym i mapy miałem z sobą spray na owady. Moosilauke ma 1463 metry wysokości i jest bardzo stroma. Z małym plecaczkiem mogłem na nią wejść bez zatrzymywania się — co było dla mnie nowym i satysfakcjonującym doświadczeniem. Widok z wierzchołka był rewelacyjny i panoramiczny, ale bez Katza i ciężkiego plecaka nadal czułem się nieswojo. Wróciłem do domu o czwartej. To nie to, powtarzałem sobie. Nie można chodzić po Appalachian Trail, a potem wrócić do domu i skosić trawnik.

Postanowiłem więc wrócić na szlak jak należy, daleko od domu. Problem w tym, że niewiele jest miejsc, w których można się dostać na AT, a potem z niego zejść bez niczyjej pomocy. Mogłem polecieć do Waszyngtonu, Newark, Scranton, Wilkes-Barre czy kilku innych miast położonych w tym samym regionie co szlak, ale zawsze znalazłbym się o co najmniej kilkadziesiąt kilometrów od niego samego. Nie mogłem poprosić żony, żeby zawiozła mnie do Wirginii albo Pensylwanii, tak jak nie prosi się żony o to, żeby podrzuciła cię do Düsseldorfu. Postanowiłem więc, że zawiozę się sam. Zaparkuję gdzieś w miarę blisko, dzień czy dwa pochodzę po górach, wrócę do auta i pojadę kawałek dalej. Podejrzewałem, że plan ten okaże się niesatysfakcjonujący, a może nawet debilny, i w obu tych kwestiach życie przyznało mi rację, ale nie dysponowałem lepszą alternatywą.

W pierwszym tygodniu czerwca ponownie stanąłem zatem nad brzegami rzeki Shenandoah, w zachodniowirginijskiej miejscowości Harpers Ferry.

Harpers Ferry to z różnych powodów całkiem interesująca miejscowość. Przede wszystkim jest bardzo ładna. Wynika to z faktu, że ustanowiono tutaj Historyczny Park Narodowy, co oznacza, że nie ma lokali Pizza Hut, McDonald's, Burger King, a nawet mieszkańców we właściwym sensie tego słowa, przynajmniej w dolnej, starszej części miasteczka. Zamiast tego mamy odrestaurowane albo odbudowane zabytki z tabliczkami pamiątkowymi i informacyjnymi. Nie toczy się tam więc żadne prawdziwe życie, ale ta wycyzelowana estetyka nie jest pozbawiona swoistego uroku. Z całą pewnością przyjemnie by się tam mieszkało, gdyby tylko można było zaufać ludziom, że nie ulegną pokusie budowania Pizza Hut i Taco Bell (osobiście jestem święcie przekonany, że skutecznie opieraliby się tej pokusie przez jakieś półtora roku), a tak mamy imitację miasta pięknie usytuowanego pomiędzy stromymi wzgórzami u spływu rzek Shenandoah i Potomac.

Harpers Ferry jest Narodowym Parkiem Historycznym z tego prostego powodu, że ma duże znaczenie historyczne. To tutaj abolicjonista John Brown postanowił wyzwolić amerykańskich niewolników i założyć w północno-zachodniej Wirginii własne państwo — przedsięwzięcie dosyć ambitne, jeśli zważyć, że jego armia liczyła zaledwie dwadzieścia jeden osób. 16 października 1859 roku armia ta pod osłoną ciemności zakradła się do miasta, bez oporu zajęła federalną zbrojownię (pilnował jej jeden nocny stróż), ale i tak zdołała zastrzelić jednego Bogu ducha winnego przechodnia — jak na ironię był to wyzwolony czarny niewolnik. Kiedy rozeszła się wiadomość, że federalna zbrojownia ze 100 000 strzelb i niemałą ilością amunicji trafiła w ręce niewielkiej grupy szaleńców, prezydent James Buchanan wysłał do boju podpułkownika Roberta E. Lee — późniejszego bohatera secesjonistów, który wtedy był jeszcze lojalnym żołnierzem Unii. Stłumienie buntu zajęło jego żołnierzom niecałe trzy minuty. Brown został wzięty żywcem, szybko osądzony i miesiąc później powieszony.

Jednym z żołnierzy wysłanych do nadzorowania egzekucji był Thomas J. Jackson — który wkrótce zyskał sławę jako Stonewall Jackson — a wśród widzów znalazł się przyszły zabójca Lincolna John Wilkes Booth. Zajęcie zbrojowni w Harpers Ferry posłużyło więc za przygrywkę do późniejszych wydarzeń.

Po małej przygodzie Browna w kraju rozpętało się piekło. Abolicjoniści z Północy, tacy jak Ralph Waldo Emerson, zrobili z Browna męczennika, a południowi lojaliści chwycili za broń, przerażeni perspektywą, że może się z tego rozwinąć szeroki ruch społeczny. Zanim się obejrzeli, młody naród pogrążył się w wojnie domowej.

Harpers Ferry pozostało w centrum wydarzeń przez cały ten krwawy konflikt. Gettysburg był oddalony zaledwie o pięćdziesiąt kilometrów na północ, Manassas o podobny dystans na południe, a Antietam (warto przypomnieć, że w bitwie pod Antietam zginęło więcej Amerykanów niż podczas wojny w 1812 roku, wojny meksykańskiej i wojny hiszpańsko-amerykańskiej łącznie) zaledwie o piętnaście kilometrów. Podczas wojny secesyjnej Harpers Ferry przechodziło z rąk do rąk osiem razy, ale rekord w tej dziedzinie należy do Winchester w Wirginii, kilka kilometrów na południe, które zdobywano i odbijano aż siedemdziesiąt pięć razy.

W dzisiejszych czasach Harpers Ferry zajmuje się goszczeniem turystów i sprzątaniem po powodziach. Ponieważ ma u swoich stóp dwie narowiste rzeki, a ukształtowanie terenu tworzy naturalny lejek dla wiatrów, ciągle jest zalewane. Poważna powódź dotknęła miasto pół roku przed moim przyjazdem i personel parku nadal pracowicie ścierał wodę, malował ściany i znosił eksponaty z górnych pięter na parter. (Trzy miesiące później znowu musieli wynieść wszystko na górę). Z jednego z budynków wyszło dwóch strażników i z uśmiechem pokiwali do mnie głowami, kiedy ich mijałem. Zauważyłem, że obaj mają przypięte do pasa pistolety. Co się porobiło z tym światem, że strażnicy parkowi noszą przy sobie broń.

Rozejrzałem się po mieście, ale na drzwiach prawie wszystkich budynków wisiała tabliczka z napisem ZAMKNIĘTE DO REMONTU PO POWODZI. Potem poszedłem do miejsca, gdzie rzeki się łączą. Stała tam tablica informacyjna Appalachian Trail. Około dziesięciu dni wcześniej w Parku Narodowym Shenandoah zamordowano dwie kobiety, o czym wspominałem, i do tablicy przyklejono plakat z prośbą o informacje, ze zdjęciami ofiar. Fotografie najwyraźniej były wykonane przez same kobiety na szlaku. Stały z plecakami radosne i zdrowe, wręcz promienne. Trudno się na nie patrzyło, wiedząc o ich tragedii. Aż mną szarpnęło, kiedy sobie uświadomiłem, że gdyby przeżyły, mniej więcej teraz dotarłyby do Harpers Ferry i zamiast gapić się na plakat, pewnie bym w tej chwili z nimi rozmawiał — a gdyby los potoczył się odrobinę inaczej, to one oglądałaby plakat ze zdjęciami radosnego i uśmiechniętego Katza i mnie.

W jednym z nielicznych otwartych budynków zastałem przyjaznego, dobrze poinformowanego i na szczęście nieuzbrojonego strażnika, Davida Foxa, który sprawiał wrażenie zaskoczonego i ucieszonego, że ma gościa. Na mój widok zerwał się ze stołka i bardzo chętnie odpowiadał na wszystkie moje pytania. Zaczęliśmy rozmawiać o ochronie przyrody i zabytków i stwierdził, że przy tak ograniczonym budżecie służbie parkowej bardzo trudno jest odpowiednio wykonywać swoje zadania. Kiedy tworzono park, pieniędzy wystarczyło na wykupienie tylko połowy Schoolhouse Ridge Battlefield nad miastem — jednego z najważniejszych, chociaż mniej znanych pól bitewnych wojny domowej — i teraz na tej świętej dla Foxa ziemi firma budowlana stawiała domy i sklepy. Deweloper ten zaczął nawet prowadzić rury przez grunty parku narodowego, absolutnie — ale jak się okazało błędnie — przekonany, że służbie parkowej nie starczy woli ani pieniędzy, żeby go powstrzymać. Fox powiedział mi, że koniecznie muszę zobaczyć Schoolhouse Ridge Battlefield. Obiecałem mu, że to zrobię.

Ale najpierw musiałem się wybrać na ważniejszą pielgrzymkę. Harpers Ferry jest siedzibą Appalachian Trail Conference, zarządcy nobliwej ścieżki, której poświęciłem swoje lato. ATC mieści się skromnym białym domu na stromym wzgórzu nad starówką. Wdrapałem się tam i wszedłem do środka. Było to po części biuro, a po części sklep. W części biurowej panowała godna pochwały krzątanina, a półki sklepowe w połowie wypełniały przewodniki po AT i pamiątki. Na końcu sklepu znajdowała się duża makieta całego szlaku. Gdybym ją zobaczył przed wyruszeniem w drogę, zapewne zrezygnowałbym z tego przedsięwzięcia. Miała z pięć metrów długości i dobitnie unaoczniała, jaka to jest mordęga. Resztę sklepu wypełniały stojaki z podkoszulkami, pocztówkami, chustami, książkami i innymi publikacjami. Wybrałem dwie książki i trochę pocztówek. Obsłużyła mnie życzliwa młoda kobieta, która nazywała się na Lauriel Potteiger i pełniła funkcję specjalisty informacyjnego, jak można było przeczytać na plakietce. Doskonale nadawała się na to stanowisko, ponieważ była istną kopalnią wiedzy.

Powiedziała mi, że w ubiegłym roku 1500 wędrowców wyruszyło w drogę z zamiarem pokonania całego szlaku, 1200 dotarło do Neels Gap (oznacza to dwudziestoprocentowy ubytek w pierwszym tygodniu, w grupie ludzi, którzy zamierzali maszerować przez pięć albo sześć miesięcy!), około jednej trzeciej dociągnęło do Harpers Ferry, mniej więcej w połowie drogi, a około 300 do Katahdin, czyli odsetek sukcesów był wyższy niż zazwyczaj. Około 60 osób pokonało cały szlak z północy na południe. W tym roku całościowcy byli jeszcze w drodze i nie dało się przewidzieć liczby tych, którzy dojdą do samego końca, ale przez Harpers Ferry przewinęło się ich znacznie więcej. Prawie z każdym rokiem robili się coraz liczniejsi.

Zapytałem ją o zagrożenia na szlaku. Powiedziała, że pracuje w ATC od lat i w tym okresie odnotowano tylko dwa przypadki ukąszenia przez węża, z których żaden nie był śmiertelny, oraz jeden zgon na skutek porażenia piorunem.

Zapytałem ją o śmierć tych dwóch kobiet.

Skrzywiła się.

— Straszne. Wszyscy są bardzo przygnębieni, ponieważ zaufanie stanowi jeden z fundamentów wędrowania po AT. Sama przeszłam go w całości w 1987 roku, więc wiem, jak bardzo człowiek polega na życzliwości obcych ludzi. Właśnie o to w tym wszystkim chodzi. Więc kiedy to znika...

Potem najwyraźniej przypomniała sobie, jakie pełni stanowisko, i poczęstowała mnie oficjalną linią — krótka, wyćwiczona, elokwentna gadka sprowadzająca się do tego, że nie należy zapominać, iż szlak nie jest odseparowany od negatywnych zjawisk społecznych, ale statystycznie pozostaje niezwykle bezpieczny w porównaniu do większości innych miejsc w Ameryce.

— Od 1937 roku popełniono tutaj dziewięć morderstw — mniej więcej tyle samo, ile w przeciętnym małym miasteczku.

Stwierdzenie to było prawdziwe, ale trochę demagogiczne, ponieważ wszystkie dziewięć morderstw miało miejsce w ostatnich dwudziestu dwóch latach. Generalnie jednak miała rację: istnieje większe prawdopodobieństwo, że zostanę zamordowany we własnym łóżku, niż że stracę życie podczas wędrówki Appalachian Trail. Czy też, jak to znacznie później ujął pewien mój amerykański znajomy: „Jeśli na mapie Ameryki pod dowolnym kątem narysujesz linię o długości 3000 kilometrów, przetniesz dziewięć miejsc, w których kogoś zabito".

— Jeśli jest pan zainteresowany, mamy książkę o jednym z tych morderstw — powiedziała i sięgnęła pod ladę.

Grzebała przez chwilę w pudełku i wyjęła egzemplarz książki zatytułowanej *Eight Bullets*, który dała mi do obejrzenia. Rzecz dotyczyła dwóch kobiet zastrzelonych w 1988 roku w Pensylwanii.

— Nie trzymamy jej na wierzchu, żeby nie stresować ludzi, zwłaszcza teraz — wyjaśniła przepraszającym tonem.

Powiedziałem, że kupuję, i kiedy wydawała mi resztę, wspomniałem jej o mojej refleksji, że gdyby te dwie kobiety przeżyły, prawdopodobnie byłyby teraz gdzieś w okolicy Harpers Ferry.

— To samo sobie pomyślałam.

Kiedy wyszedłem na zewnątrz, padał lekki deszcz. Wspiąłem się na Schoolhouse Ridge, żeby rzucić okiem na pole bitwy. Był to rozległy wierzchołek wzgórza o parkowym charakterze, z krętą ścieżką, przy której co jakiś czas stały tablice informacyjne z opisami szarż, desperackich kontroofensyw i innych chaotycznych, hałaśliwych działań. Bitwa pod Harpers Ferry była najpiękniejszym momentem w życiu Stonewall Jacksona — który poprzedni raz przyjechał do miasta po to, żeby powiesić Johna Browna — ponieważ dzięki kilku zręcznym manewrom i odrobinie szczęścia wziął do niewoli 12 500 żołnierzy Unii, ustanawiając rekord pod względem liczby pojmanych w czasie jednej bitwy amerykańskich żołnierzy, który został pobity dopiero wiosną 1942 roku, gdy wojska japońskie okrążyły oddziały amerykańskie w Bataan i Corregidor na Filipinach.

Stonewall Jackson to niezmiernie interesująca postać, której warto się przyjrzeć. W dziejach ludzkości niewielu jest ludzi, którzy w tak krótkim czasie i przy tak nikłym wykorzystaniu mózgu zdobyli tak wielką sławę, jak generał Thomas J. Jackson. Jego dziwactwa przeszły do legendy. Był beznadziejnym, ale kreatywnym hipochondrykiem. Do jego najbardziej intrygujących przekonań fizjologicznych należał pogląd, że jedno jego ramię jest większe od drugiego, toteż zawsze chodził i jeździł konno z dłuższym ramieniem wyciągniętym do góry, żeby krew mu spływała do reszty ciała. Był mistrzem świata w spaniu. Więcej niż raz się zdarzyło, że zasnął podczas jedzenia z pełnymi ustami. Podczas bitwy pod White Oak Swamp jego adiutanci stwierdzili, że nie sposób go obudzić, więc dźwignęli go na konia półprzytomnego i podrzemywał dalej pośród wybuchających pocisków. Słynął również z tępoty. Pewna znana śpiewaczka zaśpiewała kiedyś generałowi i jego oficerom *Dixie*, a potem zapytała Jacksona, czy ma jakieś specjalne życzenia. Poprosił, żeby zaśpiewała mu *Dixie*. Z wielkim zapałem inwentaryzował zagarnięte od wroga dobra i bronił ich za wszelką cenę. Lista wojennych zdobyczy sporządzona w 1862 roku po kampanii w dolinie Shenandoah obejmowała „sześć chusteczek do nosa, dwa i ¾ tuzina krawatów i jeden kałamarz z czerwonym atramentem". Nieustannie doprowadzał swoich zwierzchników, innych dowódców i podwładnych do szału, ponieważ z jednej strony nie chciał wykonywać rozkazów, a z drugiej strony miał paranoiczny zwyczaj nieudzielania nikomu informacji o swojej strategii. Podległemu mu oficerowi, który oblegał Gordonville i był bliski sukcesu, kazał się wycofać i pocwałować do Staunton. Po przybyciu do Staunton oficer ten zastał tam nowy rozkaz, że ma natychmiast udać się pod Mount Crawford. Stamtąd kazano mu wrócić do Gordonville.

Te wszystkie bezładne przemarsze po dolinie Shenandoah, w których nie było żadnej logiki i których celowości generał nikomu nie raczył wyjaśniać, wśród nieprzyjacielskich oficerów zaskarbiły mu renomę człowieka przebiegłego. Jego wiekopomna sława wynika prawie wyłącznie z faktu, że odniósł kilka małych zwycięstw, kiedy inne wojska Południa były wyrzynane albo rejterowały, a może jeszcze z racji tego, że miał najlepszy przydomek ze wszystkich żołnierzy w dziejach świata. Nie ulega wątpliwości, że był odważny, ale niewykluczone, że nazwano go „Kamiennym Murem" z innego powodu, a mianowicie, że stał bez ruchu, kiedy sytuacja na polu bitwy domagała się szarży. Generał Barnard Bee, który nadał mu ten przydomek podczas pierwszej bitwy pod Manassas, poległ jeszcze tego samego dnia, toteż zagadka przydomka Stonewall na zawsze pozostanie nierozwiązana.

Zwycięstwo pod Harpers Ferry, największy triumf konfederacji podczas wojny domowej, Jackson zawdzięczał głównie temu, że raz zastosował się do poleceń Roberta E. Lee. Wiktoria ta przypieczętowała jego sławę. Kilka miesięcy później został przypadkowo postrzelony przez własnych żołnierzy w bitwie pod Chancellorsville i zmarł osiem dni później. Do końca wojny było jeszcze daleko. Miał zaledwie trzydzieści dziewięć lat.

Jackson spędził większość wojny w okolicy Pasma Błękitnego, obozował i maszerował przez te same lasy i przełęcze, którymi niedawno wędrowaliśmy Katz i ja, zainteresowało mnie więc miejsce jego największego triumfu. Szedłem po sfałdowanym polu bitwy, uważnie czytałem tablice informacyjne i bezskutecznie wypatrywałem między drzewami jakichś oznak powstawania nowego osiedla mieszkaniowego. Zmierzchało już, a poza tym, jeśli mam być szczery, pola bitwy nigdy szczególnie mnie nie kręciły. Próbowałem wzbudzić w sobie zainteresowanie faktem, że bateria kapitana Poague'a stała tutaj, a oddział pułkownika Grigsby'ego tworzył cienką, krętą linię kawałek dalej, ale nie sposób było uciec od faktu, że dzisiaj pole to jest sympatyczną łąką na zachodniowirginijskim wzgórzu.

Byłem głodny i miałem za sobą długą jazdę, więc brakowało mi energii potrzebnej do tego, żeby wyobrazić sobie cały ten zgiełk, dym i rzeź. Poza tym miałem już trochę dosyć tematu śmierci, więc wróciłem do samochodu i pojechałem dalej.

Rano pojechałem do Pensylwanii, około 50 kilometrów na północy. Na terenie tego stanu Appalachian Trail tworzy skręcający na północny wschód łuk o długości 370 kilometrów, kojarzący się z szerszym końcem kawałka tortu. Nigdy nie spotkałem piechura, który miałby coś dobrego do powiedzenia o Appalachian Trail w Pensylwanii. „Górskie buty idą tam umrzeć", jak wyraził się w 1987 roku pewien turysta w rozmowie z dziennikarzem „National Geographic". Podczas ostatniej epoki lodowcowej panował tam klimat periglacjalny, jak to nazywają geolodzy — strefa u czoła lądolodu charakteryzująca się krótkimi cyklami zamarzania i rozmarzania, które powodowało pękanie skały. Rezultatem tego procesu są rozległe obszary poszarpanych, dziwnie ukształtowanych kamiennych brył ułożonych w chwiejne stosy — naukowcy nazywają to *Felsenmeer* (dosłownie „morze kamieni"). Wymaga to nieustannej czujności, jeśli ktoś nie chce sobie skręcić kostki albo wyglebić się na twarz — niezbyt przyjemne doświadczenie z dwudziestokilogramowym balastem na plecach. Mnóstwo ludzi opuszcza Pensylwanię ze stłuczeniami i sińcami. Poza tym mieszkają tutaj najbardziej agresywne grzechotniki i najtrudniej jest znaleźć wodę pitną, zwłaszcza w środku lata. Na terenie Pensylwanii AT nie przechodzi przez parki narodowe, lasy ani znaczące wzniesienia, nie oferuje pamiętnych widoków i nie wiąże się z żadnymi ważnymi wydarzeniami historycznymi. Zasadniczo stanowi tylko środkowy etap bardzo długiego, męczącego przejścia z Południa USA do Nowej Anglii. Nic dziwnego, że większość ludzi go nie lubi.

I jeszcze jedno: mapy topograficzne pensylwańskiego odcinka szlaku są najgorsze na świecie. Instytucja o nazwie Keystone Trails Association opublikowała sześć kart, które nie zasługują nawet na miano map — są małe, monochromatyczne, fatalnie wydrukowane, bardzo niedokładne i z niepełną legendą; innymi słowy, całkowicie, komicznie, porażająco, niebezpiecznie bezużyteczne. Nie powinno się nikogo wysyłać na bezdroża z tak kiepskimi mapami.

Uświadomiłem to sobie w całej rozciągłości, kiedy stałem na parkingu w Parku Stanowym Caledonia i patrzyłem na obszar mapy, który był tylko rozmazaną plamą spiral, przypominającą źle zdjęty odcisk palca. Izohipsa była oznaczona liczbą wydrukowaną tak mikroskopijną czcionką, że nie dało się powiedzieć, czy jest to 548 czy 348, ale nie miało to żadnego znaczenia, ponieważ nie było skali określającej wielkość przewyższenia pomiędzy dwiema liniami ani też rozróżnienia między podejściem i zejściem. Na całym obszarze parku i w najbliższej okolicy nic nie było zaznaczone. Appalachian Trail mógł przebiegać piętnaście metrów albo trzy kilometry ode mnie, w dowolnym kierunku. Tak zwana mapa nie pozwalała tego stwierdzić.

Jak ostatni idiota nie przyjrzałem się tym mapom przed wyruszeniem w drogę. Pakowałem się w pośpiechu, sprawdziłem tylko, czy biorę odpowiedni zestaw, i wsunąłem go do plecaka. Teraz przejrzałem wszystkie mapy z taką konsternacją, jakbym oglądał kompromitujące zdjęcia bliskiej osoby. Od początku wiedziałem, że nie przejdę szlakiem przez Pensylwanię — nie miałem na to ani czasu, ani ochoty — ale sądziłem, że uda mi się znaleźć jakieś fajne okrężne trasy, które pozwolą mi się zapoznać ze specyfiką Pensylwanii bez konieczności wracania tą samą drogą. Po przejrzeniu wszystkich map zrozumiałem, że nie tylko nie znajdę żadnej okrężnej trasy, ale będę mógł mówić o prawdziwym szczęściu, jeśli w ogóle uda mi się trafić na szlak.

Z westchnieniem włożyłem mapy do plecaka i poszedłem przez park, szukając znajomych białych oznaczeń AT. Park znajdował się w ładnej lesistej dolinie, w której tego pogodnego przedpołudnia nie było prawie nikogo. Maszerowałem mniej więcej godzinę krętymi leśnymi ścieżkami i po drewnianych kładkach, ale nie udało mi się znaleźć AT, więc wróciłem do samochodu i pojechałem dalej. Pustą, gęsto przysypaną liśćmi szosą przez las Michaux dotarłem do Parku Stanowego Pine Grove Furnace, dużej stacji turystycznej zbudowanej wokół dziewiętnastowiecznego kamiennego pieca hutniczego, od którego park bierze swoją nazwę. Z pieca zostały już tylko malownicze ruiny. Były tam budki z przekąskami, stoły piknikowe i jezioro z wyznaczonym obszarem do pływania, ale wszystko było nieczynne i nie widziałem żywej duszy. Na skraju placu piknikowego stał duży kontener z ciężką metalową pokrywą, która była mocno poturbowana, powgniatana i po jednej stronie wyrwana z zawiasów, zapewne przez niedźwiedzia, który próbował się dorwać do parkowych śmieci. Z głębokim respektem przyjrzałem się temu dziełu zniszczenia. Nie wiedziałem, że baribale są takie silne.

Tutaj przynajmniej widać było oznakowania Appalachian Trail, prowadzącego wokół jeziora na zalesiony wierzchołek Piney Mountain, która nie widnieje na mapie i tak naprawdę nie jest górą, ponieważ osiąga zaledwie 460 metrów wysokości. W ten letni dzień strome podejście było jednak niemałym wyzwaniem. Tuż za parkiem stoi tablica wyznaczająca umowny środek Appalachian Trail, który z tego miejsca rzekomo ciągnie się dokładnie na 1738,36 kilometra w obie strony. (Ponieważ nikt nie zna rzeczywistej długości AT, prawdziwy środek szlaku może się znajdować nawet o osiemdziesiąt kilometrów na południe lub na północ od wskazanego punktu; poza tym przebieg szlaku co rok się zmienia). Dwie trzecie całościowców nie ma okazji zobaczyć tej tablicy, ponieważ dużo wcześniej rezygnują. Nawiasem mówiąc, to musi być strasznie przygnębiający moment — przez dwa i pół miesiąca wleczesz się przez górzyste odludzie i po tych wszystkich męczarniach stwierdzasz, że pokonałeś zaledwie połowę drogi.

W tej samej okolicy popełniono jedno z najbardziej znanych morderstw związanych z Appalachian Trail, opisane w książce *Eight Bullets*, którą kupiłem dzień wcześniej w głównej siedzibie ATC. W maju 1988 roku dwie młode turystki, Rebecca Wight i Claudia Brenner, lesbijki, przyciągnęły uwagę upośledzonego umysłowo młodego człowieka ze strzelbą, który strzelił do nich z dużej odległości, kiedy kochały się ze sobą na polanie obok szlaku. Wight zginęła na miejscu, a ciężko ranna Brenner zdołała zejść na dół do drogi i uratowali ją nastolatkowie, który przejeżdżali tamtędy pikapem. Zabójca został szybko złapany i osądzony.

Rok później pewien włóczęga zastrzelił młodego mężczyznę i kobietę w szałasie położonym kilka kilometrów dalej na północ. Zbrodnie te spowodowały, że Pensylwania przez jakiś czas nie cieszyła się zbyt dobrą renomą. Potem przez siedem lat na szlaku nikogo nie zabito. Tę szczęśliwą passę przerwała dopiero wspomniana już śmierć dwóch młodych kobiet w Parku Narodowym Shenandoah, która zwiększyła oficjalną liczbę popełnionych na szlaku zabójstw do dziewięciu — nie sposób zaprzeczyć, że jak na ścieżkę turystyczną jest to liczba niemała — aczkolwiek takich tragicznych przypadków przypuszczalnie było więcej. W latach 1946–1950 trzy osoby zaginęły podczas wędrówki przez pewien niewielki obszar Vermontu, ale nie uwzględniono ich w tej statystyce — może dlatego, że wydarzyło się to bardzo dawno temu, a może dlatego, że nie udało się z całą pewnością ustalić, iż osoby te padły ofiarą zabójstwa. Mój znajomy z Nowej Anglii opowiedział mi również o starszym małżeństwie zamordowanym w latach siedemdziesiątych w Maine przez szaleńca z siekierą, ale o tych ofiarach również nigdzie się nie wspomina, zapewne dlatego, że szli szlakiem łącznikowym, kiedy ich napadnięto.

Poprzedniego wieczoru przeczytałem *Eight Bullets*, relację Brenner o śmierci przyjaciółki, toteż byłem z grubsza zaznajomiony z okolicznościami tej tragedii, ale celowo zostawiłem książkę w samochodzie, ponieważ uznałem, że byłoby trochę perwersyjne szukać miejsca zabójstwa dziesięć lat po fakcie. Lektura tej książki nie napędziła mi stracha, ale czułem się odrobinę nieswojo, chodząc w pojedynkę po pogrążonym w ciszy lesie tak daleko od domu. Tęskniłem za Katzem, brakowało mi jego sapania, narzekania i niezłomnej odwagi. Nie podobała mi się świadomość, że mogę siedzieć na kamieniu i czekać, aż mi tyłek spuchnie, a Katz i tak nie przyjdzie. Las otaczał mnie teraz pełnią swojej chlorofilowej chwały, przez co wydawał się jeszcze groźniejszy i bardziej tajemniczy. Bywały momenty, że nie mogłem przebić się wzrokiem więcej niż na metr przez gęste listowie. Gdybym spotkał niedźwiedzia, moja sytuacja byłaby niewesoła. Nie mógłbym liczyć na to, że za chwilę przyjdzie Katz, palnie go w pysk i powie do mnie: „Jezu, Bryson, ciągle musisz się pakować w jakieś kłopoty?". Wyglądało na to, że nikt by nie przyszedł, aby razem ze mną wziąć udział w tym interesującym widowisku. Miałem wrażenie, że w promieniu pięćdziesięciu kilometrów nie ma nikogo. Las należał do mnie i niepoliczonych innych stworzeń, które się tam kłębiły.

Odległość sześciu kilometrów, które dzieliły mnie od wierzchołka Piney Mountain, pokonałem zatem szparkim krokiem. Na szczycie niepewnie rozglądałem się dokoła. Nie umiałem zdecydować, czy pójść kawałek dalej, czy wrócić i wypróbować jakąś inną trasę. Nagle usłyszałem suchy trzask drewna i szelest liści — w odległości mniej więcej piętnastu metrów ode mnie znajdowało się jakieś duże stworzenie. Znieruchomiałem i zaprzestałem wszystkich innych czynności życiowych — łącznie z oddychaniem i myśleniem — próbując przewiercić się wzrokiem przez gęstwinę. Znowu ten sam hałas, tym razem bliżej. Cokolwiek to było, szło w moją stronę! Z cichym skamleniem przebiegłem sto metrów — plecak podskakiwał, okulary podzwaniały — a potem stanąłem i spojrzałem za siebie, stwierdziwszy, że akcja serca ustała. Na ścieżce pojawił się jeleń ze wspaniałym porożem, rzucił na mnie okiem bez większego zainteresowania i potuptał dalej. Po dłuższej chwili udało mi się ponownie złapać oddech i zetrzeć z czoła rzekę potu. Ogarnęły mnie wątpliwości, czy się do tego wszystkiego nadaję. Wróciłem do samochodu bez dalszych przygód.

***

Przenocowałem koło Harrisburga, a następnego dnia rano ruszyłem na północny wschód bocznymi drogami, starając się trzymać jak najbliżej szlaku. Kilka razy zatrzymałem się, żeby sprawdzić, jak w tym miejscu prezentuje się Appalachian Trail, ale oględziny zawsze wypadały niepomyślnie, więc głównie jechałem.

Pensylwanię nie jest łatwo scharakteryzować, po części dlatego, że jest to stan duży i ludny — 650 kilometrów ze wschodu na wschód, 12 milionów mieszkańców — a po części dlatego, że można tutaj napotkać zarówno brzydkie, na poły wymarłe miasta przemysłowe, jak i śliczne miasteczka uniwersyteckie, pofałdowane obszary rolne i zbocza okaleczone obiektami przemysłowymi. W Pensylwanii czują się u siebie zarówno Rocky Balboa, Dwight Eisehower, Andrew Carnegie czy amisz uprawiający rolę. Na odcinku dziesięciu kilometrów krajobraz może się zmienić z paskudnego na przepiękny i z powrotem. Mam znajomego, który kupił sobie jako domek weekendowy stare gospodarstwo rolne w odludnym, malowniczym wąwozie jak z książeczki dla dzieci. Pewnej niedzieli obudziły go wybuchy i odgłos tynku spadającego z sufitu na podłogę. Okazało się, że tuż przy granicy jego posesji prowadzone jest wydobycie żwiru. Sprzedał dom z gigantyczną stratą i kupił inny, położony na jeszcze bardziej odludnym terenie. Tym razem obudziły go buldożery, które przygotowywały grunt pod budowę wielkiej fabryki polipropylenu. Przeprowadził się więc do Wirginii. Tak to już jest z tą Pensylwanią.

Przejechałem między innymi przez długą, wąską dolinę z ciemnymi zboczami. W każdym gospodarstwie po obu stronach drogi rosły choiny — bezkresne rzędy genetycznie jednakowych drzew ustawionych w figury geometryczne złożone z prostych odcinków. Na końcu każdego podjazdu stała skrzynka pocztowa z nazwiskiem z boku. Nazwiska brzmiały tak komicznie, że wyglądały na zmyślone: Pritz, Putz, Mootz, Snootz, Schlepple, Klutz, Kuntz, Kunkle. Równie śmieszne były utworzone od nich nazwy miejscowości: Funksville, Crumsville, Kuntztown. Potem jednak nazwy zaczęły nabierać poważniejszego, przemysłowego tonu — Port Carbon, Minersville, Lehigh Furnace, Slatedale — i uzmysłowiłem sobie, że dotarłem do dziwnego, na poły zapomnianego regionu węglowego Pensylwanii. W Minersville skręciłem w boczną drogę i przez krajobraz zarośniętych hałd żużlu oraz rdzewiejących maszyn zmierzałem w stronę Centralii, najdziwniejszego, najsmutniejszego miasta, jakie w życiu widziałem.

Wschodnia Pensylwania siedzi na złożach węgla, które należą do najbogatszych na świecie. Już pierwsi Europejczycy, którzy tutaj przybyli, uświadomili sobie, że dysponują wręcz niepojętymi ilościami węgla. Problem w tym, że był to antracyt, węgiel kamienny — w 95 procentach złożony z węgla — który jest niezwykle twardy i przez długi czas ludzie bezskutecznie się głowili, jak go zapalić. Dopiero w 1828 roku pewien inteligentny Szkot nazwiskiem James Neilson wpadł na genialny w swojej prostocie pomysł, żeby do pieca hutniczego wdmuchiwać miechami ciepłe, a nie zimne powietrze. Zastosowanie nagrzewnic powietrza zrewolucjonizowało przemysł węglowy na całym świecie (również w Walii było dużo antracytu), ale zwłaszcza w Stanach Zjednoczonych. Pod koniec dziewiętnastego wieku Amerykanie wydobywali 300 000 000 ton węgla rocznie, czyli prawie tyle samo, ile reszta świata razem wziąwszy, a lwia część tego wydobycia pochodziła z regionu węglowego Pensylwanii.

Tymczasem na terenie stanu odkryto również ropę naftową, a na dodatek wymyślono sposoby jej przemysłowego wykorzystania. Ropa naftowa, w tamtym czasie nazywana również olejem skalnym, od lat była ciekawostką zachodniej Pensylwanii. Przesączała się na powierzchnię nad brzegami rzek, gdzie zbierano ją za pomocą koców i robiono z niej lekarstwa, które uchodziły za niezwykle skuteczne w leczeniu rozmaitych dolegliwości, od gruźlicy węzłów chłonnych po biegunkę. W 1859 roku pewien zagadkowy mężczyzna, pułkownik Edwin Drake — który nie był pułkownikiem, tylko emerytowanym maszynistą kolejowym i nie znał się na geologii — doszedł do wniosku, że ropę można wydobywać spod ziemi studniami. W Titusville wykopał dziurę głęboką na 21 metrów i po raz pierwszy w dziejach ludzkości z ziemi wytrysnęła ropa. Ludzie szybko sobie uzmysłowili, że ropę naftową w dużych ilościach można wykorzystywać nie tylko do spowalniania perystaltyki jelit i usuwania brzydkich narośli, ale również do pozyskiwania takich lukratywnych produktów jak parafina i nafta. Dla zachodniej Pensylwanii rozpoczął się okres niebywałego rozkwitu. Jak pisze John McPhee w książce *Suspect Terrain*, liczba ludności Pithole City (Miasteczko Dziura — urocza nazwa) wzrosła od zera do 15 000. W całym regionie niemalże z dnia na dzień powstawały również inne miejscowości — Oil City, Petroleum Center, Red Hot. Przyjechał tutaj Johnny Wilkes Booth i stracił wszystkie oszczędności, a potem uciekł i zastrzelił prezydenta, ale inni zostali i zbili fortunę.

Przez dynamiczne pół stulecia Pensylwania miała prawie monopol na jeden z najcenniejszych towarów świata, ropę naftową, i odgrywała dominującą rolę w wydobyciu drugiego najcenniejszego towaru świata, węgla. Łatwy dostęp do paliw kopalnych przyciągnął tutaj wielki przemysł, przede wszystkim stalowy i chemiczny. Mnóstwo ludzi osiągnęło kolosalny majątek.

Nie dotyczyło to jednak samych górników. Oczywiście praca w górnictwie zawsze i wszędzie była ciężka i okropna, ale nigdzie nie było tak źle jak w Stanach Zjednoczonych w drugiej połowie dziewiętnastego wieku. Dzięki napływowi imigrantów właściciele kopalń nigdy nie narzekali na brak chętnych do pracy. Kiedy Walijczycy zaczęli bolszewizować, ściągało się Irlandczyków. Jeśli Irlandczycy nie spełniali wymagań, ściągało się Włochów, Polaków albo Węgrów. Robotnikom płaciło się od tony, co oznaczało, że wydobycie prowadzono z lekkomyślnym pośpiechem, ale również, że wszelkie prace mające na celu poprawę bezpieczeństwa lub warunków nie były wynagradzane. Szyby kopalniane wiercono w ziemi jak dziury w serze szwajcarskim, często destabilizując całe doliny. W 1846 roku w Carbondale bez ostrzeżenia zawaliły się szyby na powierzchni dwudziestu hektarów i setki ludzi poniosły śmierć. Wybuchy i pożary były na porządku dziennym. Pył węglowy jest niezwykle lotny — a należy pamiętać, że w tamtym czasie nie istniało jeszcze oświetlenie elektryczne. W latach 1870–1914 w amerykańskich kopalniach zginęło 50 000 górników.

Paradoks antracytu polega na tym, że trudno go zapalić, ale kiedy już się uda, prawie nie sposób go zgasić. Istnieją setki opowieści o niekontrolowanych pożarach kopalń we wschodniej Pensylwanii. Pożar, który wybuchł w 1850 roku w Lehigh, wygasł dopiero osiemdziesiąt lat później, podczas Wielkiego Kryzysu.

Koło południa przyjechałem do miasta Centralia. Przez całe stulecie to górnicze miasteczko nieźle sobie radziło. Życie wczesnych górników nie należało do najłatwiejszych, ale w połowie dwudziestego wieku Centralia była względnie zamożną, estetyczną, zapracowaną miejscowością zamieszkaną przez blisko 2000 mieszkańców. W ruchliwym centrum były banki, poczta, szeroki wybór sklepów i małych domów handlowych, liceum, cztery kościoły, Odd Fellows Club, ratusz — innymi słowy, było to typowe, sympatyczne, anonimowe i nie narzekające na swój los amerykańskie miasteczko.

Niestety, Centralia siedziała na 24 000 000 ton antracytu. W 1962 roku od hałdy węgla na skraju miasta zapaliło się podziemne złoże. Straż pożarna wylała na płomienie tysiące litrów wody, ale za każdym razem, kiedy im się wydawało, że ugasili pożar, ogień wracał, jak z tymi świeczkami urodzinowymi, które zdmuchujesz, a po chwili samoczynnie się zapalają. Potem ogień zaczął się powoli przemieszczać wzdłuż złoża węgla. Na dużym obszarze spod ziemi wydobywał się dym, jak para wodna nad jeziorem o świcie. Na Highway 61 asfalt był gorący w dotyku, a potem zaczął pękać i osiadać, toteż szosa nie nadawała się do użytku. Dymiąca strefa przedostała się na drugą stronę drogi, ogarnęła okoliczne lasy i zmierzała w stronę katolickiego Kościoła św. Ignacego, który stał na wzgórzu nad miastem.

Amerykański Urząd Górniczy przysłał ekspertów, którzy proponowali najróżniejsze rozwiązania — wykopać głęboki rów przez miasto, zmienić kierunek rozprzestrzeniania się pożaru za pomocą środków wybuchowych, zalać całe złoże wodą — ale najtańsze rozwiązanie kosztowałoby co najmniej 20 000 000 dolarów bez gwarancji sukcesu, a poza tym nikt nie miał uprawnień do wyasygnowania takiej sumy. Pożar hulał więc sobie dalej w najlepsze.

W 1979 roku właściciel stacji benzynowej blisko centrum miasta stwierdził, że temperatura jego podziemnych zbiorników z paliwem wynosi prawie 80°C. Wpuścił czujniki na głębokość czterech metrów pod zbiornikami i ustalił, że tam jest ponad 500°C. Spod ziemi wydobywał się dym. Wzrost stężenia dwutlenku węgla w powietrzu spowodował, że ludzie byli osłabieni i mieli mdłości. W 1981 roku dwunastoletni chłopiec bawił się z babcią w ogrodzie za domem, kiedy nagle zobaczył przed sobą pióropusz dymu, a potem ziemia zaczęła usuwać mu się spod nóg. Uchwycił się korzeni drzew i zaczął wołać pomocy. W końcu go stamtąd wyciągnięto. Okazało się, że dziura ma 25 metrów głębokości. W ciągu następnych kilku dni podobne zapadnięcia się ziemi zanotowano w wielu innych miejscach. Dopiero wtedy władze podjęły jakieś poważniejsze kroki związane z pożarem.

Rząd przeznaczył 42 000 000 dolarów na ewakuację miasta. Ludzie się wyprowadzili, ich domy zburzono i wywieziono gruz. Zostało tak niewiele budynków, że Centralia nie zasługuje nawet na miano miasta wymarłego. Prezentuje się jako siatka ulic surrealistycznie udekorowana znakami stop i hydrantami przeciwpożarowymi. Co kilkanaście metrów od ulicy odchodzi ładnie wybrukowany podjazd, który prowadzi donikąd. Zostało jeszcze kilka domów mieszkalnych — wąskich konstrukcji szachulcowych — i parę budynków w dawnym centrum.

Zaparkowałem przed budynkiem z wyblakłym szyldem, na którym widniał dosyć pompatyczny napis: CENTRALIA MINE FIRE PROJECT OFFICE OF THE COLUMBIA REDEVELOPMENT AUTHORITY. Zabity deskami gmach chylił się ku upadkowi. Obok stał inny dom, w lepszym stanie, z napisem „Speed Top Car Parts", a dalej ciągnął się zielony skwerek z amerykańską flagą na maszcie stojącym obok ławki. Warsztat sprawiał wrażenie nadal działającego, ale w środku nie paliło się światło i nie było nikogo. Zresztą w całym mieście nie było nikogo — nie jeździły samochody i dał się słyszeć tylko brzęk stalowej liny o maszt. Na pustych parcelach można było zobaczyć metalowe cylindry przypominające puszki po oleju, które były wbite w ziemię i sączył się z nich dym.

Na niewielkim wzniesieniu, za dużym obszarem pustych działek, stał spory, nowoczesny kościół, spowity leniwym całunem białego dymu — zapewne św. Ignacego. Wspiąłem się na wzgórze. Kościół sprawiał wrażenie stabilnego i nadającego się do użytku — okna nie były zabite deskami i nie zauważyłem napisów WSTĘP WZBRONIONY — ale był zamknięty i nie było tablicy informacyjnej z porami nabożeństw czy choćby nazwą kościoła i przynależnością wyznaniową. Spod ziemi wydobywały się jęzory dymu, a za kościołem unosiła się jedna wielka chmura. Podszedłem tam i zobaczyłem, że stoję na krawędzi wielkiego kotła o powierzchni połowy boiska piłkarskiego, z którego bił gęsty, bielutki dym — taki jak przy paleniu opon albo starych koców. Nie byłem w stanie przebić się wzrokiem przez tę zupę i stwierdzić, jak głęboka jest dziura. Grunt pod moimi stopami był ciepły i przysypany cienką warstwą drobnego popiołu.

Wróciłem przed wejście do kościoła. Ciężka metalowa barierka blokowała wjazd na starą drogę, a nowa szosa zjeżdżała z innego wzgórza i oddalała się od miasta. Przeskoczyłem przez barierkę i ruszyłem starą Highway 61. Z pęknięć nawierzchni wyrastały kępy trawy i chwastów, ale droga wyglądała na przejezdną. Po obu stronach ziemia dymiła na dużym obszarze, jak po pożarze lasu. Po jakichś pięćdziesięciu metrach na środku drogi pojawiła się szeroka rysa, która potem urosła do rozmiarów kilkunastocentymetrowej wyrwy, również sączącej z siebie dym. Na niektórych odcinkach nawierzchnia po jednej stronie wyrwy opadła o kilkadziesiąt centymetrów albo tworzyła płytkie zagłębienie w kształcie misy. Od czasu do czasu zaglądałem do wyrwy, ale nie byłem w stanie oszacować jej głębokości, ponieważ uniemożliwiał mi to dym, który okazał się nieprzyjemnie kwaśny i siarkowy, kiedy wiatr dmuchnął mi nim w twarz.

Szedłem jeszcze przez kilka minut i z poważną miną badałem wyrwę, jakbym był inspektorem drogowym, a kiedy podniosłem wzrok i ogarnąłem spojrzeniem całe otoczenie, stwierdziłem, że znajduję się samym centrum intensywnie dymiącego krajobrazu, mając pod sobą być może naskórkowej grubości asfalt i pożar, który płonie od trzydziestu czterech lat. Wybranie sobie akurat tego miejsca z całego bogactwa możliwości, jakie daje Ameryka Północna, nie świadczy o szczególnej roztropności. Być może zadziałała tutaj moja dosłownie rozgrzana wyobraźnia, ale nagle grunt wydał mi się gąbczasty i sprężysty, jakbym szedł po materacu. Pośpiesznie odwróciłem się na pięcie i pobiegłem do samochodu.

Czy to nie dziwne, że pierwszy lepszy nieodpowiedzialny narwaniec (na przykład ja) może sobie przyjechać samochodem i zwiedzić tak niebezpieczne i niestabilne miejsce jak Centralia? A przecież nikt nie próbował mi tego zakazać. Co jeszcze dziwniejsze, miasta nie ewakuowano w całości. Osobom gotowym wziąć na siebie ryzyko, że ich dom wpadnie pod ziemię, pozwolono zostać i niektórzy z tej możliwości skorzystali. Wsiadłem do samochodu i pojechałem do stojącego samotnie domu w centrum. Pomalowany na jasnozielono budynek był zadbany i dobrze utrzymany. Na parapecie stał wazon ze sztucznymi kwiatami i inne dekoracyjne bibeloty, a pod niedawno odświeżoną werandą ciągnął się gazon nagietków. Na podjeździe nie stał jednak samochód i nikt nie otworzył mi drzwi, kiedy zadzwoniłem.

Po dokładniejszej inspekcji okazało się, że kilka spośród innych domów jest niezamieszkanych. Dwa miały okna i drzwi zabite deskami i tablice z napisem UWAGA! WSTĘP WZBRONIONY! W pięciu albo sześciu innych, w tym trzech tworzących niewielką grupę po drugiej stronie skweru w centrum, najwyraźniej nadal mieszkali ludzie — w jednym z ogrodów zobaczyłem nawet zabawki (na litość boską, kto mieszka tutaj z dziećmi?) — ale tam również nikt mi nie otworzył. Wszyscy byli w pracy, no chyba że leżeli martwi na podłodze w kuchni. Było dla mnie niepojęte, że ludziom pozwolono tam mieszkać, no ale Ameryka ma świra na punkcie wolności osobistej. Wydawało mi się, że w jednym z domów, do których zapukałem, poruszyła się zasłona w oknie, ale nie miałem pewności. Jeśli ktoś od trzydziestu lat mieszkał nad piekłem i wdychał upajające ilości dwutlenku węgla, może być nieźle zaburzony. A może ludzie mają dosyć intruzów, którzy kręcą się koło ich domu i traktują ich miasto jako ciekawostkę? Szczerze mówiąc, poczułem ulgę, że nikt mi nie otworzył, bo zupełnie nie przychodziło mi do głowy, w jaki sposób miałbym zagaić rozmowę.

Pora lunchu już dawno minęła, więc pojechałem do najbliższego miasta, czyli oddalonego o jakieś dziesięć kilometrów Mount Carmel. Po Centralii przeżyłem tam pewne zaskoczenie — normalne, sympatycznie staroświeckie miasteczko, na ulicach samochody, na chodnikach ludzie, którzy robią zakupy albo coś załatwiają. Zjadłem lunch w Academy Luncheonette Sporting Goods Store (chyba jedyne miejsce w Ameryce, gdzie można zjeść kanapkę z tuńczykiem, przyglądając się asortymentowi ochraniaczy na genitalia) i zamierzałem podjąć poszukiwania Appalachian Trail, ale po drodze do samochodu natrafiłem na bibliotekę publiczną i odruchowo zajrzałem do środka, żeby spytać, czy mają jakieś informacje o Centralii.

Mieli trzy grube teczki pękające od wycinków z gazet i czasopism, większość z okresu 1979–1981, kiedy Centralia na krótko przykuła uwagę narodu, zwłaszcza po tym, jak wspomniany przeze mnie chłopiec, Todd Dombowski, o mało nie został pochłonięty przez ziemię w ogródku swojej babci.

Mieli też zapudełkowaną historię Centralii, wydaną z okazji setnej rocznicy istnienia miasta tuż przed wybuchem pożaru, co z dzisiejszej perspektywy jest dosyć przejmujące. Książka była bogato ilustrowana, zdjęcia ukazywały tętniące życiem miasteczko nie różniące się wiele od tego, które roztaczało się za drzwiami biblioteki, tyle że zostało uchwycone trzydzieści kilka lat wcześniej. Zdążyłem już zapomnieć, jak bardzo odległe stały się lata sześćdziesiąte. Wszyscy mężczyźni na fotografiach nosili kapelusze, a kobiety i dziewczyny szerokie spódnice. Ludzie żyli sobie beztrosko, bo nikt oczywiście nie przeczuwał, że jego ładne, anonimowe miasteczko jest skazane na zagładę. Miałem kłopoty z powiązaniem widocznej na fotografiach miejscowości z pustą przestrzenią, którą dopiero co oglądałem.

Kiedy wkładałem wycinki z powrotem do teczek, jeden z nich sfrunął na podłogę. Był to artykuł z „Newsweeka". Ktoś podkreślił krótki akapit pod koniec tekstu i postawił na marginesie trzy wykrzykniki. Była to wypowiedź pracownika Urzędu Górniczego, który stwierdził, że jeżeli pożar będzie płonął w dotychczasowym tempie, to węgla pod Centralią starczy na tysiąc lat.

Tak się złożyło, że parę kilometrów od Centralii znajdowało się kolejne niezwykłe pasmo zniszczenia, o którym słyszałem i które koniecznie musiałem zobaczyć — zbocze góry w dolinie Lehigh tak gruntownie zanieczyszczone przez ścieki z huty cynku, że absolutnie nic na nim nie rosło. Usłyszałem o tym od Johna Connolly'ego, który mi powiedział, że góra znajduje się niedaleko od Palmerton. Pojechałem tam następnego dnia rano. Palmerton to spore miasto, czarne od sadzy i uprzemysłowione, ale trzymające fason — dwa dostojne gmachy z przełomu dziewiętnastego i dwudziestego wieku i gustowny rynek przydawały mu powagi, a po dzielnicy biznesowej widać było wprawdzie oznaki kryzysu, ale kurczowo trzymała się życia. W tle dominowały wielkie fabryki, które przypominały więzienia i wszystkie były nieczynne. Na jednym z końców miasta dostrzegłem to, co mnie tutaj sprowadziło — strome, szerokie wzniesienie, wysokie na jakieś 450 metrów i długie na kilka kilometrów, prawie całkowicie pozbawione roślinności. Przy drodze był parking, a sto metrów dalej jakaś fabryka. Zajechałem na parking, wysiadłem i wytrzeszczyłem oczy — był to naprawdę porażający widok.

Z budki strażniczej wyszedł grubas w mundurze i poczłapał w moją stronę z groźną miną służbisty.

— Czego pan tu szuka, do cholery? — warknął.

— Słucham? — odparłem zaskoczony, a potem wyjaśniłem: — Patrzę na tę górę.

— Nie wolno.

— Nie wolno patrzeć na górę?

— W każdym razie nie stąd. To jest teren prywatny.

— Przepraszam, nie wiedziałem.

— To jest teren prywatny, jak można przeczytać na tej tablicy. — Pokazał na słup, na którym nie wisiała żadna tablica, co mnie jeszcze bardziej skonsternowało. — To jest teren prywatny — powiedział po raz trzeci.

— Przepraszam, nie wiedziałem — powtórzyłem. Wciąż do mnie nie docierało, jak poważnie ten człowiek traktuje swoje obowiązki. Nadal podziwiałem górę. — Niesamowity widok, prawda?

— Co?

— Ta góra. Ani jednej roślinki.

— Ja tam nie wiem. Nie płacą mi za oglądanie góry.

— Powinien pan kiedyś popatrzeć. Myślę, że byłby pan zaskoczony. Czy to jest huta cynku? — spytałem, kiwając głową w stronę kompleksu budynków nad jego lewym ramieniem.

Spojrzał na mnie podejrzliwie.

— Po co to panu wiedzieć?

Odwzajemniłem jego spojrzenie.

— Skończył mi się cynk — wyjaśniłem.

Skrzywił się, jakby chciał powiedzieć: „Jajcarz się znalazł", a potem nagle rzucił stanowczym tonem:

— Chyba będzie lepiej, jak pana spiszę.

Z pewnym trudem wyjął z tylnej kieszeni notes i ogryzek ołówka.

— Niby dlatego, że zapytałem pana, czy to jest huta cynku?

— Dlatego, że wszedł pan na teren prywatny.

— Nie wiedziałem, że to jest teren prywatny. Nie macie nawet znaku.

Trzymał ołówek w gotowości.

— Nazwisko?

— Niech pan nie będzie śmieszny.

— Wjechał pan na teren prywatny, sir. Poda mi pan swoje nazwisko?

— Nie.

Przez jakiś czas przekomarzaliśmy się w tym stylu, po czym ochroniarz pokręcił z żalem głową i powiedział:

— Jak pan sobie życzy.

Wyjął z kieszeni jakieś urządzenie radiowe, wyciągnął antenę i nacisnął przycisk. Za późno sobie uświadomiłem, że na przekór jego zrezygnowanej minie była to chwila, o której marzył, całymi godzinami siedząc w swojej szklanej budce.

— J.D.? — powiedział do krótkofalówki. — Mówi Luther. Masz blokadę? Złapałem intruza na Parceli A.

— Co pan robi?

— Rekwiruję pański pojazd.

— Niech pan nie będzie śmieszny. Zjechałem tylko na chwilę z drogi. W porządku, już odjeżdżam.

Wsiadłem do samochodu, włączyłem silnik i zacząłem ruszać, ale zastawił mi drogę. Wychyliłem się przez okno.

— Przepraszam — zawołałem, ale nie ruszył się z miejsca. Stał plecami do mnie ze skrzyżowanymi ramionami i ostentacyjnie nie zwracał na mnie uwagi. Zatrąbiłem niegłośno, ale nie drgnął ani o centymetr. Jeszcze raz wystawiłem głowę przez okno i powiedziałem: — Dobra, powiem panu, jak się nazywam, skoro to jest konieczne.

— Za późno.

— Do jasnej cholery — mruknąłem pod nosem, a potem zaskomlałem przez okno: — Bardzo pana proszę. Niech pan da spokój, bardzo pana proszę. — On jednak podjął już ostateczną decyzję i nie miał zamiaru zbaczać z raz obranej drogi. — Czy w ogłoszeniu o pracę napisali, że szukają idioty, czy dopiero później poszedł pan na kurs?

Potem dorzuciłem jeszcze bardzo brzydkie słowo, schowałem głowę i siedziałem wkurzony.

Pół minuty później podjechał samochód i wysiadł z niego mężczyzna w okularach przeciwsłonecznych. Miał na sobie taki sam mundur, ale był o kilkanaście lat młodszy i dużo szczuplejszy. Zachowywał się jak sierżant szkolący z musztry.

— Jakiś problem? — zapytał, przerzucając między nami spojrzenie.

— Może mógłby mi pan pomóc — powiedziałem przymilnym tonem. — Szukam Appalachian Trail. Ten pan mi mówi, że wjechałem na teren prywatny.

— On patrzył na górę, J.D. — zaprotestował grubas rozgorączkowanym tonem, ale J.D. uciszył go ruchem dłoni.

— Pan chodzi po górach?

— Tak, sir. — Pokazałem na plecak, który leżał na tylnym siedzeniu. — Chciałem tylko zapytać o drogę i zanim się obejrzałem — prychnąłem skonsternowanym śmiechem — ten pan mi mówi, że jestem na terenie prywatnym i że konfiskuje mój samochód.

— J.D., ten człowiek patrzył na górę i zadawał pytania.

J.D. znowu jednak uspokoił go ruchem dłoni.

— Dokąd się pan wybiera?

Powiedziałem mu. Skinął głową.

— W takim razie musi pan pojechać jakieś sześć kilometrów do Little Gap i skręcić w prawo na Danielsville. Na szczycie góry szlak przecina drogę. Nie da się nie zauważyć.

— Dziękuję panu bardzo.

— Nie ma za co. Przyjemnej wędrówki.

Podziękowałem mu jeszcze raz i odjechałem. Z satysfakcją zauważyłem w lusterku wstecznym, że spokojnie, ale stanowczo karci Luthera — miałem wielką nadzieję, że grozi mu odebraniem krótkofalówki.

Droga stromo prowadziła na przełęcz, na której był nieutwardzony parking. Zaparkowałem samochód i znalazłem szlak, który przebiegał odsłoniętym grzbietem pośród niewyobrażalnie zdewastowanego terenu. Na wiele kilometrów w obie strony ciągnęło się pustkowie urozmaicone tylko rachitycznymi pniami uschniętych drzew, w większości wywróconych. Przypominało to pole bitewne pierwszej wojny światowej po ciężkim ostrzale artyleryjskim. Ziemia była przysypana ziarnistym czarnym kurzem, który wyglądał jak opiłki żelaza.

Szło się wyjątkowo łatwo — grzbiet był prawie płaski — a brak roślinności oznaczał bezkresne widoki. Wszystkie inne góry w moim polu widzenia, łącznie ze wznoszącą się po drugiej stronie wąskiej doliny, wyglądały na zdrowe, jeśli pominąć liczne wyrwy i dziury po kamieniołomach i kopalniach odkrywkowych. Po ponad godzinie marszu dotarłem do niespodziewanego, absurdalnie stromego zejścia na Lehigh Gap — 300 metrów różnicy wysokości. Ucieszyłem się, że nie muszę tamtędy schodzić, a tym bardziej wchodzić, i wróciłem do samochodu.

Na parking dotarłem tuż przed czwartą. W praktyce oznaczało to dla mnie fajrant. Przejechałem 560 kilometrów, żeby dostać się do Pensylwanii, spędziłem w tym stanie cztery długie dni i przeszedłem zaledwie siedemnaście kilometrów Appalachian Trail. Poprzysiągłem sobie, że już nigdy nie będę wędrował szlakiem z wykorzystaniem samochodu.

Z drugiej strony odczuwałem głęboką satysfakcję z faktu, że wpędziłem w tarapaty pewnego grubasa imieniem Luther. Zdarzały mi się mniej udane wyprawy.

Miliony lat temu Appalachy dorównywały wielkością i majestatem Himalajom — strzeliste, ośnieżone, przebijające się przez chmury na zawrotną wysokość sześciu kilometrów i więcej. Mount Washington w New Hampshire nadal prezentuje się okazale, ale ta kamienna bryła, która wznosi się dzisiaj ponad lasami Nowej Anglii, stanowi najwyżej jedną trzecią tego, co 10 000 000 lat temu.

Appalachy wyglądają dzisiaj o wiele skromniej, ponieważ miały mnóstwo czasu na erozję. Są to bardzo stare góry — starsze od oceanów i kontynentów i nieporównanie starsze od większości innych łańcuchów górskich. Kiedy proste formy roślinne skolonizowały ziemię, a z mórz wypełzły pierwsze zwierzęta, Appalachy już na nie czekały. Należą one do najstarszych elementów krajobrazu Ziemi.

Ponad miliard lat temu kontynenty na naszej planecie tworzyły jedną całość zwaną Pangea, otoczoną przez

„wszechocean" Panthalassa. Potem jakieś niewyjaśnione wstrząsy płaszcza Ziemi spowodowały, że prakontynent zaczął pękać i rozpadł się na wielkie asymetryczne kawały. Od czasu do czasu — co najmniej trzy razy — kontynenty organizowały sobie coś w rodzaju spotkania klasowego, czyli przypływały w jedno miejsce i zderzały się ze sobą powoli, ale potężnie. Podczas trzeciej z tych kolizji, która zaczęła się około 470 000 000 lat temu, wypiętrzyły się Appalachy (jak zmarszczony dywan, by posłużyć się wyświechtaną analogią). 470 000 000 lat to liczba trudna do ogarnięcia. Spróbujcie sobie wyobrazić, że lecicie wstecz w czasie z prędkością jeden rok na sekundę. Pokonanie takiego dystansu czasowego zajęłoby wam około szesnastu lat. Powiedziałbym, że to dosyć długo.

Kontynenty nie spotykały się z sobą i rozchodziły w ramach jakiegoś wielkiego kontredansu w zwolnionym tempie, tylko kręciły się w kółko, zmieniały kierunek, jeździły na wycieczki w tropiki i na bieguny, zawierały przyjaźnie z mniejszymi masami lądowymi i zabierały je z sobą. Floryda należała kiedyś do Afryki. Geologicznie rzecz biorąc, róg Staten Island jest częścią Europy. Wybrzeże Oceanu Atlantyckiego od Nowej Anglii po Kanadę najprawdopodobniej ukształtowało się w Maroku. Na niektórych obszarach Grenlandii, Irlandii, Szkocji i Skandynawii występują te same skały, co na wschodzie Stanów Zjednoczonych — są to w istocie oderwane przyczółki Appalachów. Niektórzy naukowcy sugerują nawet, że do appalaskiej rodziny należą góry Shackleton Range na Antarktydzie.

Appalachy powstawały w trzech długich fazach, zwanych przez geologów orogenezami: takońskiej, akadyjskiej i allegheńskiej. W pewnym uproszczeniu można powiedzieć, że w pierwszych dwóch fazach ukształtowały się północne

Appalachy, a w trzeciej środkowe i południowe. Kiedy kontynenty stukały i ocierały się o siebie, od czasu do czasu jedna płyta kontynentalna nasuwała się na drugą, pchając przed sobą dno oceanu i gruntownie przerabiając krajobraz na obszarze kilkuset kilometrów w głąb lądu. Zdarzało się również, że jedna płyta wchodziła pod drugą, wywołując wstrząsy płaszcza ziemskiego, co dawało początek długim okresom aktywności wulkanicznej i sejsmicznej. Czasem warstwy skalne wślizgiwały się między siebie jak karty podczas tasowania.

Rodzi się pokusa, żeby wyobrazić sobie ten proces jako zderzenie gigantycznych samochodów, ale oczywiście działo się to z prędkością niedostrzegalną dla oka. Ocean Protoatlantycki (czasami bardziej romantycznie zwany Japetus), który wypełnił przestrzeń między kontynentami podczas jednego z wczesnych pęknięć, na ilustracjach w większości podręczników wygląda jak efemeryczna kałuża — na rysunku 9A jest, a na rysunku 9B już go nie ma, tak jakby na jeden dzień wzeszło słońce i go wysuszyło — a przecież istniał setki milionów lat dłużej niż nasz Ocean Atlantycki. Tak samo było z formowaniem się gór. Gdybyśmy cofnęli się w przeszłość do okresu, w którym powstawały Appalachy, nie mielibyśmy świadomości, że dzieją się jakieś wielkie geologiczne przemiany, tak samo jak dzisiaj nie czujemy, że Indie wciskają się w Azję jak ciężarówka z zepsutymi hamulcami w zaspę śnieżną, zwiększając wysokość Himalajów o milimetr rocznie.

Jak tylko góry się wypiętrzyły, natychmiast zaczęły erodować. Chociaż sprawiają wrażenie wiecznotrwałych, są wyjątkowo ulotnymi elementami krajobrazu. W swojej książce *Meditations at 10 000 feet* pisarz i geolog James Trefil oblicza, że przeciętny górski strumień w ciągu jednego roku zabiera z sobą 28 metrów sześciennych gór, przede wszystkim w formie ziarenek piasku i innych cząstek zawieszonych. Odpowiada to ładowności typowej wywrotki — nie jest to zbyt wiele. Wyobraźmy sobie, że raz do roku u podnóża góry staje wywrotka, zabiera dwadzieścia osiem kubików materiału i odjeżdża, żeby wrócić dopiero po dwunastu miesiącach. Wydaje się niemożliwe, żeby w takim tempie wywieźć całą górę, ale jest to tylko kwestia czasu. Załóżmy, że góra ma 1500 metrów wysokości i 14 miliardów metrów sześciennych masy skalnej, co z grubsza odpowiada rozmiarom Mount Washington. Jeden górski strumień zniwelowałoby ją w mniej więcej 500 000 000 lat.

Oczywiście z większości wierzchołków górskich spływa kilka strumieni, a ponadto góry są narażone na działanie całego szeregu innych czynników erozyjnych, od kwaśnych wydzielin porostów — w śladowych ilościach, ale znowu daje o sobie znać efekt skali czasowej — po szorujące działanie lądolodu, toteż większość gór znika znacznie szybciej — powiedzmy w 200 000 000 lat. Obecnie Appalachy kurczą się przeciętnie o 0,03 milimetra rocznie. Przechodziły przez ten cykl co najmniej dwa razy — wyrastały na imponującą wysokość, a potem ścierały się na płasko, przy czym ich składniki geologiczne ulegały podczas tych procesów niezwykle zawikłanym przemianom.

Szczegółowy przebieg tych procesów jest wyłącznie hipotetyczny. Niewiele kwestii z tej dziedziny nie budzi żadnych kontrowersji. Niektórzy naukowcy sądzą, że Appalachy miały czwarty, wcześniejszy epizod górotwórczy, zwany orogenezą grenwilską i że mogło ich być jeszcze więcej. Z kolei Pangea mogła się rozpadać i ponownie scalać nie trzy, tylko kilkanaście albo nawet kilkadziesiąt razy. Na domiar złego w teorii pojawiają się luki. Przede wszystkim dysponujemy bardzo skąpymi bezpośrednimi dowodami na zderzenia kontynentów, co wydaje się dziwne, a nawet niewytłumaczalne, jeśli przyjmiemy, że co najmniej trzy kontynenty ocierały się o siebie z gigantyczną siłą przez co najmniej 150 000 000 lat. Powinien być strup, warstwa tkanki bliznowatej ciągnąca się wzdłuż Wschodniego Wybrzeża Stanów Zjednoczonych. Niczego takiego nie widać.

Nie jestem geologiem. Pokażcie mi nietypowy kawałek szarogłazu albo piękny odłamek gabro, a przyjrzę się mu z respektem i grzecznie wysłucham wszystkiego, co mi opowiecie na temat tej skały, ale nic mi to nie powie. Jeśli mi wyjaśnicie, że kiedyś był to szlam na dnie morza, który na skutek jakiegoś niesamowitego i długotrwałego procesu był wciskany głęboko w ziemię, spiekany i zgniatany przez miliony lat, a potem wyskoczył na powierzchnię, co tłumaczy, skąd się wzięły przepiękne prążki, szkliste kryształy i łuszczący się biotyt, ja zakrzyknę z podziwem: „Ja cię kręcę! Coś niezwykłego!", ale będzie to dla mnie czarna magia.

Sporadycznie jednak jest mi dane zajrzeć za kulisy cudownego świata geologii. Do takich miejsc należy Delaware Water Gap. Nad spokojnie toczącą swoje wody rzeką Delaware wznosi się tam Kittatinny Mountain, czterystumetrowy skalny mur zbudowany z wytrzymałego kwarcytu, który został odsłonięty, kiedy podczas swojej powolnej, ale nieustępliwej wędrówki do morza rzeka przebiła sobie przejście przez bardziej miękką skałę. Dzięki temu otrzymaliśmy przekrój góry, a czegoś takiego nie widuje się na co dzień — o ile mi wiadomo, nie można tego zobaczyć na żadnym innym odcinku Appalachian Trail. To zjawisko jest tym bardziej imponujące, że długie pasy odsłoniętego kwarcytu wyginają się pod tak dziwnym kątem — około czterdziestu pięciu stopni — że nawet człowiek zupełnie pozbawiony wyobraźni zrozumie, iż wydarzyło się tutaj coś wielkiego w sensie geologicznym.

Widok jest przepiękny. Sto lat temu porównywano tę okolicę do Renu, a nawet do Alp, w czym dostrzegam pewną przesadę. Artysta George Innes namalował słynny obraz zatytułowany *Delaware Water Gap*. Rzeka snuje się leniwie między łąkami, polami, drzewami i gospodarstwami rolnymi. W tle wznoszą się utrzymane w jesiennej kolorystyce góry z wcięciem w kształcie litery V, przez które przepływa rzeka. Wygląda to jak krajobraz Yorkshire albo Kumbrii przeszczepiony na kontynent amerykański. W latach pięćdziesiątych dziewiętnastego wieku nad brzegiem Delaware zbudowano luksusowy hotel z 250 pokojami, który tak świetnie prosperował, że wkrótce zaczęły powstawać kolejne. Przez jedno pokolenie po wojnie domowej Delaware Water Gap było ulubionym miejscem urlopowym dla ludzi z towarzystwa. Potem, jak to zwykle bywa, moda się zmieniła i przyszła kolej na Góry Białe, Niagara Falls, Catskills i wreszcie na parki rozrywki Disneya. Teraz prawie nikt nie przyjeżdża w tę okolicę na dłużej. Całkiem sporo ludzi zatrzymuje się na poboczu, z zachwytem rzuca okiem, wsiada do samochodu i odjeżdża.

Niestety dzisiaj trzeba się mocno wysilić, żeby uzyskać jakieś wyobrażenie o spokojnym pięknie, które przyciągnęło tutaj Innesa. Delaware Water Gap jest nie tylko jedyną atrakcją wschodniej Pensylwanii, którą można nazwać spektakularną, ale również jedyną przejezdną samochodem przełęczą w okolicy Poconos. Skutkiem tego przebiega tędy całe mnóstwo dróg stanowych i lokalnych, linia kolejowa i autostrada międzystanowa z długim, rozpaczliwie nieciekawym betonowym wiaduktem, po którym ciągnie się strumień ciężarówek i aut kursujących pomiędzy Pensylwanią i New Jersey. Jak sugestywnie napisał John McPhee w książce *In Suspect Terrain*, wszystko to kojarzy się „z rurkami podłączonymi do pacjenta na intensywnej terapii".

Mimo tego wszystkiego Kittatinny Mountain, górująca nad rzeką od strony New Jersey, prezentuje widok, od którego nie można oderwać wzroku i każdy, kto na nią spojrzy, odczuwa pokusę, żeby na nią wejść i rozejrzeć się dokoła (a w każdym razie ja odczuwałem tamtego dnia). Zaparkowałem samochód koło punktu informacyjnego u podnóża góry i zagłębiłem się w zapraszająco zielonym lesie. Pogoda była piękna — rześko i chłodno, ale słońce i nieruchawe powietrze obiecywały, że koło południa będzie dużo cieplej — i dotarłem tam dostatecznie wcześnie, żeby wybrać się na całodniową wycieczkę. Z zadowoleniem stwierdziłem, że moje nogi aż się wyrywają na tę wyprawę. Znalazłem się na skraju pięknego, kilkusethektarowego lasu, którym wspólnie zarządzały Worthington State Forest i Delaware Water Gap National Recreation Area. Ścieżka jest dobrze utrzymana i odpowiednio stroma, aby mieć poczucie zdrowego wysiłku, a nie obsesyjnego wyrypu.

Dodatkowym plusem był fakt, że miałem doskonałe mapy. W sferze kartograficznej znalazłem się w troskliwych rękach New York – New Jersey Trail Conference, której mapy są bardzo szczegółowe i czterokolorowe. Kolor zielony oznacza las, niebieski wodę, czerwony szlaki, a napisy zrobiono na czarno. Oznaczenia są czytelne, skala rozsądna (1:36 000). Na mapach zaznaczono wszystkie drogi i szlaki łącznikowe. Autorzy map najwyraźniej chcą, żeby użytkownik wiedział, gdzie się znajduje, i czerpał przyjemność z tej wiedzy.

Nie potrafię opisać, jaką sprawiało mi satysfakcję, że mogę powiedzieć: „A, Dunnfield Creek! Czyli ta wyspa na dole to będzie Shawnee!". Gdyby wszystkie mapy AT były chociaż w przybliżeniu takie dobre, całe to przedsięwzięcie sprawiłoby mi więcej radości — powiedzmy o dwadzieścia pięć procent więcej. Uświadomiłem sobie, że moja wcześniejsza bezmyślna obojętność na otaczający mnie świat w znacznym stopniu wynikała z faktu, że nie wiedziałem (bo nie miałem skąd wiedzieć), gdzie jestem. Teraz nareszcie mogłem się zorientować w swoim położeniu, zaplanować drogę i nawiązać kontakt ze stale się zmieniającym, ale poznawalnym krajobrazem.

Przemaszerowałem więc osiem niezwykle przyjemnych kilometrów z Kittatinny do Sunfish Pond, urodziwego, otoczonego lasem jeziorka o powierzchni szesnastu hektarów. Po drodze spotkałem zaledwie dwie osoby — jednodniowych wycieczkowiczów — i znowu pomyślałem, jak wielką przesadą jest twierdzenie o nadmiernym zatłoczeniu Appalachian Trail. Około 30 000 000 ludzi mieszka o nie więcej niż godzinę drogi od Water Gap — Nowy Jork leży o 110 kilometrów na wschód, Filadelfia trochę dalej na południe — i był przepiękny letni dzień, a mimo to cały ten majestatyczny las należał do naszej trójki.

Dla turystów idących z południa Sunfish Pond jest prawdziwą nowością, ponieważ podczas dotychczasowej wędrówki nie mieli możliwości zobaczyć akwenu wodnego na szczycie góry. Jest to dla nich pierwszy napotkany wytwór polodowcowy: mniej więcej tutaj dotarła pokrywa lodowcowa podczas ostatniego glacjału. Na terenie New Jersey lądolód zapuścił się około piętnastu kilometrów na południe od Water Gap i mimo że klimat nie pozwolił mu pełzać dalej, miał co najmniej 600 metrów grubości.

Wyobraźcie sobie kilkusetmetrową ścianę lodu, a za nią tysiące kilometrów lodu, z którego sporadycznie wystają najwyższe góry. Ależ to musiał być widok! Co ciekawe, nadal żyjemy w epoce lodowcowej, ale doświadczamy tego tylko przez część roku. Śnieg, lód i mróz nie są typowe dla naszej planety.

W długiej perspektywie czasowej Antarktyda jest dżunglą, w której na jakiś czas się ochłodziło. W szczytowym okresie ostatniego zlodowacenia, około 20 000 lat temu, 30 procent powierzchni Ziemi znajdowało się pod lodem. Dzisiaj jest to 10 procent.

W ciągu ostatnich 2 000 000 lat było co najmniej kilkanaście epok lodowcowych, z których każda trwała z grubsza 100 000 lat. Procesy te porażają swoją skalą. Podczas ostatniego epizodu tak zwany lądolód Wisconsin obejmował znaczną część Europy i Ameryki Północnej, osiągał ponad trzy kilometry grubości i przesuwał się z prędkością do 120 metrów rocznie. Potem, 10 000 lat temu, pokrywa lodowa zaczęła nagle topnieć i cofać się, może nie z dnia na dzień, ale prawie. Zostawiła po sobie całkowicie przeobrażony krajobraz. Tam, gdzie wcześniej było morze, wyrzuciła Long Island, Cape Cod, Nantucket i większość Martha's Vineyard, a także wydłubała w ziemi między innymi Wielkie Jeziora, Zatokę Hudsona i mały Sunfish Pond. Każdy metr kwadratowy krajobrazu na północ stąd nosił na sobie wyrwy, blizny i inne wytwory polodowcowe — głazy narzutowe, drumliny, ozy, doliny w kształcie litery V, stawy górskie. Wkraczałem do nowego świata.

O zlodowaceniach, których w dziejach Ziemi było wiele, wiemy bardzo mało — nie mamy pewności, dlaczego przyszły, dlaczego się zakończyły, kiedy mogą powrócić. Jedna teoria, która jest interesująca w kontekście naszych dzisiejszych zmartwień o globalne ocieplenie, mówi, że zlodowacenia były spowodowane przez wzrost, a nie spadek temperatury. Cieplejsza pogoda oznaczała wzrost opadów, a tym samym wzrost grubości pokrywy chmur, co sprawiało, że na większych wysokościach śnieg wolniej topniał. Nie potrzeba wielu lat złej pogody, żeby przyszła epoka lodowcowa. Jak zauważa Gwen Schultz w książce *Ice Age Lost*, „o powstawaniu pokryw lodowych nie przesądza wyłącznie ilość śniegu, ale również fakt, że śnieg, niezależnie od ilości, długo zalega". Pod względem intensywności opadów Antarktyda „jest najbardziej suchym miejscem na Ziemi, bardziej suchym od wszystkich dużych pustyń".

Oto jeszcze jedna interesująca sprawa: gdyby dzisiaj znowu zaczęły się formować lądolody, miałyby do dyspozycji znacznie więcej wody — Zatoka Hudsona, Wielkie Jeziora i setki tysięcy jezior w Kanadzie, które nie istniały za czasów ostatniej pokrywy lodowej — więc przyrastałyby znacznie szybciej. Co byśmy zrobili, gdyby znowu zaczęły wędrować na południe? Rozwalalibyśmy je trotylem albo głowicami jądrowymi? Być może, ale należy uwzględnić następującą okoliczność. W 1964 roku największe trzęsienie ziemi zarejestrowane w Ameryce Północnej wstrząsnęło Alaską z siłą 200 000 megaton, co odpowiada 2000 bomb jądrowych. W oddalonym o 5000 kilometrów Teksasie woda wylewała się z basenów. Jedna z ulic w Anchorage zapadła się na głębokość sześciu metrów. Kataklizm ten zniszczył 60 000 kilometrów kwadratowych dzikiej przyrody, w znacznej części pokrytej lodem. Jaki to miało wpływ na alaskańskie lodowce? Żaden.

Za jeziorkiem od głównego szlaku odchodził Garvey Springs Trail, prowadzący bardzo stromo do starej szosy nad rzeką, poniżej Tocks Island. Tą biegnącą szerokim łukiem drogą mogłem dojść do biura informacji turystycznej, przed którym zostawiłem samochód. Miałem do przejścia ponad sześć kilometrów i robiło się ciepło, ale droga była ocieniona i mało uczęszczana — w ciągu godziny przejechały obok mnie zaledwie trzy samochody — miałem więc przyjemny spacer, z widokami na zarośnięte łąki po drugiej stronie rzeki. Według amerykańskich kryteriów Delaware nie jest szczególnie imponującą drogą wodną, ale ma jedną cechę wyróżniającą: należy do ostatnich dużych rzek w Stanach Zjednoczonych, których nie uregulowano. Może się to wydawać bezcenne — rzeka, która płynie tak, jak zaplanowała natura. Niestety, nieuregulowana Delaware często wylewa. Powódź z 1955 roku do dzisiaj jest pamiętana jako „wielka". W sierpniu tego roku — paradoksalnie podczas najgorszej suszy od wielu dziesięcioleci — w Karolinę Północną jeden po drugim uderzyły dwa huragany, które spowodowały zawirowania pogodowe na całym wschodnim wybrzeżu. Pierwszy z nich w dwa dni zrzucił do doliny rzeki Delaware dwadzieścia pięć centymetrów deszczu. Sześć dni później dolina musiała przyjąć kolejne dwadzieścia pięć centymetrów w niecałą dobę. W ośrodku wypoczynkowym Camp Davis czterdzieści sześć osób, w większości kobiet i dzieci, schroniło się przed wodami powodziowymi w głównym budynku kompleksu. Kiedy woda się podniosła, weszli na pierwsze piętro, a potem na poddasze, ale nic to nie dało. W nocy przez dolinę przetoczyła się sześciometrowa fala powodziowa, która porwała ze sobą cały budynek. Trudno w to uwierzyć, ale dziewięć osób przeżyło.

W innych miejscach woda pozrywała mosty i zalała nadrzeczne miasteczka. W ciągu jednego dnia poziom rzeki podniósł się o trzynaście metrów. Zanim wody opadły, 400 osób poniosło śmierć, a cała dolina Delaware była zdewastowana.

Do akcji wkroczył Wojskowy Korpus Inżynieryjny z planem budowy tamy na wysokości Tocks Island, niedaleko miejsca, w którym się teraz znajdowałem. Zapora miała nie tylko poskromić rzekę, ale również pozwolić na stworzenie nowego parku narodowego wokół zalewu o długości ponad sześćdziesięciu kilometrów. Wysiedlono 8000 mieszkańców. Operację tę przeprowadzono bardzo nieprofesjonalnie. Jedna z eksmitowanych osób była niewidoma. Od niektórych rolników wykupiono tylko część posesji, toteż zostali z polami bez domu albo z domem bez pól. Pewną kobietę, której rodzina uprawiała tutaj ziemię od osiemnastego wieku, wyniesiono z domu wierzgającą i wyjącą, ku uciesze fotoreporterów i kamerzystów telewizyjnych.

Obiekty zbudowane przez Wojskowy Korpus Inżynieryjny są znane ze swojej kiepskiej jakości. Zapora na Missouri w Nebrasce tak bardzo się zamuliła, że w miejscowości Niobrara z kanalizacji zaczęła wyciekać cuchnąca maź, co skończyło się całkowitą ewakuacją miasteczka. Potem pękła zapora w Idaho. Na szczęście stała na słabo zaludnionym obszarze i udało się z niewielkim wyprzedzeniem ostrzec mieszkańców o nadchodzącej katastrofie. Mimo to kilka małych miasteczek porwała woda, a jedenaście osób straciło życie. To były jednak relatywnie małe zapory. Tocks Dam miała posłużyć za ścianę jednemu z największych sztucznych zbiorników na świecie, z sześćdziesięcioma pięcioma kilometrami napierającej wody. Poniżej znajdują się cztery spore miasta — Trenton, Camden, Wilmington i Filadelfia — i dziesiątki mniejszych. Katastrofa na Delaware usunęłaby tamte wcześniejsze w cień.

Mimo to niezwykle sprawny Wojskowy Korpus Inżynieryjny planował zatrzymać 950 milionów metrów sześciennych wody za pomocą gliny morenowej, która słynie ze swojej niestabilności. Dochodziły do tego rozmaite zagrożenia ekologiczne, takie jak drastyczny wzrost zasolenia wody poniżej zapory, który doprowadziłby do dewastacji środowiska rzecznego, w tym także do zniszczenia hodowli ostryg w zatoce Delaware.

W 1992 roku, po wielu latach narastających protestów, które wyszły poza dolinę Delaware, z projektu zrezygnowano, ale wcześniej całe wioski i gospodarstwa zostały zrównane z ziemią. Spokojna, zaciszna, przepiękna rolnicza dolina, która przez ostatnie 200 lat niewiele się zmieniła, została na zawsze utracona. „Do pozytywnych skutków [odwołanego] projektu — można przeczytać w *Appalachian Trail Guide to New York and New Jersey* — należy fakt, że ziemia wykupiona przez rząd federalny na potrzeby narodowego parku rekreacyjnego zapewniła szlakowi korytarz ochronny".

Szczerze mówiąc, zaczynałem mieć dosyć takich tekstów. Wiem, że Appalachian Trail ma za zadanie umożliwiać kontakt z dziewiczą przyrodą i w wielu miejscach byłoby zbrodnią ingerować w nią, ale czasem, na przykład tutaj, ATC patologicznie reaguje na obecność cywilizacji. Osobiście byłbym zadowolony, gdybym mijał wioski i farmy, zamiast maszerować przez jakiś milczący „korytarz ochronny".

Niewątpliwie wiąże się to z historycznym impulsem do oswajania i eksploatowania dzikiej przyrody, ale amerykański stosunek do natury wydaje mi się pod każdym względem dziwny. Nie mogłem się powstrzymać od porównania moich obecnych przygód do doświadczeń sprzed kilku lat w Luksemburgu, gdzie chodziłem szlakami turystycznymi z moim synem, żeby zebrać materiały do reportażu dla jednego z czasopism. Niewiele osób zdaje sobie sprawę, że Luksemburg jest świetnym miejscem dla turystów pieszych. Jest tam mnóstwo lasów, ale również zamki, gospodarstwa rolne, malownicze miasteczka i kręte doliny rzeczne — cały europejski pakiet, że się tak wyrażę. Przemierzane przez nas szlaki w dużym stopniu prowadziły przez las, ale od czasu do czasu wiodły asfaltowymi bocznymi drogami, przez pola i wioski. Każdego dnia mieliśmy możliwość pójść do piekarni albo na pocztę, usłyszeć brzęk dzwonków w sklepie i podsłuchać rozmowy, z których nie rozumieliśmy ani słowa. Zawsze nocowaliśmy w pensjonacie i jedliśmy kolację w restauracji z innymi ludźmi. Poznaliśmy cały Luksemburg, nie tylko jego drzewa. Było to wspaniałe, właśnie dlatego, że wszystko podano nam w doskonale zintegrowanym pakiecie.

Niestety w Ameryce piękno przyrody jest czymś, do czego trzeba podjechać samochodem, a samą naturę traktuje się dychotomicznie: człowiek albo bezlitośnie ją sobie podporządkowuje, jak w przypadku zapory Tocks i milionów innych miejsc, albo ją deifikuje, traktuje jako coś świętego, oddalonego i odrębnego, tak jak w przypadku Appalachian Trail. Przedstawicielom którejkolwiek ze stron rzadko przychodzi do głowy, że ludzie i natura mogą z sobą współistnieć z wzajemną korzyścią — na przykład, że ładniejszy most przez rzekę Delaware mógłby uwydatnić piękno otoczenia albo że AT mógłby być ciekawszy i atrakcyjniejszy, gdyby nie przebiegał wyłącznie przez dzicz, gdyby od czasu do czasu celowo mijał pasące się krowy i orane pola.

Zdecydowanie bym wolał przeczytać w przewodniku po AT następujące zdanie: „Dzięki staraniom Conference w dolinie rzeki Delaware przywrócono rolnictwo i tak zmieniono przebieg szlaku, aby przez dwadzieścia pięć kilometrów prowadził brzegiem rzeki, bo powiedzmy sobie szczerze: czasem człowiek ma dosyć drzew".

Spójrzmy jednak na sprawę od pozytywnej strony. Gdyby Wojskowy Korpus Inżynieryjny zrealizował swój idiotyczny pomysł, do samochodu wracałbym teraz wpław i byłem wdzięczny, że przynajmniej tego mi oszczędzono.

Zresztą była już najwyższa pora, żeby wrócić do prawdziwego trekkingu.

W 1983 roku pewien mężczyzna zaklinał się na wszystkie świętości, że idąc przez Berkshire Hills w Massachusetts, niedaleko Appalachian Trail, zobaczył na swojej drodze pumę. Zabrzmiało to trochę niepokojąco, a jednocześnie mało wiarygodnie, ponieważ w północno-wschodnich Stanach Zjednoczonych zwierząt tych nie widziano od 1903 roku, kiedy ostatni osobnik został zastrzelony w stanie Nowy Jork.

Wkrótce z różnych zakątków w Nowej Anglii zaczęły dochodzić informacje, że ktoś widział pumę. Pewien mężczyzna, który jechał boczną drogą w Vermoncie, zobaczył dwa kociątka bawiące się koło szosy. Para turystów widziała matkę z dwójką małych na łące w New Hampshire. W każdym roku pojawiało się kilka takich doniesień, od wiarygodnych świadków. W zimie 1994 roku pewien farmer w Vermoncie szedł zanieść ziarno do karmnika dla ptaków, kiedy jakieś dwadzieścia metrów przed sobą zauważył trzy pumy.

Przez chwilę stał jak skamieniały — zwierzęta te są szybkimi i agresywnymi drapieżnikami, a tutaj trzy osobniki spokojnie mierzyły go wzrokiem — a potem czmychnął do domu i zadzwonił do stanowego urzędu weterynaryjnego. Kiedy weterynarz przybył na miejsce, zwierząt już nie było, ale znalazł świeżą kupę, którą zapakował do woreczka foliowego i wysłał do laboratorium. Tam ustalono, że istotnie są to odchody *Felis concolor*, czyli pumy, zwanej również panterą florydzką, kuguarem i lwem górskim, a w Nowej Anglii także dzikim kotem.

Doniesienia te wzbudziły we mnie żywe zainteresowanie, ponieważ znajdowałem się w pobliżu miejsca, w którym doszło do pierwszego ze wspomnianych powyżej spotkań. Wróciłem na szlak ze świeżymi zapasami energii i nowym planem. Zamierzałem przejść przez całą Nową Anglię, a przynajmniej zaliczyć tyle kilometrów, ile zdążę przed powrotem Katza, z którym byłem umówiony, że za siedem tygodni wyruszymy na szlak Hundred Mile Wilderness w Maine. Na terenie Nowej Anglii Appalachian Trail ma około 1100 kilometrów długości i przebiega przez piękne obszary górskie; jest to jedna trzecia długości całego AT i dostatecznie długi dystans, żebym miał co robić aż do sierpnia. Nakłoniłem moją jak zawsze pomocną drugą połowę, żeby zawiozła mnie do południowo-zachodniego Massachusetts i wysadziła na szlaku koło Stockbridge, skąd wybrałem się na trzydniową wycieczkę przez Berkshires. Tym sposobem w upalny ranek w połowie czerwca w pocie czoła wspinałem się mozolnie na strome, ale niewysokie wzniesienie o nazwie Becket Mountain, otoczony obłokiem meszek, które nic sobie nie robiły z mojego sprayu na owady. Od czasu do czasu poklepywałem się po kieszeni, żeby sprawdzić, czy nóż mi nie wypadł.

Nie spodziewałem się, że spotkam pumę, ale zaledwie dzień wcześniej czytałem w „Boston Globe" artykuł o tym, że pumy — które z całą pewnością nie wymarły — nabrały ostatnio zwyczaju zasadzania się na turystów i joggerów w kalifornijskich lasach i pożerania ich. Ich ofiarą padł nawet pewien biedak, który grillował kiełbaski w ogrodzie za domem, mając na sobie fartuch i śmieszną czapkę. Uznałem to za zły omen.

Absolutnie nie można wykluczyć, że pumy przeżyły w Nowej Anglii, mimo że przez tyle lat nikt ich nie widział. W regionie tym występuje całkiem liczna populacja rysi (trzeba przyznać, że znacznie mniejszych od pum), ale są to zwierzęta tak płochliwe, że nikt by się tego nie domyślił. Wielu strażników leśnych nigdy w życiu nie widziało rysia. W lasach wschodniej Ameryki z pewnością jest wystarczająco dużo miejsca, żeby duże koty mogły tam sobie hasać niezauważone. W samym Massachusetts jest około 100 000 hektarów lasu, z tego 40 000 w Berkshires. Jako że byłem więcej niż obficie zaopatrzony w zapał i makaron, z miejsca, w którym się obecnie znajdowałem, mógłbym prawie bez wychodzenia z lasu dotrzeć aż do oddalonego o 2900 kilometrów Cape Chidley w północnym Quebecu, nad lodowatym Morzem Labradorskim. Z drugiej strony jest raczej mało prawdopodobne, żeby wielkie koty przetrwały w dostatecznie dużej liczbie, aby mogły się rozmnażać na wielu obszarach Nowej Anglii i mimo to przez kilkadziesiąt lat nie zostały zauważone. Wynik analizy laboratoryjnej nie budził jednak wątpliwości. Cokolwiek to było, srało jak puma.

Najbardziej wiarygodne wyjaśnienie brzmiało, że wszystkie zauważone osobniki zostały wypuszczone na wolność przez swoich właścicieli, którzy lekkomyślnie je kupili jako zwierzęta domowe, a potem im się znudziły. Byłby to oczywiście spory pech, gdybym został zmasakrowany przez zwierzę z obrożą przeciwpchelną i kartą zdrowia. Wyobraziłem sobie, że leżę na plecach, jestem konsumowany i czytam tekst na srebrnej zawieszce: „Nazywam się Mr Bojangles. Znalazcę proszę o telefon do Tanii i Gusa na numer 924-4667".

Podobnie jak większość dużych zwierząt — i mnóstwo mniejszych — puma została wytępiona na Wschodnim Wybrzeżu, ponieważ uważano ją za szkodnika. Jeszcze w latach czterdziestych wiele stanów prowadziło szeroko reklamowane „kampanie przeciwko szkodnikom", nierzadko pod nadzorem konserwatorów przyrody. Urząd przyznawał punkty za każdego zabitego drapieżnika, czyli prawie za wszystkie większe ssaki, a także jastrzębie, sowy, zimorodki czy orły. W Wirginii Zachodniej uczelniany rekordzista myśliwski dostawał roczne stypendium. Inne stany dawały odznaczenia i nagrody pieniężne. Przedsięwzięcie to nie zawsze cechowała racjonalność ekonomiczna. W którymś roku Pensylwania wypłaciła 90 000 dolarów na nagrody za zabicie 130 000 sów i jastrzębi, co pomogło ograniczyć ponoszone przez farmerów straty na trzodzie hodowlanej, które według szacunkowych danych w poprzednim roku wyniosły 1875 dolarów. (W końcu niecodziennie się zdarza, żeby sowa porwała krowę).

Jeszcze w 1890 roku stan Nowy Jork wypłacił nagrodę za zabicie 107 pum, ale dziesięć lat później populacja tych zwierząt była już prawie całkowicie wytrzebiona. (Ostatnią dziko żyjącą pumę na wschodzie Stanów Zjednoczonych zabito w latach dwudziestych w Smokey Mountains). W pierwszych latach dwudziestego wieku ze swoich bastionów w Appalachach zniknął również wilk wschodni i karibu, a baribal o mało nie poszedł w ich ślady. Na przełomie stuleci populacja czarnych niedźwiedzi w New Hampshire — dzisiaj jest ich ponad 3000 — spadła do zaledwie pięćdziesięciu.

W lasach Wschodniego Wybrzeża nadal roi się od zwierząt, ale w większości bardzo małych. Ekolog z Uniwersytetu Illinois V.E. Shelford oszacował, że na dwudziestu pięciu kilometrach kwadratowych wschodnioamerykańskiego lasu mieszka średnio 300 000 ssaków — 220 000 myszy i innych małych gryzoni, 63 500 wiewiórek i tamiasów, 470 jeleni, 30 lisów i 5 baribali.

Największymi przegranymi w tym regionie są ptaki śpiewające. Do najistotniejszych należy strata papugi karolińskiej, ślicznego, nieszkodliwego ptaka, który pod względem liczebności prawdopodobnie ustępował tylko wszędobylskiemu gołębiowi wędrownemu (szacuje się, że kiedy do Ameryki przybyli pierwsi osadnicy, mieszkało tam około dziewięciu miliardów gołębi wędrownych — czyli dwa razy więcej niż łączna liczba wszystkich ptaków w dzisiejszej Ameryce). Oba gatunki wytępili myśliwi. Do gołębi strzelano, żeby nakarmić nimi świnie, ale przede wszystkim dla wielkiej radości, jaką dawało uśmiercenie kilku ptaków jednym strzałem na oślep. Na papugi karolińskie polowano dlatego, że wyjadały farmerom owoce i miały kolorowe pióra, które świetnie się nadawały na ozdobę kobiecego kapelusika. W 1914 roku ostatni pozostali przy życiu przedstawiciele obu gatunków zmarli w niewoli w przeciągu kilku tygodni.

Podobny los czekał zachwycającą lasówkę żółtą. O tym rzadkim ptaku krążyły opowieści, że jego śpiew jest najpiękniejszy na świecie. Przez wiele lat nikomu nie udało się go zobaczyć, ale w 1939 roku dwóch łowców ptaków, którzy działali niezależnie od siebie w dwóch różnych miejscach, zobaczyło lasówkę żółtą w odstępie dwóch dni. Obaj ustrzelili ptaki (dobra robota, chłopcy) i wygląda na to, że tyle je widzieliśmy. Należy przypuszczać, że zniknęło wiele innych ptaków, zanim ludzie zdążyli im się porządnie przyjrzeć. John James Audubon namalował trzy ptaki — tyrankę małogłową, gajówkę gazowaną i gajówkę niebieskogórską* — których do tej pory nikt nie widział. To samo dotyczy trznadla Townsenda, którego wypchany okaz można podziwiać w waszyngtońskim Smithsonian Institution.

Z całą pewnością wiemy, że w latach 1940–1980 na terenie wschodnich Stanów Zjednoczonych populacje wędrownych ptaków śpiewających spadły o 50 procent (w dużej mierze na skutek utraty miejsc lęgowych i odpowiednich warunków do spędzenia zimy w Ameryce Łacińskiej) i według niektórych szacunków nadal spadają około 3 procent rocznie. Od lat sześćdziesiątych obniża się liczebność 70 procent gatunków wschodniego ptactwa.

W dzisiejszych lasach jest zatem względnie cicho.

Późnym popołudniem wyszedłem z gęstego lasu na drogę do zwózki drewna, która najwyraźniej od dawna nie była używana. Na środku drogi stał starszy facet z plecakiem i mocno zdezorientowaną miną, jakby właśnie obudził się z transu i nie mógł zrozumieć, skąd się tutaj wziął. Zauważyłem, że on również sprawił sobie aureolę meszek.

— Może mi pan powiedzieć, w którą stronę idzie szlak? — zapytał mnie.

Dziwne pytanie, ponieważ nie dało się nie dostrzec, że szlak przecina drogę. Między drzewami po drugiej stronie była metrowa dziura, a na wypadek, gdyby komuś to nie wystarczało, na grubym dębie namalowano jeszcze znak.

---

* Ptaki te nie mają oficjalnych nazw polskich, podane nazwy są dosłownymi tłumaczeniami z angielskiego.

Po raz dwunastotysięczny tego dnia machnąłem sobie dłonią przed twarzą i kiwnąłem głową stronę luki między drzewami.

— Na mój rozum tam.

— A, tak. Oczywiście.

Ruszyliśmy razem w las i wymieniliśmy uwagi o tym, skąd idziemy, dokąd zmierzamy i tym podobne. Był całościowcem — pierwszym, którego spotkałem tak daleko na północ — i tak samo jak ja szedł do Dalton. Cały czas miał osobliwie zaskoczoną minę i dziwnie przyglądał się drzewom — powoli przebiegał wzrokiem w górę i w dół, jakby nigdy wcześniej nie widział podobnego zjawiska.

— Jak się pan nazywa? — zapytałem.

— Ludzie mówią na mnie Chicken John.

— Chicken John!

Chicken John to bardzo znana postać. Byłem mocno podekscytowany. Niektórzy trekkingowcy osiągają nieomal mityczny status ze względu na swoje dziwactwa. We wczesnej fazie wyprawy Katz i ja kilkakrotnie słyszeliśmy o chłopaku, który miał kosmiczny ekwipunek, o jakim najstarsi górale nie słyszeli. Do jego elementów należał samostawiający się namiot. Krążyły słuchy, że facet ostrożnie otwiera płócienny worek i namiot z niego wyskakuje jak diabełek na sprężynie z pudełka. Człowiek ten miał też nawigację satelitarną i mnóstwo innych magicznych gadżetów. Problem w tym, że jego plecak ważył ponad czterdzieści kilo, w związku z czym gadżeciarz wymiękł, zanim dotarł do Wirginii, toteż nie mieliśmy okazji go spotkać. Rok wcześniej podobnego rodzaju sławę osiągnął Woodrow Murphy, wędrowny grubas. Szlakową celebrytką z pewnością zostałaby również Mary Ellen, gdyby tak wcześnie nie odpadła. W tym sezonie na topie był Chicken John, ale za żadne skarby nie umiałem sobie przypomnieć dlaczego. Po raz pierwszy słyszałem o nim wiele miesięcy temu w Georgii.

— Dlaczego mówią na pana Chicken John? — dociekałem.

— Szczerze mówiąc, nie mam pojęcia — powiedział takim tonem, jakby od dłuższego czasu sam się nad tym zastanawiał.

— Kiedy pan wystartował?

— Dwudziestego siódmego stycznia.

— Dwudziestego siódmego stycznia? — powtórzyłem z pewnym zdziwieniem i na własny użytek wykonałem szybkie obliczenia na palcach. — To będzie prawie pięć miesięcy.

— Nie musi mi pan tego uświadamiać — odparł z radosną rezygnacją.

Wlókł się już prawie pół roku, a pokonał tylko trzy czwarte drogi do Katahdin.

— Ile... — nie wiedziałem, jak to delikatnie ująć. — Jaki pan ma dzienny przebieg?

— Jakieś dwadzieścia dwa do dwudziestu trzech kilometrów, jeśli nie wydarzy się nic złego. Problem w tym — spojrzał na mnie mętnym wzrokiem — że często się gubię.

Otóż to! Chicken John ciągle gubił szlak i lądował w przeróżnych nieprawdopodobnych miejscach. To dla mnie niepojęte, jak można się zgubić na Appalachian Trail. Nie wyobrażam sobie wyraźniej wytyczonej i lepiej oznakowanej ścieżki. Z reguły nie masz wokół siebie niczego oprócz szlaku i lasu. Jeśli potrafisz odróżnić drzewa od długiego korytarza między drzewami, to bez problemu znajdziesz drogę na AT, natomiast tam, gdzie mogą pojawić się wątpliwości — na skrzyżowaniach ze szlakami łącznikowymi albo tam, gdzie AT przecina drogę, zawsze są znaki. Mimo to ludzie się gubią. Na przykład słynna „Babcia" Gatewood co chwila pukała do drzwi domostw i pytała, gdzie ją diabeł przywiał.

Zapytałem go, jaki był jego rekord w zboczeniu ze szlaku.

— Sześćdziesiąt kilometrów — powiedział z nutką dumy w głosie. — Zszedłem ze szlaku na Blood Mountain w Georgii — wciąż nie bardzo wiem dlaczego — i spędziłem trzy dni w lesie, zanim dotarłem do szosy. Myślałem, że już po mnie. Wylądowałem w Tallulah Falls i moje zdjęcie trafiło do lokalnej gazety. Następnego dnia policja odwiozła mnie z powrotem na szlak i pokazali mi, którędy mam iść. Byli naprawdę mili.

— Czy to prawda, że zdarzyło się panu przez trzy dni iść w złym kierunku?

Radośnie pokiwał głową.

— Ściśle rzecz biorąc, dwa i pół dnia. Na szczęście trzeciego dnia doszedłem do jakiegoś miasteczka i zapytałem jednego młodzieńca: „Przepraszam, młody człowieku, gdzie my jesteśmy?". On mi na to, że w Damascus. Pomyślałem sobie, że to bardzo dziwne, bo trzy dni temu byłem w miejscowości, która nazywała się dokładnie tak samo. A potem rozpoznałem remizę.

— Jak na litość... — Postanowiłem inaczej sformułować pytanie: — Dlaczego to się panu tak często przytrafia?

— Myślę, że gdybym wiedział, to bym nie błądził — odparł ze śmiechem. — Wiem tylko, że od czasu do czasu ląduję daleko od miejsca, w którym chciałem być, ale dzięki temu mam ciekawe życie. Poznałem mnóstwo miłych ludzi i zjadłem mnóstwo darmowych posiłków. Przepraszam — przerwał nagle — jest pan pewien, że idziemy w dobrą stronę?

— Absolutnie pewien.

Skinął głową.

— Strasznie bym nie chciał dzisiaj się zgubić. W Dalton jest restauracja.

Doskonale go rozumiałem. Jeśli już masz się zgubić, to nie w dzień restauracyjny.

Ostatnie dziesięć kilometrów przeszliśmy razem, ale po tej wstępnej wymianie informacji wiele nie rozmawialiśmy. Pokonywałem trzydziestokilometrowy etap, najdłuższy na całym szlaku, i chociaż nie było stromych podejść, a ja miałem lekki plecak, późnym popołudniem byłem już nieźle zmęczony. John sprawiał wrażenie zadowolonego, że ma za kim iść, a ponadto był mocno zaabsorbowany oględzinami drzew.

Do Dalton dotarliśmy po szóstej. John znał adres człowieka na Depot Street, który pozwalał turystom nocować w swoim ogrodzie za domem i skorzystać z prysznica, więc poszedłem z nim na stację benzynową, gdzie spytał o drogę. Kiedy wyszedł na zewnątrz, ruszył w przeciwnym kierunku.

— Depot Street jest tam, John — powiedziałem.

— Oczywiście — zgodził się ze mną. — Nawiasem mówiąc, na imię mi Bernard. Nie mam pojęcia, skąd oni wzięli tego Chicken Johna.

Pokiwałem głową i powiedziałem, że zajdę do niego następnego dnia, ale już nigdy go nie spotkałem.

Przenocowałem w motelu i nazajutrz poszedłem do Cheshire. Od celu dzieliło mnie tylko piętnaście kilometrów łatwą trasą, ale meszki wystarczały za wszystkie uciążliwości znane światu. Nie mam żadnej wiedzy naukowej o tych maleńkich, wrednych, skrzydlatych plamkach, więc wiem o nich tylko, że mają zwyczaj tworzyć kłębowisko, które podąża za tobą krok w krok i włazi do uszu, ust i nosa. Ludzki pot przenosi je do krainy orgazmicznej ekstazy, a spray przeciwko owadom najwyraźniej tylko wzmaga ich podniecenie. Robią się szczególnie natarczywe, kiedy staniesz, żeby odpocząć albo się czegoś napić — tak natarczywe, że w końcu przestajesz robić odpoczynki i pijesz w ruchu, a potem wypluwasz całe ich stado. To jest piekło za życia. Odczułem więc pewną ulgę, kiedy wczesnym popołudniem opuściłem ich leśne królestwo i wstąpiłem do sennej, rozsłonecznionej miejscowości Cheshire.

Mieli tam darmowe schronisko dla turystów w kościele przy głównej ulicy. Wygląda na to, że mieszkańcy Massachusetts dbają o piechurów. W innych miejscowościach widywałem domy z tablicami, które zapraszały do tego, żeby napić się wody albo zerwać trochę jabłek w ogrodzie — nie miałem jednak ochoty na spędzenie nocy w sali wieloosobowej z pryczami piętrowymi, a tym bardziej na długie popołudnie bezczynności, więc poszedłem dalej do Adams, 6,5 kilometra po rozgrzanym asfalcie, ale przynajmniej z perspektywą noclegu w hotelu i posiłku w jednej z kilku restauracji.

W Adams był tylko jeden motel, niewielka buda na skraju miasteczka. Wziąłem pokój i przez resztę popołudnia spacerowałem ulicami. Zaglądałem w witryny i przeglądałem wystawione w kartonach książki w sklepie ze starzyzną, gdzie oczywiście mieli tylko Reader's Digest i dziwne tytuły, które widuje się wyłącznie w takich placówkach: *Encyklopedia domowej kanalizacji* albo *Kiwnij głową, jeśli mnie słyszysz. Życie z ludzkim warzywem.* Wyszedłem kawałek za miasto, żeby rzucić okiem na Mount Greylock, punkt docelowy mojego następnego etapu. Greylock to najwyższy szczyt w Massachusetts, a dla wędrowców idących z południa pierwsza od Wirginii góra przekraczająca 900 metrów wysokości. Mierzy tylko 1064 metry, ale ponieważ otaczają ją znacznie niższe góry, wygląda na zdecydowanie większą. W każdym razie ma w sobie coś pociągająco majestatycznego. Cieszyłem się na tę wyprawę.

Wczesnym rankiem, chcąc pokonać jak najwięcej drogi, zanim zacznie się zapowiadany na ten dzień upał, kupiłem w miasteczku coś do picia i kanapkę, a potem krętą gruntową drogą poszedłem stronę Gould Trail, szlaku łącznikowego, który stromo prowadzi do AT i dalej na Greylock.

Mount Greylock to z pewnością najbardziej literacka góra w Appalachach. Hermann Melville, który mieszkał na farmie Arrowhead po jej zachodniej stronie, spoglądał na nią z okna swojej pracowni, kiedy pisał *Moby Dicka*. Jak można przeczytać w znakomitej książce Maggie Stier i Rona McAdowa zatytułowanej *Into the Mountains*, historii wierzchołków górskich w Nowej Anglii, Melville twierdził, że góra ta przypominała mu z profilu wieloryba. Po skończeniu książki razem z grupą przyjaciół wspięli się na szczyt i świętowali do rana. Nathaniel Hawthorne i Edith Wharton również mieszkali w pobliżu i umiejscowili w tej okolicy fabułę niektórych swoich powieści. W latach 1850–1920 nie było chyba związanych z Nową Anglią literatów, którzy nie weszliby na Mount Greylock albo nie podziwiali jej z dołu.

Paradoksalnie u szczytu swojej sławy góra nie była odziana w piękny płaszcz zieleni. Wyższe partie zboczy były pokancerowane przez drwali, a niższe podziurawione przez górników wydobywających łupki i marmur. W każdy widok wpychały się wielkie drewniane budy i tartaki. Później wszystko pozarastało i w latach sześćdziesiątych, przy entuzjastycznym poparciu urzędników stanowych z Bostonu, powstał projekt zbudowania tutaj ośrodka narciarskiego z kolejką linową, systemem wyciągów krzesełkowych i kompleksem hotelowo-sklepowo-gastronomicznym na szczycie — wszystko w modnym wówczas stylu Jetsonów. Na szczęście nic tego nie wyszło. Dzisiaj wokół Greylock rozciąga się rezerwat przyrody o powierzchni 4700 hektarów. Jest to prawdziwa perełka.

Podejście było strome i ciężkie, ale wysiłek się opłacił. Rozległy, owiewany rześkim wiatrem wierzchołek Greylock jest ukoronowany przez duży i ładny budynek z kamienia o nazwie Bascom Lodge, zbudowany w latach trzydziestych przez niestrudzone, wszędobylskie kadry Cywilnego Korpusu

Ochrony Przyrody. Mieści się tam schronisko z restauracją. Na szczycie stoi również latarnia morska (co może zaskakiwać, ponieważ Greylock znajduje się 225 kilometrów od wybrzeża), pełniąca rolę pomnika żołnierzy z Massachusetts, którzy polegli podczas pierwszej wojny światowej. Pierwotnie miała stanąć w porcie bostońskim, ale z jakiegoś powodu trafiła tutaj.

Zjadłem lunch, skorzystałem ze schroniskowych urządzeń sanitarnych i pognałem dalej, ponieważ miałem jeszcze trzynaście kilometrów do przejścia, a o czwartej byłem umówiony z moją żoną w Wiliamstown. Przez następne pięć kilometrów droga w większości prowadziła wysokim grzbietem łączącym Greylock z Mount Williams. Widoki były rewelacyjne — dziesięć kilometrów dalej na zachód ciągnęły się lesiste Adirondacks — ale upał mocno mi doskwierał. Tu na górze powietrze było ciężkie i duszne. Potem zaczęło się bardzo strome zejście — 900 metrów na odcinku pięciu kilometrów — przez gęsty las do bocznej drogi, która wiodła przez piękny otwarty teren.

Po wyjściu z lasu znowu zacząłem się pocić jak świnia. Miałem do pokonania trzy kilometry bez kawałka cienia, po szosie, która parzyła mnie w stopy przez podeszwy. Kiedy wreszcie dotarłem do Williamstown, termometr na budynku banku wskazywał 36°C. Nic dziwnego, że się zgrzałem. Przeszedłem na drugą stronę ulicy i wstąpiłem do Burger Kinga, gdzie się umówiliśmy. Jeżeli istnieje lepszy powód, żeby cieszyć się z tego, że żyjemy w dwudziestym wieku, niż radość wynikająca z faktu, że w makabrycznie upalny letni dzień można się schronić w sterylnym chłodzie klimatyzowanego lokalu, to ja go nie znam.

Kupiłem wiaderko coli i usiadłem w loży pod oknem bardzo zadowolony z siebie — pokonałem dwadzieścia siedem kilometrów w upalnej pogodzie, zaliczając po drodze całkiem stromą górę. Byłem brudny, zlany potem, gruntownie wykończony i tak bardzo cuchnąłem, że głowy się za mną obracały. Powróciłem do elitarnego grona piechurów.

W 1850 roku Nowa Anglia składała się w 70 procentach z ziem uprawnych i w 30 procentach z lasów. Dzisiaj proporcje te są dokładnie odwrotne. Niewykluczone, że żaden inny obszar rozwiniętego świata nie doświadczył tak głębokich przemian w zaledwie jedno stulecie, a w każdym razie nie w kierunku przeciwnym od narzucanego przez postęp.

Jeśli chcesz być farmerem, to trudno o gorsze miejsce od Nowej Anglii. (Może z wyjątkiem środka jeziora Erie, ale wiecie, o co mi chodzi). Gleba jest kamienista, teren pofałdowany, a pogoda tak fatalna, że ludzie się tym chlubią. Zgodnie ze starym powiedzeniem rok w Vermoncie składa się z „dziewięciu miesięcy zimy, po których przychodzą trzy miesiące kiepskich warunków do jazdy saniami".

Do połowy dziewiętnastego wieku tutejsi rolnicy jakoś sobie radzili tylko dzięki bliskości takich nadmorskich miast jak Boston i Portland, a poza tym zapewne nie przychodziło im do głowy, że można by zająć się czymś innym. Potem wydarzyły się dwie rzeczy: najpierw wynalezienie żniwiarki McCormicka, która doskonale nadawała się do uprawy ziemi na wielkich farmach Środkowego Zachodu, ale była bezużyteczna w Nowej Anglii, gdzie pola są małe i kamieniste; następnie budowa kolei, która pozwalała farmerom ze Środkowego Zachodu szybko dowozić swoje produkty na Wschodnie Wybrzeże. Rolnicy z Nowej Anglii nie byli w stanie z nimi konkurować, więc po prostu przenieśli się na Środkowy Zachód. W 1860 roku prawie połowa ludzi urodzonych w Vermoncie — 200 000 na 450 000 — mieszkała już gdzie indziej.

W 1840 roku, podczas prezydenckiej kampanii wyborczej, Daniel Webster wygłosił przemówienie do 20 000 ludzi zgromadzonych na Stratton Mountain w Vermoncie. Gdyby spróbował to powtórzyć dwadzieścia lat później (co byłoby nie lada wyczynem, ponieważ nie dożył 1860 roku), mógłby mówić o sukcesie, gdyby udało mu się przyciągnąć 50 słuchaczy.

Dziś Stratton Mountain jest prawie cała porośnięta lasem, ale jeśli dobrze się przyjrzeć, można dostrzec dziury po piwnicach i zarośnięte resztki sadów ukryte pod młodszymi, bardziej asertywnymi brzozami, klonami i choinami, a w całej Nowej Anglii można napotkać sypiące się murki graniczne, często w środku gęstego lasu, który wygląda jak prastara puszcza — świadectwo tego, jak szybko natura odzyskuje ukradziony jej teren.

W zachmurzony, litościwie chłodny czerwcowy dzień wspiąłem się na Stratton Mountain. Miałem do pokonania sześć kilometrów stromej drogi na szczyt o wysokości niecałych 1200 metrów. Na odcinku 160 kilometrów Appalachian Trail w Vermoncie współistnieje z Long Trail, który ciągnie się od najwyższych i najważniejszych wierzchołków Green Mountains aż po Kanadę. Long Trail jest starszy od AT — otwarto go w 1921 roku, w którym powstała dopiero koncepcja Appalachian Trail — i słyszałem, że jego miłośnicy traktują AT jak prostackiego nuworysza o przerośniętych ambicjach. Tak czy owak Stratton Mountain jest często wymieniana jako duchowa kolebka obu szlaków, ponieważ to tutaj James P. Taylor i Benton MacKaye wedle własnych deklaracji wpadli na pomysł, żeby stworzyć drogę turystyczną przez dzikie odludzia — Taylor 1909 roku, MacKaye trochę później.

Nie mam nic przeciwko Stratton — to piękna góra ze świetnymi widokami na kilka innych znanych wierzchołków

— Equinox, Ascutney, Snow i Monadnock — ale raczej nie zainspirowała mnie do tego, żeby schwycić za siekierę i zacząć karczować drogę do Georgii albo Maine. Być może nastroiło mnie tak ponure, zaciągnięte chmurami niebo i szare światło, które odbierało wszystkiemu koloryt. Na szczycie oprócz mnie było osiem, dziewięć osób, między innymi młody, dosyć korpulentny mężczyzna, który przyszedł sam i miał na sobie nowiutką, bardzo drogą wiatrówkę. Trzymał w ręce jakieś tajemnicze urządzenie elektroniczne, za którego pomocą wykonywał tajemnicze pomiary.

Zauważył, że na niego patrzę, i powiedział do mnie tonem, z którego przebijała nadzieja, że nareszcie ktoś się nim zainteresuje:

— To jest Environ Monitor.

— Ach tak? — odparłem uprzejmie.

— Mierzy osiemdziesiąt wartości. Temperaturę, wskaźnik UV, punkt skraplania rosy, co tylko pan sobie zażyczy. — Przekręcił ekranik, żebym mógł popatrzeć. — To jest naprężenie cieplne... — Ta nic mi nie mówiąca liczba była podana z dokładnością do dwóch miejsc po przecinku. — Można zmierzyć promieniowanie słoneczne, ciśnienie atmosferyczne, temperaturę odczuwalną, poziom opadów, wilgotność względną i bezwzględną, a nawet prognozowany czas oparzenia słonecznego z uwzględnieniem typu skóry.

— Umie piec ciasteczka? — zapytałem.

Moja uwaga wyraźnie mu się nie spodobała.

— Zdarzają się sytuacje, kiedy takie urządzenie może uratować komuś życie — powiedział odrobinę karcącym tonem.

Próbowałem wyobrazić sobie sytuację, w której wzrost temperatury skraplania rosy mógłby mnie narazić na poważne niebezpieczeństwo, ale przerastało to moje możliwości. Nie chciałem jednak robić temu człowiekowi przykrości, więc zapytałem:

— Co to jest?

Pokazałem na migającą liczbę w górnym lewym roku ekranu.

— Nie jestem pewien, ale to — dziabnął jeden z przycisków — jest promieniowanie słoneczne. — Ta wartość, która również nic mi nie mówiła, była podana z dokładnością do trzech miejsc po przecinku. — Dzisiaj jest bardzo niskie — powiedział i przekręcił urządzenie, żeby jeszcze raz wykonać pomiar. — Tak, dzisiaj jest bardzo niskie.

Nie wiem skąd, ale już wcześniej o tym wiedziałem. Powiem więcej, chociaż nie umiałbym tego określić z dokładnością do trzech miejsc po przecinku, miałem dosyć dobre wyobrażenie o warunkach pogodowych, z racji tego, że byłem w nich zanurzony. Co ciekawe, człowiek ten nie miał plecaka, a zatem nie zabrał z sobą niczego na deszcz, i przyszedł w szortach i adidasach. Gdyby pogoda rzeczywiście błyskawicznie się załamała, a w Nowej Anglii jest do tego jak najbardziej zdolna, to prawdopodobnie nie uszedłby z życiem, ale przynajmniej miał urządzenie, które by mu powiedziało, kiedy umrze i przy jakiej temperaturze skraplania rosy.

Nazwijcie mnie męczącą starą pierdołą, ale nienawidzę całej tej technologii na szlaku. Czytałem, że niektórzy turyści na AT noszą ze sobą laptopy i modemy, żeby móc codziennie zdawać sprawozdanie rodzinie i znajomym. (Jeśli sami myślicie o czymś takim, mam dla was pewną informację: nikogo to za bardzo nie obchodzi. Przepraszam, to nieprawda: nikogo to w ogóle nie obchodzi). A teraz coraz więcej ludzi kupuje elektroniczne gadżety, takie jak Environ Monitor, albo zakłada na przeguby czujniki tętna, przez co wyglądają tak, jakby przyszli na Appalachian Trail ze szpitala.

W 1996 roku na łamach „Wall Street Journal" ukazał się świetny artykuł o pladze urządzeń do nawigacji satelitarnej, telefonów komórkowych i innego tego typu sprzętu na łonie przyrody. Wygląda na to, że ten ekwipunek przyciąga w góry ludzi, których być może nie powinno tutaj być. W artykule jest historia o człowieku, który w parku stanowym w Maine zadzwonił do Gwardii Narodowej i poprosił o przysłanie po niego helikoptera na Mount Katahdin, ponieważ jest zmęczony. Z kolei na Mount Washington „dwie bardzo wymagające kobiety", jak to ujął zacytowany urzędnik, zadzwoniły do siedziby pogotowia górskiego i powiedziały, że utknęły dwa kilometry przed szczytem i nie są już w stanie dalej iść. Chociaż do zmroku zostały jeszcze cztery godziny, zażądały, żeby przybyła ekipa ratunkowa i zaniosła je do ich samochodu. Prośbę odrzucono. Kilka minut później zadzwoniły znowu i powiedziały, żeby w takim razie ekipa ratunkowa przyniosła im latarki. Tę prośbę również odrzucono. Kilka dni później zadzwonił inny turysta i zażądał przysłania helikoptera, ponieważ był o jeden dzień do tyłu w stosunku do harmonogramu i bał się, że nie zdąży na ważne spotkanie biznesowe. W artykule wspomniano również o kilku osobach, które się zgubiły, mimo że miały przy sobie urządzenia do nawigacji satelitarnej. Potrafiły określić swoje położenie z dokładnością do jednej sekundy szerokości i długości geograficznej, ale niestety absolutnie nic im to nie mówiło, ponieważ nie zabrały z sobą map ani kompasów i najwyraźniej również mózgu.

Sądzę, że mój nowy znajomy ze Stratton Mountain doskonale pasowałby do tego klubu. Zapytałem go, czy będę bezpieczny, jeżeli zejdę na dół przy promieniowaniu słonecznym na poziomie 18,574.

— Tak — odparł z całkowitą powagą. — W kontekście promieniowania słonecznego ryzyko jest dzisiaj bardzo niskie.

— Bogu niech będą dzięki — powiedziałem, również z najwyższą powagą, a potem pożegnałem się z gadżeciarzem i górą.

Przemierzałem Vermont serią przyjemnych jednodniowych wycieczek, bez żadnej elektroniki, ale za to z bardzo smacznym prowiantem, który moja żona przygotowywała dla mnie każdego wieczoru przed położeniem się do łóżka i zostawiała zawsze w tym samym miejscu na najwyższej półce lodówki. Każdego ranka wstawałem o świcie, wkładałem prowiant do plecaka i jechałem do Vermontu. Potem parkowałem samochód i wchodziłem na dużą górę albo wędrowałem serią kopulastych zielonych wzgórz. Kiedy przyszła mi ochota, co na ogół następowało koło jedenastej, siadałem na kamieniu albo kłodzie, wyjmowałem prowiant, oglądałem jego zawartość i wygłaszałem stosowny komentarz: „Moje ulubione ciasteczka z masłem orzechowym!" albo „Hm, znowu mielonka". Następnie mlaskałem zapamiętale i rozmyślałem o tych wszystkich górskich szczytach, na których siedzieliśmy z Katzem tak wygłodniali, że gotowi bylibyśmy kogoś zabić dla takich pyszności. Potem ładnie wszystko pakowałem, wrzucałem z powrotem do plecaka i maszerowałem aż do momentu, kiedy przyszła pora zawrócić i pojechać do domu. Tak spędziłem przełom czerwca i lipca.

Zaliczyłem Stratton Mountain i Bromley Mountain, Prospect Rock i Spruce Peak, Baker Peak i Griffith Lake, White Rocks Mountain, Button Hill, Killington Peak, Park Stanowy Gifford, Quimby Mountain i Thistle Hill, a na zakończenie pokonałem niewymagającą siedemnastokilometrową trasę z West Hartford do Norwich. Podczas tej ostatniej wycieczki przechodziłem koło Happy Hill Cabin, najstarszego szałasu na AT i być może również najbardziej malowniczego, lecz niewiele później jacyś bezduszni urzędnicy ATC postanowili go zlikwidować. Norwich jest znana jako miejscowość, w której rozgrywał się serial telewizyjny *Bob Newhart Show* (Newhart prowadzi tam pensjonat, a wszyscy miejscowi są uroczymi imbecylami) oraz jako miejsce urodzenia Aldena Partridge'a, wybitnego człowieka, o którym mało kto słyszał, co za chwilę zamierzam naprawić.

Partridge urodził się w 1755 roku w Norwich i był zapalonym piechurem, być może pierwszą osobą na całej planecie, która pokonywała na nogach długie dystanse dla samej przyjemności chodzenia. W 1785 roku w bezprecedensowo młodym wieku trzydziestu lat został dyrektorem West Point, a potem z kimś się tam pokłócił, wrócił do Norwich i założył konkurencyjną instytucję, Amerykańską Akademię Literacką, Naukową i Wojskową. Kierując tą uczelnią, wymyślił termin „wychowanie fizyczne" i zabierał swoich przerażonych podopiecznych na kilkudziesięciokilometrowe wycieczki piesze po okolicznych górach. W wolnych chwilach urządzał sobie bardziej ambitne wyprawy w pojedynkę. Wybrał się na przykład do Williamstown w Massachusetts — 180 kilometrów w jedną stronę — i wspiął się na Mount Greylock, przy czym pokonanie tego dystansu zajęło mu nie parę tygodni tak jak mnie, lecz zaledwie cztery dni, a należy pamiętać, że w tamtych czasach nie było dobrze utrzymanych ścieżek ani oznakowań szlaku. Zdobył w ten sposób prawie wszystkie szczyty w Nowej Anglii. W Norwich powinna być upamiętniająca go tablica, która dodawałaby otuchy strudzonym całościowcom zmierzającym na północ, ale niestety nikt nie wpadł na ten pomysł.

Z Norwich jest około półtora kilometra do rzeki Connecticut. Ładny, bezpretensjonalny most z lat trzydziestych dwudziestego wieku prowadzi do stanu New Hampshire i miejscowości Hanover na drugim brzegu. Droga łącząca Norwich z Hanover kiedyś była wysadzaną drzewami, łagodnie wijącą się dwupasmówką — czyli spokojną, uroczą drogą, jakiej należy oczekiwać między dwoma starymi miejscowościami w Nowej Anglii położonymi w tak niewielkiej odległości od siebie. Potem jakiś urzędnik drogowy doszedł do wniosku, że fajnie byłoby zbudować w tym miejscu szeroką jezdnię, żeby mieszkańcy mogli pokonywać ten dystans o osiem sekund szybciej i nie musieli się denerwować, że ktoś przed nimi chce skręcić w lewo w boczną drogę, ponieważ wszędzie przewidziano skrzyżowania bezkolizyjne — tak duże, żeby nawet najdłuższy tir nie musiał najeżdżać na krawężnik i nie tamował ruchu.

No i zbudowali prostą jak strzała ekspresówkę, miejscami sześciopasmową, z betonowym separatorem na środku i gigantycznymi latarniami sodowymi, które rozświetlają nocne niebo na przestrzeni wielu kilometrów. Niestety, most pozostał dwupasmowy i tworzy wąskie gardło, co może prowadzić do nieprzyjemnych sytuacji, a mianowicie gdy dwa samochody jednocześnie dojadą do mostu i jeden z nich będzie musiał ustąpić pierwszeństwa — rzecz po prostu nie do przyjęcia! Postanowili więc zastąpić po staroświecku ładny stary most czymś znacznie większym, przystającym do Epoki Betonu. Przedsięwzięcie to znajduje się w fazie projektowej, a na razie poszerzają krótką ulicę, która prowadzi na wzgórze w centrum Hanover. Oczywiście wymaga to wycięcia wszystkich drzew i drastycznego skrócenia większości ogrodów przed domami, żeby starczyło miejsca na betonowe mury oporowe. Nawet urzędnik drogowy by przyznał, że rezultat nie zwala z nóg pod względem estetycznym i widok raczej nie nadaje się do kalendarza zatytułowanego „Piękno Nowej Anglii", ale przejazd z Norwich zostanie skrócony o kolejne cztery sekundy, a przecież o to chodzi.

Wszystko to ma dla mnie pewne znaczenie, głównie dlatego, że mieszkam w Hanover, ale przede wszystkim dlatego, że żyję pod koniec dwudziestego wieku. Na szczęście mam wyobraźnię, więc kiedy szedłem z Norwich do Hanover, w miejscu ekspresówki wyobraziłem sobie wiejską drogę ocienioną drzewami, ograniczoną po obu stronach żywopłotami i przyozdobioną dostojnym rzędem proporcjonalnej wielkości latarń ulicznych, na których wisieli, głowami w dół, urzędnicy drogowi. Od razu poczułem się dużo lepiej.

Ze wszystkich zagrożeń, które czyhają na człowieka na łonie natury, chyba żadne nie jest tak niezwykłe i nieprzewidywalne jak wychłodzenie organizmu. Nie ma chyba przypadku zgonu na skutek hipotermii, który nie byłby w jakiejś mierze tajemniczy i nieprawdopodobny. Weźmy na przykład historię relacjonowaną przez Davida Quammena w jego książce *Natural Acts*.

Pod koniec lata 1982 roku czterech nastolatków i dwóch dorosłych mężczyzn spędzało wakacje w Parku Narodowym Bamff, gdzie pływali na kanadyjkach. Pewnego wieczoru nie wrócili do swoich namiotów. Następnego dnia rano ekipa ratunkowa wyruszyła na ich poszukiwania. Kiedy ich znaleziono, unosili się na wodzie jeziora w kamizelkach ratunkowych i wszyscy nie żyli. Na ich twarzach nie było żadnych oznak bólu czy paniki. Jeden z nich nadal miał na sobie czapkę i okulary. Dryfujące w pobliżu kanadyjki były nienaruszone, a przez całą noc utrzymywała się bezwietrzna pogoda i dodatnie temperatury. Wygląda na to, że cała szóstka postanowiła urządzić sobie kąpiel w lodowatej wodzie, gdzie wyziębili się tak błyskawicznie, że nawet nie zdążyli zareagować, kiedy przyszła po nich śmierć. „Tak jakby poszli spać", stwierdził jeden ze świadków. W jakimś sensie miał rację.

Wbrew powszechnym wyobrażeniom stosunkowo niewiele ofiar wychłodzenia organizmu umiera w ekstremalnych warunkach, przedzierając się przez śnieżycę albo zmagając się z kąśliwym arktycznym wiatrem. Przede wszystkim relatywnie niewiele osób wychodzi na zewnątrz przy takiej pogodzie, a jeśli muszą, na ogół są dobrze przygotowani. Większość ofiar umiera w znacznie bardziej banalnych okolicznościach, w umiarkowanych porach roku i przy mocno dodatnich temperaturach. Najczęściej zaskakuje ich jakaś nagła zmiana warunków — na przykład gwałtowny spadek temperatury, zimny deszcz albo grad czy uświadomienie sobie, że zabłądzili — na którą są psychicznie i fizycznie nieprzygotowani. Prawie zawsze pogarszają swoje położenie, robiąc coś nierozsądnego — schodzą z dobrze oznakowanego szlaku w poszukiwaniu skrótu, zagłębiają się w las, chociaż lepiej byłoby nie ruszać się z miejsca, albo przechodzą w bród przez strumień, co jeszcze bardziej ich wychładza.

Taki smutny los przypadł w udziale Richardowi Salinasowi. W 1950 Salinas poszedł ze znajomym na wycieczkę do Parku Narodowego Pisgah w Karolinie Północnej. Kiedy nagle zaczęło się ściemniać, postanowili wracać do samochodu, ale w niewyjaśnionych okolicznościach się rozdzielili. Salinas był doświadczonym piechurem i wystarczyło, żeby wrócił z góry na parking dobrze oznakowanym szlakiem. Nigdy nie dotarł na miejsce. Trzy dni później głęboko w lesie znaleziono jego porzuconą kurtkę i plecaczek. Ciało odkryto po dwóch miesiącach, w gęstych zaroślach nad małą rzeczką Linville. Można domniemywać, że zszedł ze szlaku w poszukiwaniu drogi na skróty, zabłądził, wszedł głęboko w las, spanikował, jeszcze bardziej oddalił się od szlaku i wreszcie wychłodzenie organizmu odebrało mu zmysły.

Hipotermia jest rodzajem stopniowo się pogłębiającej, podstępnej traumy. Wraz ze spadkiem temperatury ciała naturalne reakcje robią się powolne i nieskoordynowane. W takim właśnie stanie Salinas porzucił swoje rzeczy i niewiele później podjął desperacką, irracjonalną decyzję o próbie przekroczenia wezbranej od deszczu rzeki. W normalnych okolicznościach z pewnością by sobie uświadomił, że to jeszcze bardziej oddali go od celu. Tej nocy, kiedy się zgubił, było sucho, a temperatura wynosiła około 5°C. Gdyby nie zdjął kurtki i trzymał się z daleka od wody, miałby na koncie nieprzyjemnie chłodną noc i historię do opowiadania. Zamiast tego stracił życie.

Hipotermia ma kilka faz. Zaczyna się od łagodnego, a potem coraz bardziej gwałtownego dygotu, który bierze się z tego, że organizm próbuje się rozgrzać za pomocą skurczy mięśni. Potem dochodzi głębokie znużenie, ociężałość ruchów, zaburzenie poczucia czasu i odległości oraz narastający zamęt w głowie, który rodzi skłonność do podejmowania nieroztropnych lub nielogicznych decyzji i nie pozwala dostrzegać oczywistych rzeczy. W ostatnim stadium tej dezorientacji pojawiają się coraz bardziej niebezpieczne halucynacje — na przykład dosyć okrutne wrażenie, że ofiara nie zamarza, lecz płonie. Skutek jest taki, że wiele wychłodzonych osób zrzuca z siebie ubranie, zdejmuje rękawiczki albo wyczołguje się ze śpiwora. W turystycznej księdze nekrologów roi się od opowieści o piechurach, których znaleziono nagich na śniegu koło namiotów. W tej fazie drżenie ustępuje, ponieważ organizm daje za wygraną i człowieka ogarnia apatia. Tętno spada, fale mózgowe zaczynają przypominać drogę przez prerię. Jeśli ktoś zostanie znaleziony w takim stanie, organizm może nie wytrzymać szoku związanego z powrotem do życia.

Doskonale to ilustruje incydent opisany w czasopiśmie „Outside" ze stycznia 1997 roku. W 1980 roku szesnastu duńskich marynarzy, których statek zaczął tonąć, wysłało sygnał SOS, włożyło kamizelki ratunkowe i wskoczyło do Morza Północnego. Unosili się w wodzie przez dziewięćdziesiąt minut, zanim statek ratunkowy wyciągnął ich na pokład. Nawet w lecie Morze Północne jest tak zimne, że przeciętna osoba nie przeżyje w wodzie dłużej niż trzydzieści minut, więc ratownicy bardzo się ucieszyli, że żaden z szesnastu marynarzy nie umarł. Zawinięto ich w koce i zaprowadzono pod pokład, gdzie napili się czegoś gorącego i nagle padli trupem — cała szesnastka.

Ale wystarczy już tych wciągających anegdot, pochorujmy na tę fascynującą dolegliwość osobiście.

Znajdowałem się teraz w New Hampshire, co mnie ucieszyło, ponieważ niedawno wprowadziliśmy się do tego stanu, więc oczywiście byłem bardzo zainteresowany jego zwiedzeniem. Vermont i New Hampshire graniczą z sobą i są do siebie tak bardzo podobne pod względem wielkości, klimatu, akcentu i gospodarki (żyją przede wszystkim z narciarstwa i turystyki), że postrzega się je jak bliźniaki, ale w rzeczywistości bardzo się od siebie różnią charakterem. Vermont to samochody volvo, sklepy z antykami i wiejskie gospody z takimi wymyślnymi nazwami jak Quail Hollow Lodge czy Fiddlehead Farm Inn. New Hampshire to faceci w czapkach myśliwskich i pikapy z tablicami rejestracyjnymi opatrzonymi odważnym hasłem „Wolność albo śmierć". Krajobrazy również gruntownie się od siebie różnią. Góry w Vermoncie są łagodnie pofałdowane, a obfitość farm mlecznych stwarza wrażenie, że stan jest gościnny i zamieszkany. New Hampshire to jeden wielki las: z łącznej powierzchni 24 097 kilometrów kwadratowych około 80 procent zajmują lasy — jest to obszar trochę większy od Walii — a prawie cała reszta albo składa się z jezior, albo leży powyżej granicy lasów. Innymi słowy, poza sporadycznymi miastami i ośrodkami narciarskimi New Hampshire to głównie dzika przyroda — czasem odstręczająco dzika. Tutejsze góry są wyższe, bardziej skaliste, trudniejsze i niebezpieczniejsze niż w Vermoncie.

W *The Thru-Hiker's Handbook* — jedynym naprawdę przydatnym przewodniku po AT, co chciałbym tutaj wyraźnie podkreślić — wielki Dan „Wingfoot" Bruce ocenia, że kiedy całościowiec idący z południa opuszcza Vermont, ma za sobą 80 procent dystansu, ale tylko 50 procent wysiłku. Na terenie New Hampshire szlak ma długość 260 kilometrów, prowadzi przez Góry Białe i znajduje się na nim trzydzieści pięć szczytów o wysokości przekraczającej 900 metrów. Gdyby Ben Nevis leżał przy Appalachian Trail w New Hampshire, z trudem zmieściłby się w pierwszej dziesiątce, a Snowdon nie załapałby się nawet do trzeciej ligi. New Hampshire nie jest dla mięczaków.

Tak dużo czytałem o uciążliwościach i niebezpieczeństwach Gór Białych, że czułem się nieswojo na myśl o wyprawieniu się tam w pojedynkę — nie czułem strachu, ale trzymałem go w pogotowiu na wypadek, gdybym usłyszał jeszcze jedną historię o goniącym turystę niedźwiedziu — więc możecie sobie wyobrazić, jak bardzo się ucieszyłem, kiedy mój przyjaciel i sąsiad Bill Abdu zaproponował, że będzie mi towarzyszył w niektórych z moich jednodniowych wycieczek. To bardzo miły facet, sympatyczny i mądry, doświadczony turysta, ale na dodatek ortopeda, czyli idealny kompan na wyprawę w niebezpieczną dzicz. Nie liczyłem na to, że pozszywa mnie do kupy, jeśli spadnę w przepaść i przetrącę sobie kark, ale przynajmniej poznałbym łacińskie nazwy moich obrażeń.

Postanowiliśmy zacząć od Mount Lafayette. W pogodny lipcowy dzień wyruszyliśmy o świcie samochodem i po dwóch godzinach dotarliśmy do Parku Stanowego Franconia Notch (w New Hampshire „notch" oznacza górską przełęcz), pięknego zakątka u podnóża imponujących szczytów w samym sercu Parku Narodowego Gór Białych o powierzchni 283 000 hektarów. Mount Lafayette to 1599 metrów stromego, bezdusznego granitu. W relacji pewnego wędrowca z lat siedemdziesiątych dziewiętnastego wieku, cytowanej *Into the Mountains*, czytamy: „Mount Lafayette (...) to iście alpejska góra, z wierzchołkami i turniami, na których igrają błyskawice. Jej zbocza są brązowe, pokryte bliznami i pocięte głębokimi żlebami". Zgadza się. Mount Lafayette to bestia. Tylko pobliska Mount Washington może się z nią równać pod względem ogromu i popularności jako cel wędrówek w Górach Białych.

Z dna doliny mieliśmy do pokonania 1130 metrów przewyższenia, w tym 600 metrów na pierwszych trzech kilometrach i z trzema niższymi szczytami po drodze — Mount Liberty, Little Haystack i Mount Lincoln — ale pogoda była piękna, słońce świeciło niezbyt mocno i oddychaliśmy orzeźwiającym, miętowo czystym powietrzem, które występuje tylko w górach na północy. Krótko mówiąc, dzień świetnie się zapowiadał. Mieliśmy za sobą około trzech godzin marszu, rozmawialiśmy niewiele, ale cieszyło nas, że jesteśmy na łonie przyrody i idziemy dobrym tempem.

Każdy przewodnik, każdy doświadczony piechur, każda tablica informacyjna koło każdego parkingu przed wejściem na szlak ostrzega, że pogoda w Górach Białych może się zmienić w jednej chwili. Turyści idą na spacer w szortach i adidasach, a cztery godziny później zamarzają na śmierć — takie opowieści słyszy się przy każdym ognisku obozowym, co nie zmienia faktu, że są prawdziwe. W naszym przypadku załamanie pogody nastąpiło kilkaset metrów przed szczytem Little Haystack Mountain. Słońce nagle zniknęło i po prostu znikąd między drzewa wcisnęły się kłęby mgły. Zrobiło się zimno i wilgotno. W Górach Białych górna granica lasów przebiega na wysokości 1460 metrów, o połowę niżej niż w większości innych pasm górskich, co wynika właśnie z dużo ostrzejszego klimatu. Kiedy wyszliśmy ze strefy kosodrzewiny i znaleźliśmy się na nagim dachu Little Haystack, nagle uderzył w nas porywisty wiatr — taki, który zrywa czapkę z głowy i unosi ją o sto metrów dalej, zanim zdążysz ruszyć ręką — przed którym wcześniej osłaniało nas zachodnie zbocze góry. Schowaliśmy się za kilkoma głazami, żeby włożyć peleryny przeciwdeszczowe, mimo że nie padało — byłem już bowiem cały mokry od wysiłku i wilgotnego powietrza, co nie jest zbyt rozsądnym stanem, kiedy temperatura spada, a wiatr odbiera ciału ciepłotę. Otworzyłem plecak, przegrzebałem jego zawartość i zrobiłem zaskoczoną minę, jaka bierze się z przykrego odkrycia: nie wziąłem peleryny przeciwdeszczowej. Pogrzebałem jeszcze trochę, ale prawie nic tam nie było — mapa, cienka bluza, bidon i prowiant. Zastanowiłem się chwilę i z wewnętrznym westchnieniem przypomniałem sobie, że kilka dni wcześniej wyjąłem pelerynę z plecaka i rozłożyłem w przyziemiu, żeby się wywietrzyła. Zapomniałem włożyć ją z powrotem.

Bill, który manipulował przy ściągaczu wiatrówki, spojrzał w moją stronę.

— Coś nie w porządku?

Powiedziałem mu. Zrobił zatroskaną minę.

— Chcesz wracać?

— Nie, nie.

Naprawdę nie chciałem. Poza tym nie było tak źle. Nie padało i było mi tylko trochę zimno. Włożyłem bluzę i od razu poczułem się lepiej. Razem spojrzeliśmy na mapę: pokonaliśmy już prawie całe przewyższenie i zostało nam tylko około dwóch kilometrów grzbietem do Mount Lafayette, a stamtąd mieliśmy strome zejście — 360 metrów w pionie — do Greenleaf Hut, schroniska górskiego z kafeterią. Gdybym potrzebował się rozgrzać, do schroniska dotarlibyśmy znacznie szybciej niż do samochodu, od którego dzieliło nas osiem kilometrów.

— Jesteś pewien, że nie chcesz zawrócić?

— Jestem pewien — potwierdziłem. — Dojdziemy za pół godziny.

Znowu zanurzyliśmy się w gęstej zupie, która pędziła z wiatrem, przecięliśmy Mount Lincoln (1554 m n.p.m.) i zeszliśmy trochę w dół na bardzo wąski grzbiet. Widoczność nie przekraczała pięciu metrów, a wiatr był ostry jak brzytwa. Temperatura spada o około 1,8°C na każde 300 metrów wysokości, na co dodatkowo nałożyły się warunki pogodowe, więc zrobiło się całkiem nieprzyjemnie. Z niepokojem obserwowałem, jak do mojej bluzy przyklejają się setki maleńkich kropelek wilgoci, która zaczęła przenikać przez materiał i łączyć się z wilgocią na koszuli. Zanim uszliśmy pół kilometra, bluza była przemoczona i ciężko zwisała mi z ramion.

Na domiar złego miałem na sobie dżinsy. Każdy wam powie, że dżinsy to najgłupsze spodnie na wycieczkę w góry. Tymczasem ja z przekory zostałem ich wyznawcą, ponieważ są wytrzymałe i dobrze chronią przed kolcami, kleszczami, owadami i sumakiem — innymi słowy, doskonale nadają się do lasu. Przyznaję jednak bez bicia, że przy zimnej i wilgotnej pogodzie są zupełnie do niczego. Bawełnianą bluzę zapakowałem wyłącznie pro forma, tak jak pakuje się surowicę przeciwko jadowi węży czy szyny chirurgiczne. Na litość boską, przecież był lipiec. Nie spodziewałem się, że będę potrzebował jakiejkolwiek dodatkowej odzieży ochronnej, może poza moją niezawodną peleryną przeciwdeszczową, której, jak wiadomo, również nie zabrałem. Krótko mówiąc, byłem w niebezpiecznym stopniu nieodpowiednio ubrany, sam się prosiłem o cierpienie i śmierć. Prośba o cierpienie już została wysłuchana.

Miałem szczęście, że na tym się skończyło. Wiatr świstał głośno i natarczywie z prędkością czterdziestu kilometrów na godzinę, ale w porywach osiągał nawet osiemdziesiąt kilometrów i ciągle zmieniał kierunek. Momentami, kiedy wiał nam w twarz, na dwa kroki do przodu przypadał jeden krok wstecz. Kiedy wiał pod kątem, spychał nas na krawędź grzbietu. We mgle nie było widać, jak daleko byśmy spadali, ale urwisko wyglądało na potwornie strome i w końcu znajdowaliśmy się na wysokości 1500 metrów n.p.m. Gdyby warunki pogorszyły się jeszcze trochę — gdyby widoczność spadła do zera albo gdyby wiatr przybrał na sile i potrafił wywrócić dorosłego człowieka — to utknęlibyśmy tam na górze, ja dosyć gruntownie przemoczony. Czterdzieści minut wcześniej pogwizdywaliśmy w pełnym słońcu. Zrozumiałem, dlaczego ludzie umierają w Górach Białych nawet w środku lata.

Przyznam, że byłem lekko zestresowany. Dygotałem jak wariat i czułem się dziwnie otumaniony. Na razie nie widać było powodów do paniki, ale jakoś mnie to nie uspokajało. Grzbiet zdawał się ciągnąć bez końca, a gęste mleko nie pozwalało stwierdzić, jak daleko mamy jeszcze do Lafayette. Spojrzałem na zegarek — za dwie jedenasta. Pora na drugie śniadanie, pod warunkiem że dotrzemy do tego zapomnianego przez Boga schroniska. Pocieszyłem się myślą, że przynajmniej potrafię myśleć logicznie. W każdym razie takie miałem wrażenie. Pomyślałem, że jeśli ktoś traci rozum, to nie ma jak rozpoznać, że traci rozum. Innymi słowy, jeśli ktoś wie, że nie zwariował, to nie zwariował. Nagle jednak przyszła mi do głowy fascynująca myśl: a może wmawianie sobie, że nie oszalałeś, jest tylko okrutnym wczesnym objawem szaleństwa? Czy może nawet zaawansowanym objawem szaleństwa. Któż to może wiedzieć? Może wchodzę w jakąś bezradną fazę preobłędu charakteryzującą się lękiem, że wchodzę w jakąś bezradną fazę preobłędu. Na tym polega problem z utratą rozumu: kiedy już zniknie, jest za późno, żeby go odzyskać.

Ponownie spojrzałem na zegarek i ze zgrozą odkryłem, że dalej jest za dwie jedenasta. Moje poczucie czasu zanikało! Z mojej subiektywnej perspektywy nie potrafiłem ocenić, czy mój mózg szwankuje, ale na przegubie miałem na to niepodważalne dowody empiryczne. Tylko czekać, aż zacznę tańczyć półnagi i próbować gasić płomienie albo wpadnę na genialny pomysł, że najlepszym sposobem na wydostanie się z tej matni będzie sfrunięcie do doliny na magicznym, niewidzialnym spadochronie. Pojęczałem trochę pod nosem, ale maszerowałem dalej. Odczekałem całą minutę, zanim znowu spojrzałem na zegarek. Dalej za dwie jedenasta! No to pozamiatane!

Bill, który najwyraźniej zupełnie nie przejmował się zimnem i oczywiście nie miał pojęcia, że dzieje się coś jeszcze oprócz tego, że idziemy po wysokim grzbiecie przy niepasującej do pory roku pogodzie, od czasu do czasu odwracał się i pytał, jak sobie radzę.

— Świetnie! — odpowiadałem za każdym razem, bo wstydziłem się przyznać, że tracę rozum i lada chwila rzucę się w przepaść z uśmiechem na twarzy i okrzykiem: „Do zobaczenia po drugiej stronie, stary przyjacielu!”. Nie sądzę, żeby Bill kiedykolwiek stracił pacjenta na szczycie góry, toteż nie chciałem go bez potrzeby niepokoić. Poza tym nie byłem do końca przekonany, czy tracę panowanie nad sobą, czy po prostu jestem mocno zestresowany.

Nie mam pojęcia, jak długo szliśmy na smagany wiatrem wierzchołek Lafayette, oprócz tego, że była to wieczność razy dwa. Sto lat temu w tym ponurym, niezbyt optymistycznie nastrajającym miejscu stało schronisko i jego wietrzejące fundamenty do dzisiaj traktowane są jako atrakcja turystyczna — widziałem je na zdjęciach — ale zupełnie ich nie pamiętam. Skupiłem się całkowicie na zejściu bocznym szlakiem do Greenleaf Hut. Trasa prowadziła przez gigantyczne piarżysko, a mniej więcej po dwóch kilometrach zanurzała się w lesie. Prawie natychmiast po opuszczeniu przez nas szczytu wiatr osłabł, po 150 metrach wszystko ucichło, a z mgły zostały już tylko wiszące nieruchomo strzępy. Nagle zobaczyliśmy roztaczający się pod nami świat i zorientowaliśmy się, że jesteśmy dosyć wysoko, aczkolwiek wszystkie pobliskie wierzchołki były ukryte w chmurach. Ku mojemu zaskoczeniu i zadowoleniu poczułem się znacznie lepiej. Wyprostowałem się, co napełniło mnie poczuciem prężności, i uświadomiłem sobie, że od dłuższego czasu szedłem mocno zgarbiony. Nie było mi już zimno, a w głowie przyjemnie mi pojaśniało.

— Nie było tak źle — powiedziałem do Billa ze śmiechem wytrawnego wędrowca górskiego i maszerowałem dalej w stronę schroniska.

Greenleaf Hut należy do dziesięciu malowniczych — a w tym przypadku również bardzo dogodnie położonych — kamiennych schronisk zbudowanych i utrzymywanych w Górach Białych przez renomowany Appalachian Mountain

Club. Założony ponad 120 lat temu AMC nie tylko jest najstarszym klubem turystycznym w Ameryce, ale również najstarszą „inicjatywą obywatelską", która zajmuje się ochroną przyrody. Za nocleg z wyżywieniem pobiera niewątpliwie ambitną sumę 50 dolarów, przez co całościowcy nazywają go Appalachian Money Club. Rezerwację trzeba zrobić z wielodniowym, a czasem nawet wielotygodniowym wyprzedzeniem. Klub nie sprawia wrażenia przyjaznego dla całościowców — jest to raczej instytucja dla bogatych dżentelmenów z Cape Cod. Trzeba jednak przyznać, że AMC utrzymuje 2250 kilometrów szlaków w Górach Białych, prowadzi znakomite centrum informacji turystycznej na Pingham Notch, publikuje warte przeczytania książki i pozwala każdemu wejść do schroniska, żeby skorzystać z toalety, zaopatrzyć się w wodę lub po prostu rozgrzać, co teraz z wdzięcznością zrobiliśmy.

Zamówiliśmy gorącą kawę i usiedliśmy z nią przy jednym z długich stołów, gdzie w towarzystwie kilku innych spoconych piechurów zjedliśmy drugie śniadanie. W schronisku panowała przyjemna atmosfera, wyposażenie było proste i rustykalne, z wysokim sufitem i mnóstwem miejsca na pokręcenie się. Kiedy wypiliśmy kawę, zaczęły mi trochę sztywnieć mięśnie, więc wstałem, żeby trochę pochodzić i przy okazji zaglądnąłem do jednej z dwóch sal sypialnych. Sala była duża i prawie w całości zastawiona czteropiętrowymi pryczami. Była czysta i jasna, ale podejrzewałem, że wieczorem, wypełniwszy się turystami i ich ekwipunkiem, przypomina koszary wojskowe. Nie zrobiła na mnie wrażenia. Benton MacKaye nie miał nic wspólnego z tymi schroniskami, ale doskonale wpisywały się w jego wizję — ascetyczne, rustykalne i pobudzające ducha górskiej wspólnoty. Z lekkim przerażeniem uświadomiłem sobie, że gdyby marzenia MacKaye'a się spełniły, wszystkie schroniska przy Appalachian Trail tak by właśnie wyglądały. Zamiast przytulnej górskiej chaty z fotelem bujanym na werandzie, jak to sobie wyobraziłem w mojej fantazji, przypominałoby to raczej obóz harcerski, i to dosyć drogi, sądząc po cenach ustalonych przez AMC.

Policzyłem szybko w głowie: zakładając, że 50 dolarów to standardowa cena, przeciętny całościowiec, który każdą noc spędził w schronisku, zapłaciłby od 6000 do 7500 dolarów. Coś takiego z pewnością by nie funkcjonowało. Chyba dobrze, że nie wszystkie wizje się spełniają.

Słońce świeciło bardzo słabo, kiedy wyszliśmy ze schroniska i szliśmy bocznym szlakiem w dół na Franconia Notch. Potem jednak naszej gwieździe wróciła energia i znowu mieliśmy piękny lipcowy dzień — powietrze leniwe i balsamiczne, plamy słońca tańcują pośród drzew, ptaki śpiewają. Kiedy późnym popołudniem dotarliśmy do samochodu, byłem już prawie suchy, a mój przelotny napad lęku na Lafayette — teraz skąpanej w słońcu na tle błękitnego nieba — wydawał się odległym wspomnieniem.

Wsiadając do samochodu, spojrzałem na zegarek. Pokazywał za dwie jedenastą. Potrząsnąłem nim i z zainteresowaniem obserwowałem, jak sekundnik rusza z miejsca.

Dwunastego kwietnia 1934 roku po południu Salvatore Pagliuca, meteorolog z obserwatorium pogodowego na szczycie Mount Washington, przeżył doświadczenie, które ani wcześniej, ani później nie było dane nikomu innemu.

Na Mount Washington, łagodnie mówiąc, zdarzają się przeciągi, a tego dnia wiał szczególnie silny wiatr. W ciągu ostatniej doby prędkość wiatru nie spadała poniżej 170 kilometrów na godzinę, a w porywach była znacznie wyższa. Kiedy Pagliuca wychodził spisać popołudniowe odczyty, wiatr był tak porywisty, że meteorolog obwiązał się w pasie liną, za której drugi koniec trzymało dwóch jego kolegów. Pracownicy stacji mieli problemy z otworzeniem drzwi, a potem musieli się bardzo wysilać, żeby Pagliuca nie odfrunął jak latawiec. Nie bardzo wiadomo, jak udało mu się dotrzeć do instrumentów meteorologicznych i spisać odczyty, nie są znane również słowa, które wygłosił po powrocie do środka, chociaż „Jezu!" wydaje się dosyć prawdopodobne.

Wiadomo natomiast na pewno, że Pagliuca odczytał z przyrządu prędkość wiatru 371 kilometrów na godzinę. W żadnym innym miejscu i czasie nie zanotowano choćby zbliżonej do tego wartości.

W książce *The Worst Weather on Earth: a History of the Mount Washington Observatory* William Lowell Putnam stwierdza sardonicznie: „Być może w jakimś zakazanym miejscu na planecie Ziemia od czasu do czasu zdarza się gorsza pogoda, ale na razie nikomu nie udało się jej wiarygodnie zarejestrować". Stacja pogodowa na Mount Washington ma na swoim koncie wiele innych rekordów: najwięcej zniszczonych instrumentów meteorologicznych, najwięcej wiatru w ciągu doby (prawie 5000 kilometrów) i najniższa temperatura odczuwalna (prędkość wiatru 160 km/h przy temperaturze -40°C; są to warunki niespotykane nawet na Antarktydzie).

Mount Washington zawdzięcza ekstremalne warunki pogodowe nie tyle wysokości nad poziomem morza i szerokości geograficznej — aczkolwiek oba te czynniki odgrywają swoją rolę — ile położeniu na styku zimnego frontu znad Kanady i Wielkich Jezior oraz wilgotnego, względnie ciepłego powietrza znad Atlantyku i południowych Stanów Zjednoczonych. W rezultacie spada tam 625 centymetrów śniegu rocznie. Podczas pamiętnej śnieżycy w 1969 roku w ciągu trzech dni na szczyt spadło dwa i pół metra śniegu. Długie i srogie zimy sprawiają, że średnia temperatura roczna wynosi zaledwie -2°C. Przeciętna temperatura w lecie, 10°C, jest dobre dwadzieścia pięć stopni niższa niż u podnóża góry. To groźna góra, ale mimo to ludzie się na nią wspinają, nawet w zimie.

W książce *Into the Mountains* Maggie Stier i Ron McAdow

relacjonują historię dwóch studentów Uniwersytetu New Hampshire, Dereka Tinkhama i Jeremy'ego Haasa, którzy w styczniu 1994 roku postanowili pokonać całe Pasmo Prezydenckie — siedem wierzchołków, łącznie z Mount Washington, nazwanych na cześć prezydentów USA. Mieli doświadczenie w zimowej wspinaczce górskiej i byli dobrze wyposażeni, ale nie zdawali sobie sprawy, w co się pakują. Drugiej nocy prędkość wiatru osiągnęła 145 km/h, a temperatura spadła do −35°C. Przeżyłem kiedyś −30°C przy bezwietrznej pogodzie i powiem wam, że nawet jeżeli ktoś jest porządnie pozawijany, po paru minutach od wyjścia z domu czuje się wyraźnie niekomfortowo. Naszym śmiałkom udało się jakoś przetrwać noc, ale następnego dnia Haas zakomunikował, że dalej nie idzie. Tinkham pomógł mu wejść do śpiwora, a sam pomaszerował dalej do oddalonego o trochę ponad trzy kilometry obserwatorium meteorologicznego. Ostatkiem sił dotarł do celu, ale z poważnymi odmrożeniami. Jego kolegę znaleziono następnego dnia „wystającego do połowy ze śpiwora i zamarzniętego na kamień".

Dziesiątki innych osób straciły na Mount Washington życie w znacznie mniej ekstremalnych warunkach. Do najwcześniejszych i najbardziej znanych ofiar należała młoda kobieta, która nazywała się Lizzie Bourne. W 1855 roku, niedługo po tym, jak Mount Washington stała się celem wycieczek turystycznych, Lizzie postanowiła przespacerować się wraz z dwoma mężczyznami na górę w pewne ciepłe wrześniowe popołudnie. Jak się na pewno domyśliliście, nastąpiło załamanie pogody i turystów spowiła mgła. Jakimś sposobem się rozdzielili. Mężczyźni o zmierzchu dotarli do schroniska na szczycie. Lizzie znaleziono następnego dnia zaledwie pięćdziesiąt metrów od drzwi frontowych, martwą.

W sumie 122 dwie osoby straciły życie na Mount Washington. Do niedawna, zanim została prześcignięta przez alaskańską Mount Denali, była to najbardziej ludobójcza góra w Ameryce Północnej. A zatem kiedy nieustraszony doktor Abdu i ja kilka dni później zatrzymaliśmy samochód u jej podnóża, żeby przystąpić do zdobycia drugiej wielkiej góry w naszym harmonogramie, miałem ze sobą zapas ubrań, który wystarczyłby na przejście przez Arktykę — peleryna przeciwdeszczowa, wełniany sweter, kurtka, rękawiczki, zapasowe spodnie, długa bielizna. Koniec z marznięciem na dużych wysokościach.

Na Mount Washington, ze swoimi 1916 m n.p.m. będącą najwyższą górą na północ od Smokies i na wschód od Rockies, zdarzają się pogodne dni i ten dzień należał do tej wąskiej grupy, toteż na parking ściągały tłumy. Przed biurem informacji turystycznej na Pinkham Notch o godzinie 8:10 naliczyłem siedemdziesiąt samochodów i cały czas przyjeżdżały kolejne. Mount Washington to najbardziej popularny szczyt w Górach Białych, a Tuckerman Ravine Trail, wybrana przez nas trasa, to najbardziej popularny szlak prowadzący na tę górę. Wybiera go około 60 000 turystów rocznie, aczkolwiek wielu z nich wjeżdża na szczyt kolejką i schodzi na dół, więc liczba ta jest może trochę myląca. Tak czy owak w ten pogodny, ciepły, bezchmurny dzień pod koniec lipca na szlaku panował spory ścisk.

Podejście było znacznie łatwiejsze, niż ośmielałem się marzyć. Wciąż jeszcze nie całkiem przyzwyczaiłem się do nowości, jaką było dla mnie chodzenie po wysokich górach bez ciężkiego plecaka. Różnica jest ogromna. Nie powiem, że szliśmy w podskokach, ale jeśli zważyć, że mieliśmy do pokonania różnicę wysokości 1370 metrów na odcinku pięciu kilometrów, to maszerowaliśmy całkiem żwawo. Zajęło nam to dwie godziny czterdzieści minut (w przewodniku Billa podano czas przejścia cztery godziny piętnaście minut), więc byliśmy z siebie całkiem dumni.

Na Appalachian Trail z pewnością są trudniejsze i bardziej fascynujące szczyty niż Mount Washington, ale na żadnym człowiek nie przeżywa takiego zaskoczenia. Noga za nogą pokonujesz stromy ostatni odcinek po kamienistym zboczu, docierasz na wierzchołek małej góry, wystawiasz głowę i wita cię gigantyczny asfaltowy parking pełen samochodów pobłyskujących w słońcu. Za nimi widać kompleks porozrzucanych budynków, pośród których przechadza się tłum ludzi w szortach i czapkach bejsbolowych. Panuje tam atmosfera wesołego miasteczka, które za pomocą jakiejś magicznej sztuczki przeniesiono na szczyt góry. Na AT człowiek przyzwyczaja się do tego, że na szczytach gór spotyka najwyżej kilka osób, z których wszystkie tak jak on musiały się sporo namęczyć, żeby tam dotrzeć. Tymczasem na Mount Washington ludzie mogą dojechać wijącą się serpentynami płatną drogą albo kolejką zębatą po drugiej stronie i z możliwości tych skorzystały tego dnia setki ludzi. Wszędzie było ich pełno, opalali się, wychylali się za poręcze na tarasach widokowych, kręcili się między rozmaitymi sklepami i punktami gastronomicznymi. Przez jakiś czas czułem się jak gość z innej planety. Mój zachwyt nie miał granic. Był to oczywiście czysty koszmar i świętokradztwo, ale niezmiernie mnie ucieszyło, że zjawisko to ogranicza się do jednego miejsca. Dzięki temu cała reszta szlaku wydawała się doskonała.

Centrum wszelkich działań stanowił monstrualnie brzydki betonowy budynek o nazwie Summit Information Center, z wielkimi oknami, szerokimi platformami widokowymi i niezwykle tłoczną kafeterią. Zaraz za drzwiami wisiała długa lista ludzi, którzy stracili życie na Mount Washington, wraz z przyczynami wypadków. Rozpoczynała się od niejakiego Fredericka Stricklanda z Bridlington w Yorkshire, który w październiku 1849 roku zgubił drogę podczas burzy. Potem ciągnęła się zatrważająca litania tragedii uwieńczona śmiercią dwóch turystów, których trzy miesiące wcześniej porwała lawina. Na zboczach Mount Washington w 1996 roku zmarło już sześć osób, a do końca roku zostało przecież jeszcze kilka miesięcy. Otrzeźwiający bilans.

Na poziomie −1 znajdowało się niewielkie muzeum z informacjami na temat klimatu, geologii i fauny Mount Washington. Moją uwagę przykuł jednak przezabawny filmik zatytułowany *Śniadanie mistrzów*, który meteorolodzy zapewne nakręcili dla własnej rozrywki. Zrobiono go za pomocą ustawionej na statywie kamery na jednym z tarasów widokowych. Na ekranie widać mężczyznę, który podczas potężnej zawieruchy siedzi przy stoliku, tak jakby znajdował się w ogródku restauracyjnym. Kiedy główny bohater przytrzymuje rękami stolik, kelner podchodzi do niego, zmagając się z wiatrem, tak jakby balansował na linie zawieszonej na wysokości 10 kilometrów. Próbuje nasypać klientowi do miski płatki śniadaniowe, które wylatują z pudełka poziomo. Potem nalewa mleko, które również przybiera kierunek horyzontalny (i w większości ląduje na kliencie — dla widza szczególnie satysfakcjonująca chwila). Potem odfruwa miska i sztućce, a kiedy do lotu zrywa się stolik, film się kończy. Był taki dobry, że obejrzałem go dwa razy, a potem udałem się na poszukiwania Billa, żeby też zobaczył, ale nie mogłem go zlokalizować pośród skłębionego tłumu, toteż wyszedłem na platformę widokową i obserwowałem kolejkę zębatą, która z sapaniem wspinała się na górę, emitując chmury czarnego dymu. Kiedy dotarła do górnej stacji, wysypały się z niej kolejne setki radosnych turystów.

Turystyka na Mount Washington sięga daleko w przeszłość. Już w 1852 roku na szczycie była restauracja, której właściciele wydawali koło stu posiłków dziennie. W 1853 roku na wierzchołku zbudowano mały kamienny hotel, który nazywał się Tip-Top House i od początku był oblegany. W 1869 roku miejscowy przedsiębiorca Sylvester March zbudował kolej zębatą, pierwszą na świecie. Wszyscy uważali go za wariata i przewidywali, że nawet jeśli uda mu się zbudować kolej, co było wątpliwe, nikt nie będzie chciał nią jeździć. Wylewające się z niej teraz tłumy zadawały temu kłam.

Pięć lat po otwarciu kolei miejsce starego Tip-Top zajął znacznie bardziej okazały Summit House Hotel, uzupełniony później dwunastometrową wieżą z wielokolorowym reflektorem widocznym z całej Nowej Anglii, nawet z otwartego morza. Pod koniec stulecia w ramach letniej atrakcji na szczycie publikowano gazetę codzienną, a American Express otworzył tutaj swój oddział.

Doskonała koniunktura utrzymywała się również u podnóża gór. Przemysł turystyczny, w sensie ludzi podróżujących masowo w jakieś przyjemne miejsce i zastających tam mnóstwo rozrywek, zasadniczo jest wynalazkiem, który ma swoje korzenie w Górach Białych. Gigantyczne hotele z 250 pokojami wyrastały jak grzyby po deszczu. Budowane w dziarskim, swojskim stylu, jak wiejskie chaty powiększone do rozmiarów szpitali czy sanatoriów, były to niezwykle ozdobne i rozbudowane struktury, należące do największych i najbardziej skomplikowanych konstrukcji z drewna w dziejach świata, z wędrującymi liniami dachu energicznie punktowanymi wieżami, wieżyczkami i wszelkimi innymi przejawami architektonicznego kiczu, który potrafił wymyślić wiktoriański umysł. Miały zimowe ogrody i salony, jadalnie na 200 osób i podobne do pokładów spacerowych liniowców oceanicznych werandy, na których goście mogli się upajać zdrowym powietrzem i podziwiać skalisty splendor natury.

Lepsze hotele prezentowały się jeszcze bardziej olśniewająco. Profile House na Franconia Notch miał własną linię kolejową łączącą hotel z oddalonym o trzynaście kilometrów Bethlehem Junction. Kompleks hotelowy składał się z dwudziestu jeden dwunastopokojowych pawilonów. W Maplewood było kasyno, a goście Crawford House mieli wybór dziewięciu gazet codziennych specjalnie sprowadzanych z Nowego Jorku i Bostonu. Hotele w Górach Białych jako pierwsze wprowadzały wszelkie ekscytujące nowinki — windy, oświetlenie gazowe, baseny, pola golfowe. W latach dziewięćdziesiątych na terenie Gór Białych było 200 hoteli. Nigdy nie zgromadzono w jednym miejscu tak wielkiej liczby luksusowych hoteli, a już na pewno nie w górach. Prawie żaden z nich nie ostał się do dzisiaj.

W 1902 roku w Bretton Woods otwarto najbardziej okazały hotel w Górach Białych, Mount Washington, który stał na rozległej łące z Pasmem Prezydenckim w tle. Zbudowany w imponującym stylu, który architekt optymistycznie nazwał „hiszpańskim renesansem", Mount Washington Hotel stanowił apogeum elegancji i przepychu. Park hotelowy miał powierzchnię 1000 hektarów, a w środku było 235 łazienek i wszelkie ozdóbki, jakie można było kupić za pieniądze. Do samych prac sztukatorskich sprowadzono 250 włoskich rzemieślników, ale już w trakcie budowy hotel ten był trochę anachronizmem.

Mody się zmieniały. Amerykańscy wakacjusze odkrywali dla siebie wybrzeże morza. Hotele w Górach Białych były trochę zbyt nudne, zbyt odległe i zbyt drogie jak na ówczesne gusta. Co gorsza, zaczęły przyciągać ludzi nieodpowiedniego sortu — parweniuszy z Bostonu i Nowego Jorku. Do tego wszystkiego doszedł automobil. Hotele budowano przy założeniu, że goście zjawią się co najmniej na dwa tygodnie, ale samochód sprawił, że turyści stali się kapryśnie ruchliwi. W wydaniu *New England Highways and Byways from a Motor Car* z 1924 roku autor zachwycał się niedoścignionym splendorem Gór Białych — z huczącymi wodospadami Franconia Notch, alabastrowym ogromem Mount Washington, sekretnym urokiem małych miasteczek takich jak Lincoln i Bethlehem — i zachęcał gości, żeby poświęcili tym górom cały dzień. Ameryka wkraczała w epokę nie tylko samochodu, ale również niemożności dłuższego skupienia uwagi na jednej rzeczy.

Hotele jeden po drugim zamykały podwoje, niszczały albo — co zdarzało się częściej — płonęły (z reguły jedyną rzeczą, którą udawało się uratować z pogorzeliska, była polisa ubezpieczeniowa), a ich grunta powoli porastał las. Były okresy, w których mógłbym zobaczyć ze szczytu dwadzieścia wielkich hoteli. Dzisiaj jest tylko jeden, Mount Washington, nadal okazały i odświętny ze swoim zgrabnym czerwonym dachem, ale osamotniony pośród znacznie skromniejszych przybytków. (Nawet ten hotel kilkakrotnie stał na krawędzi bankructwa). Z kolei w rozległej dolinie u podnóża góry, gdzie kiedyś dumnie wznosił się Fabyan, Pleasant, Crawford House i wiele innych hoteli, dzisiaj widać tylko las, asfaltowe drogi i motele.

Epoka wielkich hoteli w Górach Białych trwała zaledwie pięćdziesiąt lat. Przywołuję to jako kolejny symbol długowieczności Appalachian Trail. Z takimi refleksjami w głowie poszedłem poszukać mojego przyjaciela Billa, żeby wyruszyć w drogę powrotną.

— Mam genialny pomysł — powiedział Stephen Katz. Byliśmy w salonie mojego domu w Hanover. Od wejścia na Mount Washington upłynęły dwa tygodnie. Następnego dnia rano mieliśmy wyjechać do Maine.

— A mianowicie? — odparłem, usiłując ukryć irytację, ponieważ genialne pomysły nie należą do najmocniejszych stron Katza.

— Wiesz, jakie to okropne, nieść pełny plecak.

Pokiwałem głową. Mógłbym o tym napisać osobną książkę.

— No więc zastanawiałem się nad tym kiedyś. Zastanawiałem się nad tym całkiem sporo, bo szczerze mówiąc, Bryson, perspektywa ponownego zarzucenia na grzbiet tego plecaka napełniła mnie — obniżył głos o jeden ton — pierońskim strachem. — Pokiwał z powagą głową i powtórzył dwa kluczowe słowa. — I wtedy przyszedł mi do głowy genialny pomysł. Prawdziwa alternatywa. Zamknij oczy.

— Po co?

— Chcę ci zrobić niespodziankę.

Nienawidzę zamykać oczu w takim celu, ale zrobiłem to. Słyszałem, jak Katz grzebie w swoim wojskowym chlebaku.

— Zadałem sobie pytanie — kontynuował — kto przez cały dzień nosi na plecach wielki ciężar. Nie patrz jeszcze. A potem przyszło mi do głowy to. — Milczał przez chwilę, jakby dokonywał jakiejś bardzo istotnej korekty, która miała zagwarantować idealny efekt. — Dobra, teraz możesz patrzeć.

Osłoniłem oczy. Promiennie uśmiechnięty Katz założył na ramię torbę dla chłopców roznoszących „Des Moines Register" — jasnożółty worek, jaki amerykańscy gazeciarze tradycyjnie zarzucają na ramię, zanim wsiądą na rower i ruszą w kurs.

— Nie mówisz tego poważnie — stwierdziłem spokojnym tonem.

— Nigdy w życiu nie byłem taki poważny, mój stary górski przyjacielu. Dla ciebie też przyniosłem.

Podał mi drugą torbę, nadal dziewiczo złożoną i zapakowaną w przezroczystą folię.

— Stephen, nie możesz iść przez dzikie odludzia Maine z torbą gazeciarza.

— Dlaczego? Jest wygodna, jest odporna — w dostatecznym stopniu — jest pakowna i waży wszystkiego nie więcej niż sto gramów. Jest to idealny sprzęt trekkingowy. Pozwól, że zadam ci pytanie: kiedy ostatni raz widziałeś gazeciarza z przepukliną?

Zrobił taką minę, jakby był przekonany, że rozłożył mnie tym argumentem na łopatki. Zacząłem poruszać ustami, żeby coś powiedzieć, ale Katz podjął swój wywód, zanim zdążyłem poukładać myśli.

— Mam następujący plan. Ograniczamy bagaż do niezbędnego minimum — żadnych kocherów, żadnych butli z gazem, żadnego makaronu, żadnej kawy, żadnych namiotów, żadnych płóciennych worków, żadnych śpiworów. Idziemy i obozujemy jak prawdziwi ludzie gór. Czy Daniel Boone miał trzysezonowy śpiwór wypełniony włóknem? Nie sądzę. Zabieramy tylko suchy prowiant, bidony z wodą i może jedną zmianę ubrania. Szacuję, że możemy w ten sposób obniżyć ciężar bagażu do trzech kilo. Wszystko wkładamy tutaj.

Z zachwytem pokazał na torbę dla gazeciarza. Jego wyraz twarzy sugerował, że powinienem nagrodzić go oklaskami.

— Czy pomyślałeś o tym, jak śmiesznie będziesz wyglądał?

— Aha. W ogóle się tym nie przejmuję.

— Wziąłeś pod uwagę, że będziesz źródłem nieposkromionej wesołości dla każdej osoby, którą spotkasz po drodze na Katahdin?

— Mam to głęboko w dupie.

— Czy przyszło ci do głowy, co powie strażnik, jeśli zobaczy cię wyruszającego na Hundred Mile Wilderness z torbą gazeciarza? Wiesz, że mają prawo zawrócić każdego, kogo uznają za psychicznie lub fizycznie niezdolnego do przejścia szlaku? — Było to kłamstwo, ale wywołało u Katza obiecujące zmarszczenie czoła. — I czy wreszcie przyszło ci do głowy, że być może gazeciarze nie dostają przepukliny z innego powodu, a mianowicie że noszą torbę tylko przez parę godzin dziennie — że może dźwiganie jej przez dziesięć godzin dziennie pod górę nie jest aż takie wygodne — że będzie ci się bez przerwy obijała o nogi i otrzesz sobie ramiona do żywego mięsa? Już teraz masz otartą skórę na szyi.

Ukradkiem spojrzał na pasek. Katz i jego pomysły miały tę zaletę, że nigdy nie było trudno mu ich wyperswadować. Zdjął torbę przez głowę.

— Dobra, pieprzyć torby. Ale zabieramy niedużo bagażu.

Byłem jak najbardziej za. Propozycja ta wydała mi się najzupełniej sensowna. Zapakowaliśmy więcej, niż chciał Katz — uparłem się, żebyśmy zabrali śpiwory, ciepłe ubrania i namioty, argumentując, że warunki mogą się okazać znacznie trudniejsze, niż sądzi Katz — ale zgodziłem się na zostawienie kochera, butli z gazem i menażek. Będziemy jedli suchy prowiant — przede wszystkim snickersy, rodzynki i niezniszczalny produkt salamipodobny o nazwie Slim Jims. Dwa tygodnie takiej diety nas nie zabije. Poza tym nie byłbym w stanie spojrzeć na kolejną miskę makaronu. W sumie zaoszczędziliśmy może dwa i pół kilo ciężaru na łebka — czyli prawie nic — ale Katz sprawiał wrażenie nieproporcjonalnie uszczęśliwionego. Rzadko widywałem go choćby w połowie tak radosnego.

Następnego dnia moja żona zawiozła nas głęboko w bezkresne lasy północnego Maine, gdzie zaczynała się nasza wyprawa przez Hundred Mile Wilderness. Maine jest zwodnicze. W tym trzydziestym drugim co do wielkości stanie Ameryki jest więcej niezamieszkanego lasu — 4 000 000 hektarów — niż w jakimkolwiek innym stanie oprócz Alaski. Na fotografiach stan wygląda sielsko i kusząco, niemal parkowo, z setkami głębokich jezior i ciągnących się kilometrami zacisznych, łagodnie pofałdowanych gór. Tylko Katahdin, ze swoimi skalistymi górnymi zboczami i zaskakującym ogromem, wygląda choćby w przybliżeniu groźnie. Tymczasem cały szlak jest trudny do przejścia.

Zarządcy Appalachian Trail na terenie Maine mają skłonność do wyszukiwania najbardziej kamienistych podejść i stromych zboczy, których w tym stanie nie brakuje. Na 455 kilometrów długości Appalachian Trail wędrowiec idący z południa na północ będzie miał do pokonania prawie trzydzieści kilometrów różnicy wysokości — to tak, jakby trzy razy wspiął się na Everest. Sercem szlaku na obszarze Maine jest słynny Hundred Mile Wilderness — 160 kilometrów leśnej ścieżki, przy której nie ma ani jednego sklepu, asfaltowej drogi ani domu. Prowadzi z miejscowości Monson do kempingu w Abol Bridge pod Katahdin. Jest to najbardziej odludny odcinek całego AT. Jeśli coś się stanie, jesteś zdany wyłącznie na siebie. Możesz umrzeć na zakażenie bąbla na stopie.

Przebrnięcie przez tę słynną leśną głuszę zajmuje ludziom od tygodnia do dziesięciu dni. Ponieważ dysponowaliśmy dwoma tygodniami, poprosiłem moją żonę, żeby wysadziła nas w Caratunk, miejscowości nad rzeką Kennebec oddalonej o 60 kilometrów od Monson i oficjalnego początku Hundred Mile Wilderness. Mieliśmy więc trzy dni na adaptację i możliwość zrobienia zakupów w Monson, zanim nieodwracalnie zanurzymy się w leśnej gęstwinie. Przed przyjazdem Katza zrobiłem mały rekonesans i trochę pochodziłem wokół jezior Rangeley i Flagstaff, toteż wydawało mi się, że znam teren. Mimo to przeżyłem szok.

Po raz pierwszy od prawie czterech miesięcy niosłem zapakowany do pełna plecak. Nie mogłem uwierzyć, że jest taki ciężki, nie mogłem uwierzyć, że były czasy, kiedy mogłem uwierzyć, że jest taki ciężki. Dyskomfort był natychmiastowy i zniechęcający, ale ja przynajmniej miałem sporą zaprawę. Szybko stało się oczywiste, że Katz jest w punkcie wyjścia — a nawet o kilkadziesiąt obfitych śniadań przed punktem wyjścia. Z Caratunk prowadziło łagodne, ośmiokilometrowe podejście do dużego jeziora o nazwie Pleasant Pond. Bardzo łatwa trasa, ale od razu zauważyłem, że Katz porusza się z niewiarygodnym wysiłkiem, ciężko dyszy i ma taką minę, jakby zadawał sobie pytanie: „Gdzie ja jestem?".

Na moje pytania, jak się czuje, odpowiadał tylko: „O rany!", a raz dorzucił z serca płynące „chcholera" — dyszące i wydłużone, przypominające odgłos pulchnej poduszki, na której ktoś usiadł — kiedy zdjął plecak przed pierwszym odpoczynkiem po czterdziestu pięciu minutach marszu. Popołudnie było duszne i z Katza spływała rzeka potu. Wyjął bidon i jednym haustem wypił prawie połowę wody. Potem spojrzał na mnie z wyrazem cichej desperacji w oczach, dźwignął plecak na grzbiet i bez słowa powrócił do swoich obowiązków.

Pleasant Pond to miejsce urlopowe. Usłyszeliśmy radosne wrzaski dzieci, które taplały się i pływały jakieś sto metrów od nas, chociaż samego jeziora nie było jeszcze widać między drzewami. Gdyby nie ta wrzawa, nie wiedzielibyśmy, że jest tam jezioro, co przypomina, jak bardzo klaustrofobiczny potrafi być las. Za wodą wznosiła się Middle Mountain, wysoka zaledwie na 750 metrów, ale kanciasta, a poza tym w upalny dzień z potwornie ciężkim plecakiem na obolałych ramionach nawet takie podejście jest wykańczające. Bezradośnie poczłapałem na wierzchołek góry. Katz szybko zaczął odstawać i poruszał się ślimaczym tempem.

Było po szóstej, kiedy dotarłem do podnóża góry po drugiej stronie i znalazłem przyzwoite miejsce pod namiot obok porośniętej trawą, mało używanej drogi tartacznej w miejscu zwanym Baker Stream. Czekałem na Katza kilka minut, a potem rozbiłem namiot. Kiedy po dwudziestu minutach nadal go nie było, poszedłem go szukać. Dotarłem do niego dopiero po godzinie marszu. Oczy miał szkliste.

Wziąłem od niego plecak i westchnąłem po nieoczekiwanym odkryciu, że jest lekki.

— Co się stało z twoim plecakiem?

— A, wyrzuciłem parę rzeczy — odparł smętnym tonem.

— Jakich rzeczy?

— Ubrań i takich tam. — Nie miał pewności, czy powinien się wstydzić czy zareagować agresywnie. Ostatecznie postawił na agresję. — Na przykład ten kretyński sweter.

Podczas pakowania dyskutowaliśmy trochę na temat potrzeby zabrania wełnianej odzieży.

— Ale może się zrobić zimno. W górach pogoda jest bardzo zmienna.

— Tak, jasne. Nie wiem, czy zauważyłeś, ale jest sierpień, Bryson.

Nie miało sensu się z nim spierać. Kiedy dotarliśmy do obozu i rozbijał swój namiot, zajrzałem do jego plecaka. Wywalił prawie wszystkie zapasowe ubrania, a także całkiem sporo żywności.

— Gdzie orzeszki ziemne? — zapytałem. — Gdzie twoje salami?

— Nie potrzebujemy tych wszystkich świństw. Do Monson mamy tylko trzy dni.

— Większość tego jedzenia była przeznaczona na Hundred Mile Wilderness, Stephen. Nie wiemy, co można kupić w Monson.

— O — powiedział z zaskoczoną i skruszoną miną. — Pomyślałem sobie po prostu, że na trzy dni jest tego za dużo.

Rozejrzałem się z rozpaczą dokoła.

— Gdzie drugi bidon?

Spojrzał na mnie z bezsilną miną.

— Wyrzuciłem.

— Wyrzuciłeś bidon?

To było naprawdę porażające. Jeśli podczas sierpniowej wędrówki człowiek czegoś potrzebuje, to na pewno wody pitnej.

— Był ciężki.

— Oczywiście, że był ciężki. Woda zawsze jest ciężka, ale — jak by to powiedzieć — jest również niezbędna do życia, nie uważasz?

Znowu spojrzał na mnie bezradnie.

— Musiałem się pozbyć części ciężaru. Byłem zdesperowany.

— Nie, byłeś głupi.

— Tak, to też — zgodził się ze mną.

— Wolałbym, żebyś już nie robił takich rzeczy, Stephen.

— Wiem — odparł z głęboko skruszoną miną.

Kiedy skończył stawiać namiot, poszedłem przefiltrować wodę na rano. Baker Stream wbrew nazwie był rzeką — szeroką, płytką, z przejrzystą wodą — i wyglądał bardzo malowniczo w blasku letniego wieczoru, z nawisami drzew i ostatnimi promieniami słońca tańczącymi na powierzchni. Kiedy uklęknąłem na brzegu, wyczułem coś dziwnego — nie wiedziałem co — w lesie za moim lewym ramieniem. Wyprostowałem się i zajrzałem w listowie na skraju wody. Nie mam pojęcia, co mnie do tego skłoniło, ponieważ ze względu na melodyjny plusk i szmer wody na pewno niczego nie usłyszałem, ale jakieś pięć metrów ode mnie, z groźną miną, stał łoś — dorosła samica, a w każdym razie tak wywnioskowałem z braku poroża. Wyglądało na to, że przyszła do wodopoju, ale zatrzymała się na mój widok i teraz najwyraźniej nie wiedziała, co dalej zrobić.

Spotkać w lesie dużo większe od ciebie dzikie zwierzę to niezwykłe doświadczenie. Oczywiście wiesz, że te stworzenia tam sobie żyją, ale w konkretnej chwili nie spodziewasz się zobaczyć któregoś z nich, tym bardziej z tak bliska — łosica stała w tak niewielkiej odległości, że widziałem krążące wokół jej głowy owady podobne do pcheł. Wpatrywaliśmy się w siebie nawzajem przez dobrą minutę, nie mając pewności, jak wybrnąć z tej sytuacji. Był w tym wszystkim oczywisty i przyjemny posmak przygody, ale również coś znacznie bardziej głębokiego i fundamentalnego — rodzaj swoistego szacunku i uznania, które bierze się z długiego kontaktu wzrokowego. Właśnie to mnie tak zachwyciło — poczucie, że nasze ostrożne obwąchiwanie się zawiera swego rodzaju pozdrowienie. Bardzo powoli, żeby nie spłoszyć zwierzęcia, na czworakach poszedłem po Katza.

Kiedy wróciliśmy nad Baker Stream, łosica piła wodę jakieś dziesięć metrów w górę rzeki.

— Wow! — sapnął Katz.

Z radością zauważyłem, że on też jest zachwycony. Klępa uniosła głowę, doszła do wniosku, że nie zamierzamy zrobić jej krzywdy, i zaczęła znowu pić. Obserwowaliśmy ją przez jakieś pięć minut, ale komary dobrały nam się do skóry, więc wróciliśmy do obozu w nastroju uniesienia. Spotkanie z łosicą było potwierdzeniem, że jesteśmy na dzikim odludziu, a także przyjemną nagrodą za cały dzień mordęgi.

Zjedliśmy kolację złożoną ze slim jims, rodzynek i snickersów, a potem uciekliśmy do namiotów przed natarczywością komarów. Po chwili usłyszałem, jak Katz mówi całkiem radosnym tonem:

— Ciężki dzień. Jestem wykończony. — Nigdy wcześniej nie był taki rozmowny po odtrąbieniu ciszy nocnej. Mruknąłem potwierdzająco. — Już zapomniałem, jaki to wysiłek.

— Ja też.

— Ale pierwsze dni zawsze są ciężkie, prawda?

— Tak.

Westchnął w ramach podsumowania i ziewnął melodyjnie.

— Jutro będzie lepiej — powiedział, wciąż ziewając. Prawdopodobnie miał na myśli to, że nie będzie wyrzucał żadnych potrzebnych rzeczy. — No to dobranoc.

Gapiłem się w ścianę namiotu od strony, z której dobiegał głos Katza. Wędrowaliśmy ze sobą przez wiele tygodni, ale po raz pierwszy życzył mi dobrej nocy.

— Dobranoc — odparłem.

Przetoczyłem się na drugi bok. Oczywiście miał rację. Pierwsze dni zawsze są męczące. Jutro będzie lepiej. Obaj błyskawicznie zasnęliśmy.

I obaj byliśmy w błędzie. Następny dzień zaczął się nie najgorzej, od słonecznego poranka, który zapowiadał, że znowu będzie gorąco. Po raz pierwszy obudziliśmy się na szlaku przy wysokiej temperaturze i była to dla nas przyjemna nowość. Zwinęliśmy namioty, zjedliśmy na śniadanie rodzynki i snickersy i ruszyliśmy w drogę.

O dziewiątej słońce stało już wysoko na niebie i bezlitośnie paliło. Nawet w upalne dni w lesie z reguły jest chłodno, ale tutaj powietrze było ciężkie, nieruchome i parne, prawie tropikalne. Mniej więcej po dwóch godzinach marszu dotarliśmy do rozlewiska o powierzchni około hektara, pełnego papirusowatych trzcin, zwalonych drzew i spłowiałych uschniętych drzew, które nadal stały. Po powierzchni wody tańczyły ważki. Na drugim brzegu wznosił się kolos o nazwie Moxie Bald Mountain i czekał na nas. Całą naszą uwagę zwrócił jednak przede wszystkim zagadkowy fakt, że na brzegu jeziorka szlak się urywał. Katz i ja spojrzeliśmy po sobie: coś się tutaj nie zgadzało. Po raz pierwszy od Georgii zadaliśmy sobie pytanie, czy nie zgubiliśmy szlaku. (Ciekawe, jak zachowałby się w tej sytuacji Chicken John). Wróciliśmy spory kawałek do tyłu, studiowaliśmy mapę i przewodnik, próbowaliśmy znaleźć inną drogę wokół jeziorka przez nieprzebyte gęstwiny po obu stronach i w końcu doszliśmy do wniosku, że oczekuje się od nas przejścia rozlewiska w bród. Na oddalonym o jakieś pięćdziesiąt metrów drugim brzegu Katz wypatrzył biały znak. A zatem nie było innej rady, jak tylko wejść do wody.

Katz ruszył pierwszy, boso i w bokserkach, podpierając

się długim kijem i krocząc po całkowicie lub częściowo zanurzonych kłodach. Ja przeprawiałem się tą samą metodą, ale zachowując dystans, żeby nie obciążać kłody, na której on stał. Drzewa były omszałe i chybotały albo obracały się pod stopami. Katz dwa razy o mało się nie przewrócił. Wreszcie, po jakichś dwudziestu pięciu metrach, stracił równowagę, zakręcił ramionami młynka i z rozpaczliwym wrzaskiem wpadł do mętnej wody, która całkowicie go przykryła. Po chwili wypłynął, znowu się zanurzył i jeszcze raz wypłynął, tak gwałtownie trzepocząc kończynami, że przez kilka zatrważających chwil myślałem, że tonie. Ciężar plecaka ciągnął go do tyłu i nie pozwalał mu się wyprostować czy choćby utrzymać głowy nad wodą. Miałem już zrzucić plecak i skoczyć mu na pomoc, kiedy udało mu się chwycić jakiejś kłody i przybrać pozycję stojącą. Woda sięgała mu do klatki piersiowej. Widać było, jak wielkim wysiłkiem jest dla niego złapanie oddechu i uspokojenie się. Potężnie najadł się strachu.

— Wszystko dobrze? — zapytałem.

— Bosko — odparł. — Po prostu bosko. Nie rozumiem, dlaczego nie wrzucili tutaj kilku krokodyli, żeby człowiek mógł przeżyć prawdziwą przygodę.

Podreptałem dalej i chwilę później ja również wpadłem do wody. Przez kilka chwil oglądałem świat — surrealistycznie i tak jakby w zwolnionym tempie — z nietypowej perspektywy nurka, kiedy moja ręka desperacko poszukiwała kłody znajdującej się poza moim zasięgiem — wszystko to w dziwnej, bąbelkującej ciszy — zanim Katz przychlupał mi na pomoc, mocno złapał mnie za koszulę, wciągnął z powrotem do świata jasności i dźwięków i postawił mnie na nogi. Okazał się zaskakująco silny.

— Dziękuję — wydyszałem.

— Nie ma za co.

Ciężkim krokiem przechodziliśmy na drugi brzeg, wymieniając się rolami upadającego i pomagającego wstać. W końcu dotarliśmy do błotnistego brzegu, ciągnąc za sobą fragmenty nadgniłych roślin i chlapiąc wielkimi ilościami wody z plecaków. Zrzuciliśmy nasze brzemiona i usiedliśmy na ziemi przemoczeni i wyczerpani. Patrzyliśmy na rozlewisko takim wzrokiem, jakby zrobiło nam paskudny kawał. Na żadnym innym odcinku szlaku nie czułem się tak bardzo zmęczony o tak wczesnej porze. Po jakimś czasie usłyszeliśmy głosy i z lasu za naszymi plecami wyłoniło się dwóch młodych turystów, hipisowatych i bardzo wysportowanych. Pokiwali do nas głowami na powitanie i zaczęli szacować rozlewisko wzrokiem.

— Niestety trzeba przejść przez wodę — zakomunikował im Katz.

Jeden z nich spojrzał na mojego towarzysza zaskoczonym, ale życzliwym wzrokiem.

— Pierwszy raz w tej okolicy? — zapytał.

Potwierdziliśmy.

— Nie chcę was zniechęcać, ale jeszcze nieraz się zamoczycie.

Obaj młodzieńcy oburącz dźwignęli plecaki nad głowy, życzyli nam powodzenia i weszli do wody. Przeprawili się na drugą stronę w jakieś trzydzieści sekund — nam to zajęło tyle samo minut — wyszli na brzeg jak z brodzika, włożyli suche plecaki z powrotem na grzbiety, pomachali nam i zniknęli.

Katz głęboko i refleksyjnie wciągnął powietrze do płuc — było to po części westchnienie, a po części eksperyment z normalnym oddychaniem.

— Nie jestem defetystą, Bryson, przysięgam, ale nie wiem, czy się do tego nadaję. Dałbyś radę trzymać w ten sposób plecak nad głową?

— Nie.

Z tą przestrogą w głowach założyliśmy plecaki i z chlupotem w butach zaczęliśmy podchodzić na Moxie Bald Mountain.

Appalachian Trail to najtrudniejsze przedsięwzięcie w moim życiu, a odcinek w Maine to najtrudniejsza część Appalachian Trail, przy czym skali trudności nie byłbym w stanie nawet oszacować. Wynikało to częściowo z wysokich temperatur. W Maine panuje klimat umiarkowany, ale akurat trafiła się fala zabójczych upałów. Pozbawione cienia granitowe chodniki Moxie Bald Mountain pochłaniały ciepło, a potem oddawały jak piec, ale nawet w lesie było tak duszno, jakby drzewa i listowie dmuchały na nas gorącym, wegetacyjnym oddechem. Pociliśmy się bezradnie, obficie, piliśmy nietypowo duże ilości wody, ale cały czas byliśmy spragnieni. Wody czasem mieliśmy pod dostatkiem, ale częściej w ogóle jej nie było na długich odcinkach, toteż nigdy nie mieliśmy pewności, ile możemy bezpiecznie wypić, żeby nie pozbawić się zapasów na później. Zaczęliśmy odczuwać skutki tego, że Katz wyrzucił jeden bidon. Swoją rolę odgrywały też bezlitosne owady, dziwnie rozstrajające poczucie izolacji i ukształtowanie terenu.

Katz zareagował na to wszystko tak, jak nigdy wcześniej. Wykazywał niezłomny upór, tak jakby istniało tylko jedno rozwiązanie problemu: zamknąć oczy i do przodu.

Następnego dnia przed południem bardzo szybko dotarliśmy do pierwszej z kilku rzek, przez które musieliśmy się przeprawić. W nazwie miała strumień — Bald Mountain Stream — ale w rzeczywistości była rzeką, szeroką, wartką, z dnem usianym głazami. Prezentowała się nadzwyczaj urodziwie — w porannym słońcu połyskiwała roztańczonymi odpryskami światła i była krystalicznie przejrzysta — ale prąd sprawiał wrażenie mocnego, a z brzegu nie dało się określić, jak głęboko jest na środku. W moim przewodniku po tym odcinku Appalachian Trail stwierdzono beztrosko, że niektóre rzeki „mogą być trudne albo niebezpieczne do przejścia przy wysokiej wodzie". Postanowiłem nie dzielić się tą informacją z Katzem.

Zdjęliśmy buty i skarpetki, podwinęliśmy spodnie i ostrożnie wstąpiliśmy do lodowatej wody. Kamyki na dnie miały najrozmaitsze kształty i rozmiary — płaskie, jajowate, okrągłe — były twarde jak... kamień i pokryte niedorzecznie śliską błoną zielonego śluzu. Nie uszedłem trzech kroków, zanim stopa spode mnie wyjechała i boleśnie upadłem na tyłek. Zdołałem stanąć na ugiętych nogach, ale znowu się pośliznąłem i wywaliłem. Z wielkim trudem dźwignąłem się na nogi, zatoczyłem o parę kroków do tyłu i desperacko rzuciłem do przodu, łagodząc upadek rękami i lądując w wodzie na pieska. Plecak ześliznął się do przodu, a przywiązane do niego buty wzbiły się do lotu po wyznaczonej przez długość sznurówek orbicie. Elegancka trajektoria zakończyła się na mojej głowie, z której buty zsunęły się do rzeki i zawisły w wodzie. Kiedy tak stałem na czworakach i myślałem sobie, że pewnego pięknego dnia to będzie tylko przekomiczne wspomnienie, dwóch młodych ludzi — prawie klony tych spotkanych poprzedniego dnia — minęło mnie stanowczymi, chlupiącym krokami z plecakami nad głową.

— Wywrotka? — powiedział jeden z nich radosnym tonem.

— Nie, chciałem tylko przyjrzeć się z bliska wodzie.

Ty osiłkowaty cymbale, dokończyłem w myślach.

Wróciłem na brzeg, włożyłem przemoczone buty i przekonałem się, że przeprawa przez rzekę jest w nich dużo łatwiejsza. Miałem znośną przyczepność, a kamienie nie raniły mnie w stopy. Szedłem ostrożnie, zaniepokojony siłą prądu na środku — kiedy unosiłem nogę, próbował ją przestawić w dół rzeki, jakby była elementem składanego stołu — ale głębokość wody nie przekraczała jednego metra i dotarłem na drugi brzeg bez kolejnego upadku.

Z kolei Katz odkrył inną metodę, a mianowicie szedł po głazach, ale utknął nad hałaśliwą bystrzyną, która sprawiała wrażenie głębokiej. Stał tam, zmarszczywszy wszystko, co się dało. Nie miałem pojęcia, jak on tam dotarł — głaz, na którym stał, było samotną wyspą pośród wzburzonej wody — i najwyraźniej nie wiedział, co dalej. Próbował zsunąć się do wody, żeby przebrnąć ostatnie dziesięć metrów do brzegu, ale natychmiast porwał go nurt. Po raz drugi w ciągu dwóch dni autentycznie myślałem, że tonie — miał absolutnie bezradną minę — ale prąd zaniósł go na kamienistą płyciznę sześć metrów dalej. Wylazł na nią na czworakach, przedostał się na brzeg i poszedł do lasu, nie oglądając się za siebie, jakby to była najnormalniejsza rzecz w świecie.

Szybkim krokiem maszerowaliśmy dalej do Monson, po trudnym terenie i przez kolejne rzeki, kolekcjonując sińce, zadrapania i ukąszenia owadów, które zrobiły nam z pleców mapy reliefowe. Trzeciego dnia, oszołomieni lasem i brudni, wyszliśmy na oświetloną słońcem drogę, pierwszą od Caratunk. Ostatni odcinek do zapomnianego miasteczka Monson pokonaliśmy gorącą asfaltową szosą. Blisko centrum stał stary dom oszalowany deskami. W ogródku zobaczyliśmy wyciętą z drewna i pomalowaną sylwetkę brodatego turysty, opatrzoną napisem WITAMY U SHAW'S.

Shaw's to najbardziej znany pensjonat przy AT, po części dlatego, że jest to ostatnie cywilizowane miejsce noclegowe dla tych, którzy wybierają się na Hundred Mile Wilderness, a po części dlatego, że panuje tam bardzo sympatyczna atmosfera. Za 28 dolarów od osoby dostaliśmy pokój, kolację i śniadanie, a także możliwość skorzystania z prysznica, pralni i świetlicy. Pensjonat prowadzili Keith i Pat Shaw, którzy trochę przypadkowo założyli ten interes dwadzieścia lat wcześniej, gdy Keith przyprowadził do domu głodnego turystę, a ten rozgłosił później całemu światu, jak wspaniale go ugoszczono. Kilka tygodni przed naszą wizytą, jak z dumą poinformował mnie Keith, kiedy się meldowaliśmy, zarejestrowali dwudziestotysięcznego gościa.

Do kolacji została godzina. Katz pożyczył ode mnie pięć dolarów — na zimny napój, jak sądziłem — i zniknął w swoim pokoju. Wziąłem prysznic, załadowałem pralkę i wyszedłem na trawnik przed domem, gdzie stały dwa krzesła ogrodowe, na których zamierzałem zaparkować swój znużony tyłek. Chciałem zapalić fajkę i w sielskiej atmosferze późnego popołudnia porozkoszować się perspektywą zasłużonej kolacji. Zza okiennicy w pobliżu dochodziło skwierczenie jedzenia i brzęk garnków. Cokolwiek to było, pachniało smakowicie.

Po kilku chwilach z domu wyszedł Keith i usiadł obok mnie. Był starym człowiekiem, grubo po sześćdziesiątce, prawie nie miał zębów, a jego ciało wyglądało tak, jakby miało za sobą mnóstwo ciężkich doświadczeń. Zachowywał się bardzo życzliwie.

— Nie próbowałeś przypadkiem głaskać psa? — zaczął.

— Nie.

Widziałem go przez okno — brzydki, agresywny kundel, który stał przywiązany za domem i nakręcał się idiotycznie i nieproporcjonalnie, kiedy w promieniu stu metrów usłyszał jakiś hałas albo zobaczył jakiś ruch.

— Nie próbuj głaskać tego psa. Radzę ci, nie próbuj głaskać tego psa. W zeszłym tygodniu jeden turysta pogłaskał, chociaż go ostrzegałem. Pies ugryzł go w jaja.

— Serio?

Skinął głową.

— Nie chciał puścić. Żebyś słyszał, jak ten facet wył.

— Serio?

— Musiałem walnąć tego cholernego psa grabiami, żeby go puścił. Najwredniejszy pies, jakiego w życiu widziałem. Radzę ci, nie zbliżaj się do niego.

— A co z turystą?

— O, zachwycony nie był. — Pogłaskał się refleksyjnie w szyję, jakby rozważał, czy się kiedyś nie ogolić. — Całościowiec. Przyszedł tu aż z Georgii. Taki kawał drogi, a potem pies cię gryzie w jaja.

Po tych słowach wrócił do domu, żeby doglądnąć kolacji.

Kolację podano przy dużym stole hojnie zastawionym talerzami z wędliną, miskami z tłuczonymi ziemniakami i kolbami kukurydzy, chyboczącą się deską z chlebem i maślnicą. Katz zjawił się kilka chwil po mnie, świeżo wykąpany i bardzo zadowolony z życia. Sprawiał wrażenie nietypowo, wręcz przesadnie naładowanego energią, i połaskotał mnie w plecy, kiedy mnie mijał, co zupełnie do niego nie pasowało.

— Wszystko dobrze u ciebie? — zapytałem zatroskanym tonem.

— Nigdy nie było lepiej, mój stary górski towarzyszu, nigdy nie było lepiej.

Przysiadły się do nas jeszcze dwie osoby, uroczo nieśmiała i poczciwie wyglądająca parka, oboje opaleni, wysportowani i bardzo czyści. Katz i ja powitaliśmy ich uśmiechami i zaczęliśmy nakładać sobie jedzenie, a potem przerwaliśmy i odłożyliśmy miski, kiedy sobie uświadomiliśmy, że ci ludzie odmawiają modlitwę. Trwało to całe wieki.

Żarcie było fantastyczne. Keith pełnił rolę kelnera i stanowczo nalegał, żebyśmy dużo zjedli.

— Jak wy nie zjecie, to będę musiał dać psu — przekonywał.

Wywnioskowałem z tego, że najchętniej zagłodziłby to zwierzę na śmierć.

Młodzi ludzie byli całościowcami z Indiany. Wyruszyli w drogę ze Springer 28 marca — w ten upalny letni wieczór ta data wydawała się nieprawdopodobnie ośnieżona i odległa — i wędrowali nieprzerwanie od 141 dni. Pokonali 3291,8 kilometra. Zostało im jeszcze 184,9 kilometra.

— Czyli już prawie koniec? — powiedziałem trochę głupkowato dla podtrzymania rozmowy.

— Ta-ak — odparła dziewczyna.

Powiedziała to powoli, z podziałem na dwie sylaby, tak jakby nigdy wcześniej nie przyszło jej to do głowy. W jej zachowaniu było coś błogo bezmyślnego.

— Miała pani kiedyś ochotę zrezygnować?

Zastanowiła się.

— Nie — powiedziała po prostu.

— Naprawdę? — Nie mogłem w to uwierzyć. — Nigdy pani nie pomyślała: „Jezu, wystarczy. Chyba nie mam ochoty ciągnąć tego dalej"?

Znowu się zastanowiła, wyraźnie spanikowana. Tego rodzaju pytania najwyraźniej nigdy nie przeniknęły do wnętrza jej czaszki.

Mężczyzna przyszedł jej z pomocą.

— Mieliśmy kilka trudnych chwil na początkowym etapie — powiedział — ale zawierzyliśmy swój los Panu i Jego wola zwyciężyła.

— Chwała niech będzie Panu — szepnęła ledwo dosłyszalnie dziewczyna.

— Aha — powiedziałem i zanotowałem w pamięci, żeby przed pójściem spać zamknąć drzwi na klucz.

— I niech Bóg błogosławi Allachowi za tłuczone ziemniaki! — dorzucił radośnie Katz i po raz trzeci sięgnął po miskę.

Po kolacji Katz i ja poszliśmy do sklepu wielobranżowego po zapasy na Hundred Mile Wilderness, gdzie mieliśmy się znaleźć już następnego dnia. W sklepie Katz zachowywał się dziwnie — miał pogodną minę, ale był nieobecny i niespokojny. Mieliśmy zrobić zapasy na dziesięć dni w leśnej głuszy — dosyć poważna sprawa — ale on nie chciał się skupić i ciągle chodził po jakieś nieodpowiednie rzeczy typu sos chilli i otwieracze do konserw.

— Hej, kupmy sobie sześciopak — powiedział nagle tonem balangowicza.

— Przestań, Stephen, bądź poważny — powiedziałem.

Patrzyłem na sery.

— Jestem poważny.

— Wolisz cheddar czy colby?

— Nieważne.

Podszedł do lodówki z piwami i wrócił z sześciopakiem budweisera.

— Co powiesz na budweisera, co nas sponiewiera? — Stuknął mnie w żebra, żeby zwrócić moją uwagę na tę jakże dowcipną rymowankę.

Odsunąłem się od niego pochłonięty innymi myślami.

— Daj spokój, Stephen, przestań się wygłupiać.

Przeszedłem pod półkę z batonami i herbatnikami i zastanawiałem się, co wytrzyma dziesięć dni, nie roztapiając się na lepką masę ani nie krusząc.

— Chcesz snickersy czy wolisz spróbować czegoś innego? — zapytałem.

— Chcę budweisera. — Uśmiechnął się szeroko, a potem, widząc, że w ten sposób nic nie wskóra, nagle przybrał poważny ton. — Proszę cię, Bryson, czy możesz mi pożyczyć — spojrzał na cenę — cztery dolary siedemdziesiąt dziewięć centów? Jestem spłukany.

— Nie wiem, co cię opętało, Stephen. Odłóż to piwo. Poza tym co się stało z pięcioma dolarami, które ci pożyczyłem?

— Wydałem.

— Na co? — A potem klapki spadły mi z oczu. — Piłeś, prawda?

— Nie — zaprotestował stanowczo, jakby odrzucał jakieś niedorzeczne i oszczercze oskarżenie.

Był jednak pijany, a przynajmniej podpity.

— Piłeś — stwierdziłem osłupiały.

Westchnął i wywinął oczami do góry.

— Dwa piwa. Wielka mi sprawa.

— Piłeś. — Byłem przerażony. — Kiedy zacząłeś znowu pić?

— W Des Moines. Niedużo. Wiesz, parę piw po pracy. Nie ma powodu do paniki.

— Przecież wiesz, że nie wolno ci pić, Stephen.

Nie chciał tego słyszeć. Wyglądał jak czternastolatek, któremu kazano posprzątać pokój.

— Oszczędź mi swoich morałów, Bryson.

— Nie kupię ci piwa — powiedziałem spokojnym tonem.

Uśmiechnął się do mnie tak, jakbym był starą ciotką z ruchu na rzecz abstynencji.

— Daj spokój. Tylko sześciopak.

— Nie!

Byłem wściekły, rozjuszony — od wielu lat nic nie wpędziło mnie w taką furię. Nie mogłem uwierzyć, że Katz znowu pije. W moim odczuciu popełnił potworną, idiotyczną zdradę wszystkiego — zdradził siebie samego, mnie i szlakowe ideały.

Uśmiech nie zniknął z twarzy Katza, ale nie wyrażał emocji, które się w nim kłębiły.

— Czyli po tym wszystkim, co dla ciebie zrobiłem, nie kupisz mi dwóch nędznych piw?

To był chwyt poniżej pasa.

— W takim razie chuj ci w dupę — powiedział, odwrócił się na pięcie i wyszedł.

Jak można sobie wyobrazić, incydent ten nie pozostał bez wpływu na nastroje panujące wśród uczestników wyprawy. Już nigdy o tym nie rozmawialiśmy, ale wisiało to między nami. Przy śniadaniu przywitaliśmy się z sobą mniej więcej normalnie, ale potem już się do siebie nie odzywaliśmy, a kiedy czekaliśmy na Keitha, który obiecał zawieźć nas furgonetką na początek szlaku, staliśmy w niezręcznym milczeniu, jak uczestnicy sporu majątkowego, którzy czekają na wezwanie na salę sądową.

Kiedy wysiedliśmy z furgonetki, na skraju lasu zobaczyliśmy tablicę z informacją, że tutaj zaczyna się Hundred Mile Wilderness. Długie, sformułowane suchym językiem ostrzeżenie sprowadzało się do tego, że Hundred Mile Wilderness nie przypomina innych odcinków Appalachian Trail i że nie powinno się wchodzić na szlak, jeśli ktoś nie ma zapasów żywności na dziesięć dni i nie jest w idealnej formie.

Ostrzeżenie to sprawiło, że las wydawał się groźniejszy, dziwnie posępny. Niewątpliwie różnił się od lasów dalej na południe — był ciemniejszy, bardziej cienisty, raczej czarny niż zielony. Inne były także drzewa — więcej iglastych na mniejszych wysokościach i bardzo dużo brzóz — a co jakiś czas na ziemi stały duże, okrągłe czarne głazy, które kojarzyły się ze śpiącym zwierzętami, pogłębiając oniryczne wrażenie. Kiedy Walt Disney postanowił nakręcić *Bambi*, wysłał swoich grafików w lasy Maine, ale to ewidentnie nie był las disneyowski z rozległymi dolinami i przytulastymi stworzeniami. Przywodził na myśl lasy z *Czarnoksiężnika z Oz*, gdzie drzewa mają brzydkie twarze i złe zamiary, a każdy krok oznacza niebezpieczeństwo. To był las stworzony dla czyhających niedźwiedzi, zwieszonych z gałęzi węży i wilków z czerwonymi laserami oczu. Natychmiast zrozumiałem, dlaczego odziany w aksamitną marynarkę Henry David Thoreau posrał się tutaj w majtki.

Szlak jak zawsze był dobrze oznaczony, ale miejscami mocno pozarastany, paprocie i inne zielska prawie spotykały się ze sobą na środku ścieżki. Ponieważ do tego miejsca dociera tylko dziesięć procent całościowców, a dla większości jednodniowych wycieczkowiczów jest to zdecydowanie za daleko, szlak na terenie Maine jest znacznie rzadziej wykorzystywany. Od innych odcinków Appalachian Trail odróżnia go przede wszystkim ukształtowanie terenu. Z profilu topografia AT na 29-kilometrowym dystansie pomiędzy Monson i Barren Mountain wygląda na niezbyt wymagającą: bardzo delikatnie pofałdowana trasa przebiegająca na wysokości około 350 metrów, z zaledwie kilkoma stromymi podejściami i zejściami. W rzeczywistości jest to istne piekło.

Po pół godzinie dotarliśmy do pierwszej z wielu skalnych ścian, wysokiej na około 120 metrów. Szlak prowadził żlebem, który wyglądał jak szyb windy. Wydawał się prawie pionowy. Parę stopni więcej i trzeba byłoby mówić o wspinaczce górskiej. Powoli i mozolnie pokonywaliśmy drogę pomiędzy i nad głazami, na każdym kroku pomagając sobie rękami. Przy takim wysiłku upał i duchota były prawie nie do wytrzymania. Co kilkanaście metrów musiałem się zatrzymać, żeby zaczerpnąć tchu i zetrzeć z oczu piekący pot. Było mi potwornie gorąco, pływałem w upale, kąpałem się w upale. Chyba nigdy nie byłem taki zgrzany i nie pociłem się tak obficie. Podczas podejścia wypiłem trzy czwarte bidonu wody, a resztę w większości wykorzystałem na zwilżanie chusty, którą przecierałem pulsujące czoło. Czułem się niebezpiecznie przegrzany i osłabiony. Zacząłem odpoczywać częściej i dłużej, żeby się trochę ochłodzić, ale za każdym razem już po paru krokach gorąco znowu na mnie spływało. Nigdy wcześniej nie musiałem się tak ciężko napracować nad pokonaniem appalaskiej przeszkody, a to był dopiero początek.

Na górze ciągnęło się delikatnie pochylone, wybrzuszone zbocze z nagiego granitu. Czułem się tak, jakbym szedł po grzbiecie wieloryba. Z każdego wierzchołka roztaczała się rewelacyjna panorama — jak okiem sięgnąć, widać było wyłącznie gęste lasy, błękitne jeziora i łagodnie pofałdowane góry. Niektóre z jezior były ogromne — co najmniej takie jak Windermere — i podejrzewam, że w większości z nich żaden człowiek nie zamoczył nawet palca u nogi. Ogarnęło mnie ekscytujące wrażenie, że trafiłem w jakiś tajemny zakątek świata, ale zabójcze słońce nie pozwoliło mi porozkoszować się dłużej tym uczuciem.

Dalej czekało nas trudne i stresujące zejście ze skalnej ściany po drugiej stronie, a potem krótki przemarsz przez ciemną, bezwodną dolinę, która kończyła się u podnóża kolejnej skalnej ściany. Tak wyglądał cały dzień: mordercze wspinaczki i podtrzymująca nas na duchu nadzieja, że za następną górą znajdziemy wodę. Katzowi woda szybko się skończyła. Zaproponowałem mu, żeby napił się mojej, co przyjął z wdzięcznością i miną, która prosiła o rozejm. Nadal jednak wisiało między nami coś niewypowiedzianego, przykre uczucie, że coś się zmieniło i już nigdy nie będzie tak samo.

To była moja wina. Wydłużyłem dzienny etap, nie konsultując tego z Katzem. W ten niezbyt subtelny sposób chciałem go ukarać za naruszenie istniejącej między nami równowagi, on zaś bez słowa przyjął to na klatę. Pokonaliśmy 22 kilometry, w tak trudnych warunkach niewątpliwie za dużo. Pewnie poszlibyśmy jeszcze dalej, ale o wpół do siódmej dotarliśmy do szerokiego i płytkiego potoku Wilder Brook i postanowiliśmy tam przenocować. Byliśmy za bardzo zmęczeni — to znaczy ja byłem za bardzo zmęczony — żeby się przeprawiać na drugi brzeg, a poza tym byłoby szaleństwem, gdybyśmy się zamoczyli tuż przed zachodem słońca. Rozbiliśmy obóz i w posępnych nastrojach zabraliśmy się do naszego niezbyt apetycznego prowiantu. Nawet gdybyśmy nie byli pokłóceni, nie starczyłoby nam siły, żeby ze sobą rozmawiać. Mieliśmy za sobą długi dzień — najtrudniejszy podczas całej wyprawy — i wisiała nad nami myśl, że od najbliższego sklepu (w Abol Bridge) dzieli nas 136 kilometrów, a od wymagającego masywu Katahdin 160 kilometrów.

Ale nawet u celu nie czekały nas specjalne luksusy. Katahdin leży w Parku Stanowym Baxter, który z dumą nosi w sercu ideał twardego życia pośród dziewiczej natury. Nie ma tam restauracji ani schronisk, sklepów z upominkami ani budek z hamburgerami, nie ma ani jednej utwardzonej drogi. Sam park leży na kompletnym odludziu, dwa dni marszu od najbliższego miasta Millinocket. Miało upłynąć jeszcze dziesięć albo jedenaście dni, zanim zjemy porządny posiłek i prześpimy się w łóżku. Półtora tygodnia na szlaku to kawał czasu.

Rano w milczeniu przebrnęliśmy przez potok — nabraliśmy w tym sporej wprawy — i przystąpiliśmy do długiego, powolnego podejścia na grzbiet Barren-Chairback Range, liczącego 24 kilometry długości pasma wyszczerbionych szczytów, które musieliśmy pokonać przed wejściem do doliny Pleasant River. Z mapy wynikało, że jedynymi źródłami wody pitnej w tym paśmie są trzy stawy polodowcowe położone kawałek od szlaku. Łącznie byliśmy w stanie zatankować cztery litry wody, a zapowiadał się gorący dzień, więc duże odległości między wodopojami nie nastrajały zbyt optymistycznie.

Podejście na Barren Mountain było bardzo męczące, z niewieloma trawersami i bez śladu cienia, ale obaj najwyraźniej okrzepliśmy. Nawet Katz poruszał się relatywnie żwawo. Nadal było duszno, przez co pokonanie siedmiokilometrowego odcinka na szczyt zajęło nam prawie całe przedpołudnie. Dotarłem na górę przed Katzem. Granit był tak rozgrzany, że nie dało się na nim usiąść, ale po raz pierwszy od wielu dni poczułem na twarzy orzeźwiający wiaterek i znalazłem odrobinę cienia pod nieużywaną wieżą przeciwpożarową. Miałem wrażenie, że po raz pierwszy od wielu tygodni znalazłem w miarę wygodne miejsce do siedzenia. Oparłem się i ogarnęło mnie uczucie, że mógłbym przespać cały miesiąc. Katz przyszedł dziesięć minut później, zasapany, ale ucieszony, że dotarł na górę. Usiadł na kamieniu obok mojego. Zostało mi jakieś pięć centymetrów wody na dnie bidonu i podałem go Katzowi. Wypił niewielki łyk i oddał mi bidon.

— Pij — powiedziałem — na pewno jesteś spragniony.

— Dzięki.

Wypił troszkę większy łyk i postawił bidon na ziemi. Siedział tak przez chwilę, a potem wyjął snickersa, złamał na pół i dał mi jedną część. Dziwny gest, bo miałem swoje snickersy, o czym on wiedział, ale oprócz batonów nie miał czym ze mną się podzielić.

— Dzięki — powiedziałem.

Odgryzł kawałek snickersa, mamlał go bardzo długo i nagle powiedział bez żadnych wstępów:

— Dziewczyna i chłopak rozmawiają. Dziewczyna mówi do chłopaka: „Jak się pisze pedofilia, Jimmy?". Chłopak robi zaskoczoną minę. „Kurczę, kochanie, to jest strasznie długie słowo jak na ośmiolatkę".

Roześmiałem się.

— Przepraszam za tamten wieczór — powiedział Katz.

— Ja też.

— Chyba się za bardzo... Sam nie wiem.

— Rozumiem.

— Czasem jest mi ciężko — kontynuował. — Staram się, Bryson, naprawdę się staram... — Urwał i wzruszył ramionami, refleksyjnie i trochę bezradnie. — W moim życiu jest dziura, którą wcześniej wypełniało picie.

Podziwiał widok, typowy dla tej okolicy zielony bezkres lasów i spowite mgiełką upału jeziora. Jego spojrzenie — utkwione w jakimś punkcie w oddali — sugerowało, że zakończył swoją wypowiedź, ale po chwili zaczął znowu mówić.

— Kiedy wróciłem z Wirginii do Des Moines i dostałem tę pracę na budowie, po robocie cała ekipa szła do knajpy po drugiej stronie ulicy. Zawsze mnie zapraszali, ale ja mówiłem... — uniósł dłonie do góry i przybrał kaznodziejski ton: — „Nie, chłopcy, na zawsze skończyłem z piciem". Potem wracałem do mojego małego mieszkania, odgrzewałem gotowca na kolację i mówiłem sobie, jaki jestem dzielny i cnotliwy, ale wiesz, kiedy spędzasz w ten sposób wszystkie wieczory, to trudno ci jest przekonać samego siebie, że masz bogate i ciekawe życie. Gdyby istniał miernik nastroju, to wskazówka raczej nie śmigałaby do strefy orgazmicznej tylko dlatego, że odgrzałem sobie gotowca. Wiesz, o co mi chodzi? — Spojrzał na mnie i zobaczył, że kiwam głową. — Któregoś dnia po pracy zaprosili mnie po raz setny i pomyślałem sobie: „Kurde, co tam, prawo nie zakazuje mi pójść z kumplami do knajpy". Poszedłem, zamówiłem colę i było w porządku. Fajnie było po prostu posiedzieć w towarzystwie, ale wiesz, jak smakuje piwo po całym dniu ciężkiej pracy. No i był taki palant Dwayne, który ciągle powtarzał: „No weź, napij się piwa. Przecież masz ochotę. Jedno małe piwo ci nie zaszkodzi. Od trzech lat nie miałeś w ustach alkoholu. Poradzisz sobie". — Znowu na mnie spojrzał. — Czaisz?

Skinąłem głową.

— Podszedł mnie w chwili słabości — powiedział Katz z autoironicznym uśmieszkiem. — Wiesz, kiedy jeszcze oddychałem. Nigdy nie wypiłem więcej niż trzech piw, przysięgam. Wiem, co powiesz. Uwierz mi — wszyscy zdążyli mi już to powiedzieć. Wiem, że nie wolno mi pić. Wiem, że nie mogę wypić paru piw jak normalny człowiek, że na dwóch piwach się nie skończy i stracę nad tym kontrolę. Wiem o tym, ale... — Znowu urwał, kręcąc głową. — Ale lubię pić. Nic na to nie poradzę. Uwielbiam pić, Bryson. Uwielbiam smak, uwielbiam to uczucie, kiedy alkohol idzie do głowy, uwielbiam atmosferę knajpy. Brakuje mi świńskich dowcipów, stukania kul bilardowych w tle i tego niebieskawego światła baru w nocy. — Znowu milczał przez dłuższą chwilę, zatopiony w rozmyślaniach o całym życiu w oparach alkoholu. — I już nie mogę tego mieć. Zdaję sobie sprawę. — Głośno wypuścił powietrze przez nos. — Tylko że... tylko że czasem widzę przed sobą same gotowce — ciągną się aż po horyzont i tańczą w moją stronę jak w kreskówce. Zdarza ci się jeść gotowce?

— Od bardzo wielu lat mi się nie zdarzyło.

— Straszne świństwo, uwierz mi. To jest dosyć trudne życie... — urwał. — Szczerze mówiąc, to jest strasznie trudne życie. — Spojrzał na mnie bliski łez, ze szczerym i pokornym wyrazem twarzy. — I przez to czasem zachowuję się jak idiota.

Uśmiechnąłem się do niego.

— Przez to czasem zachowujesz się jak większy idiota, niż jesteś.

Prychnął śmiechem.

— Niech ci będzie.

Nachyliłem się ku niemu i po przyjacielsku trzepnąłem go w ramię. Przez jego twarz przemknęło mgnienie wdzięczności.

— A wiesz, co jest najgorsze? — powiedział nagle tonem człowieka, który zdaje sobie sprawę, że musi wziąć się w garść. — W tej chwili gotów byłbym kogoś zabić dla gotowca! Naprawdę. — Wybuchliśmy śmiechem. — Indyk dla wygłodniałych z plastikowymi podrobami i sosem czterdzieści procent tłuszczu. Mniam, mniam. Zostawiłbym cię tutaj na pastwę losu, żeby móc chociaż raz powąchać. — Potem wytarł coś w kąciku oka, powiedział: „Kurde", wstał i poszedł się wysikać na skraju urwiska.

Wydawał się stary i zmęczony. Kiedy na niego patrzyłem, zadałem sobie pytanie, po jaką cholerę się tutaj wlekliśmy. Nie byliśmy już młodzieńcami.

Spojrzałem na mapę. Już prawie skończyła nam się woda, ale mieliśmy niewiele ponad kilometr do jeziorka Cloud Pond, gdzie mogliśmy uzupełnić zapasy. Podzieliliśmy się ostatnimi dwoma centymetrami na dnie bidonu i powiedziałem Katzowi, że pójdę pierwszy, przefiltruję wodę i będzie na niego czekała.

Był to łatwy dwudziestominutowy spacer po trawiastym grzbiecie. Do samego jeziorka schodziło się stromo na dół kilkaset metrów w bok od Appalachian Trail. Zostawiłem plecak oparty o kamień koło szlaku, zabrałem bidony i filtry i zszedłem nad jeziorko.

Wyprawa na dół, napełnienie trzech bidonów i powrót zajęły mi około dwudziestu minut, czyli kiedy znowu znalazłem się na AT, od rozstania z Katzem upłynęło około czterdziestu minut, a zatem nawet gdyby nie ruszył od razu i nawet przy uwzględnieniu jego umiarkowanego tempa powinien już być. Tym bardziej że trasa była łatwa, a jemu chciało się pić. Zaczekałem piętnaście minut, dwadzieścia, dwadzieścia pięć, i w końcu poszedłem po niego bez plecaka. Nie było go na szczycie góry, gdzie zostawiłem go półtorej godziny wcześniej. Nigdzie nie widziałem jego plecaka. Czyli nie siedział tutaj, ale skoro nie ma go na Barren Mountain, przy odnodze szlaku ani pomiędzy tymi punktami, to gdzie się podział? Istniały dwa wyjaśnienia: poszedł w drugą stronę, co można było wykluczyć (Katz nie zostawiłby mnie bez wytłumaczenia), albo spadł w przepaść. Absurdalna myśl, ponieważ na tym odcinku nie było żadnych trudnych ani niebezpiecznych miejsc, ale nigdy nic nie wiadomo. Parę miesięcy wcześniej John Connolly opowiedział nam o znajomym, który zemdlał z gorąca i zsunął się na kilka metrów z bezpiecznego, płaskiego szlaku. Leżał tak niezauważony przez wiele godzin w palącym słońcu i powoli upiekł się na śmierć. Przez całą drogę z powrotem do rozwidlenia uważnie obserwowałem zarośla obok szlaku i co jakiś czas zaglądałem w przepaść, obawiając się, że zobaczę Katza rozplaskanego na jakiejś skale. Kilka razy wołałem jego imię, ale w odpowiedzi usłyszałem tylko cichnące echo własnego głosu.

Zanim dotarłem z powrotem do rozwidlenia, upłynęły prawie dwie godziny od rozstania z Katzem. Sytuacja coraz bardziej mnie niepokoiła. Pozostawała jeszcze możliwość, że minął odnogę, kiedy ja filtrowałem wodę, ale to wydawało się w najwyższym stopniu nieprawdopodobne. Absolutnie niemożliwe, żeby przegapił dużą strzałkę z napisem Cloud Pond i mój stojący obok szlaku plecak. A nawet gdyby przegapił, to wiedział, że do jeziorka jest tylko półtora kilometra z Barren Mountain. Prędzej czy później uświadomiłby sobie swój błąd i wróciłby na rozwidlenie. Ten scenariusz po prostu nie miał sensu.

Katz był sam na odludziu, bez wody, bez mapy, bez wyobrażenia o dalszym przebiegu szlaku, zapewne bez wyobrażenia o tym, co się ze mną stało, i z niepokojąco małymi zasobami zdrowego rozsądku. Katz z całą pewnością należał do wąskiego grona ludzi, którzy postanowiliby zejść ze szlaku i na skróty dotrzeć do jakiejś asfaltowej drogi, gdyby uznali, że zgubili się na Appalachian Trail. Coraz bardziej się martwiłem. Przyczepiłem do mojego plecaka kartkę i poszedłem dalej szlakiem. Kilkaset metrów dalej ścieżka bardzo stromo, prawie pionowo, schodziła jakieś 200 metrów w dół do głębokiego, bezimiennego wąwozu. W tym miejscu Katz musiał zdać sobie sprawę, że poszedł za daleko. Mówiłem mu, że do zejścia nad jeziorko idzie się prawie po równym.

Co jakiś czas wołając jego imię, powoli zsuwałem się do wąwozu i obawiałem się najgorszego na dnie — bardzo łatwo było tutaj zlecieć na dół, zwłaszcza z ciężkim plecakiem i myślami pochłoniętymi czymś innym — ale nigdzie go nie widziałem. Przeszedłem przez cały wąwóz i dotarłem aż na wysoką górę o nazwie Fourth Mountain. Ze szczytu rozciągał się rozległy widok we wszystkich kierunkach. Leśne ostępy Hundred Mile Wilderness nigdy nie wydawały mi się takie wielkie. Długo i głośno wołałem imię Katza, ale nie uzyskałem żadnej odpowiedzi.

Zbliżała się piąta. Katz od co najmniej czterech godzin nie wypił ani kropli wody. Nie miałem pojęcia, jak długo można przeżyć bez wody przy takim upale, ale wiedziałem z własnego doświadczenia, że już po półgodzinie pragnienie mocno doskwiera. Nagle uświadomiłem sobie z przerażeniem, że mógł zobaczyć inne jeziorko — w położonej 500 metrów poniżej dolinie było ich kilka — mylnie wziął je za Cloud Pond i postanowił tam dotrzeć na przełaj. Nawet jeśli nie był zdezorientowany i wiedział, że to musi być inne jeziorko, to coraz silniejsze pragnienie mogło go skłonić do takiej eskapady. Jeziorka wyglądały na cudownie chłodne i orzeźwiające. Najbliższe z nich było oddalone zaledwie o trzy kilometry, ale nie prowadził do niego żaden szlak i trzeba było się przebijać przez las po niebezpiecznym zboczu, a w środku lasu człowiek szybko traci orientację i na takim odcinku może się pomylić nawet o kilometr. Może też się znaleźć o pięćdziesiąt metrów od jeziorka i nie wiedzieć o tym, tak jak nam się to zdarzyło kilka dni wcześniej koło Pleasant Pond. Kiedy ktoś zabłądzi w tym gigantycznym lesie, to już po nim. Nie ma odwołania. Nikt go nie uratuje. Żaden helikopter go nie wypatrzy przez korony drzew. Żadna ekipa poszukiwawcza go nie znajdzie, a nawet nie wyruszy na poszukiwania, jak podejrzewałem. Istnieje spore prawdopodobieństwo, że spotka się niedźwiedzia — niedźwiedzia, który być może nigdy wcześniej nie widział człowieka. Od rozmyślania o tym, co się mogło przydarzyć Katzowi, rozbolała mnie głowa.

Wróciłem do odbicia na Cloud Pond, modląc się — najgorliwiej w całym moim życiu — żeby zobaczyć Katza siedzącego na plecaku i usłyszeć jakieś zabawne wyjaśnienie, którego nie wziąłem pod uwagę — na przykład, że rozmijaliśmy się jak w komedii slapstickowej: on czeka zdezorientowany przy moim plecaku, a potem idzie mnie poszukać; ja się zjawiam chwilę później, czekam zaskoczony i idę go szukać — ale wiedziałem, że moje nadzieje się nie spełnią, i nie spełniły się. Napisałem nową notkę i zostawiłem ją przyciśniętą kamieniem na środku szlaku — na wszelki wypadek — założyłem plecak i ponownie zszedłem nad jeziorko, gdzie stał szałas.

Jak na ironię, było to najładniejsze miejsce noclegowe przy AT, a zarazem jedyne, w którym nocowałem bez Katza. Cloud Pond miał jakieś 200 metrów średnicy i był otoczony ciemnym lasem szpilkowym. Zaostrzone wierzchołki drzew odcinały się czarno od bladoniebieskiego wieczornego nieba. Szałas, który miałem wyłącznie dla siebie, stał na płaskim terenie kilkadziesiąt metrów od jeziorka i trochę powyżej niego. Był prawie nowy i czyściutki, z wychodkiem nieopodal. Nie miałem do czego się przyczepić. Zrzuciłem swoje rzeczy na drewnianą platformę do spania i potuptałem nad jeziorko przefiltrować wodę, żeby nie musieć tego robić rano, a potem rozebrałem się do bokserek i wszedłem do ciemnej wody, żeby się umyć za pomocą chusty. Gdyby był ze mną Katz, to bym sobie popływał. Starałem się o nim nie myśleć — a już na pewno nie wyobrażać go sobie błądzącego i zagubionego. Przecież i tak nie mogłem w tej chwili mu pomóc.

Usiadłem na kamieniu i obserwowałem zachód słońca. Jeziorko było przepiękne. Długie promienie zachodzącego słońca kładły się na wodzie złocistymi odblaskami. Dwa nury krążyły kilkanaście metrów od brzegu, tak jakby chciały się rozruszać po kolacji. Patrzyłem na nie długo i przypomniał mi się program przyrodniczy, który oglądałem w BBC.

Mówili tam, że nury nie są stworzeniami zbyt towarzyskimi, ale pod koniec lata, przed odlotem nad północny Atlantyk, gdzie spędzają zimę, kolebiąc się na sztormowych falach, organizują serię zebrań. Zlatuje się kilkanaście lub więcej nurów ze wszystkich okolicznych jeziorek i pływają razem przez parę godzin, najprawdopodobniej dla czystej przyjemności wspólnego spędzania czasu. Nur gospodarz z powściągliwą dumą oprowadza gości po swoim terytorium — najpierw pokazuje swoją ulubioną zatoczkę, potem może jakieś ciekawe zwalone drzewo, a następnie rozległy kobierzec lilii wodnych. „Tutaj łowię rano ryby", informuje przyjezdnych. „Myślimy o tym, żeby za rok w tym miejscu urządzić sobie gniazdo". Wszystkie inne nury grzecznie za nim podążają, udając zainteresowanie. Nikt nie wie, dlaczego to robią (tak samo jak nikt nie wie, dlaczego jeden człowiek pokazuje drugiemu swoją wyremontowaną łazienkę) ani w jaki sposób organizują te zloty, ale pod koniec lata co wieczór wszystkie ptaki o ustalonej porze przylatują nad wskazane jezioro, tak jakby dostały kartkę z zaproszeniem na imprezę. Bardzo mi się to podoba. Byłbym jeszcze bardziej zachwycony, gdybym nie miał w głowie obrazu Katza, który potyka się, dyszy i w świetle księżyca szuka jakiegoś jeziorka.

Aha, zapomniałem dodać, że nury wymierają, ponieważ kwaśne deszcze zatruwają ich jeziorka.

Jak można się domyślić, tej nocy fatalnie spałem. Przed piątą byłem już na nogach, a o świcie na szlaku. Poszedłem dalej na północ, ponieważ uznałem, że Katz jednak mnie wyprzedził, ale dręczyła mnie myśl, że dalsze zagłębianie się w Hundred Mile Wilderness to kiepski pomysł, jeżeli Katz jest gdzieś w pobliżu i wpadł w tarapaty. Odczuwałem pewien niepokój związany z myślą, że jestem sam na końcu świata — niepokój, który zaostrzył się przelotnie, ale drastycznie, kiedy z pośpiechu potknąłem się przy ponownym wschodzeniu do głębokiego, bezimiennego wąwozu i cudem uniknąłem upadku z wysokości piętnastu metrów, co z pewnością odbiłoby się szerokim echem w całym lesie. Na dodatek wciąż nie miałem pewności, czy podjąłem dobrą decyzję.

Nawet gdybym był w szczytowej formie, dotarcie do kempingu w Abol Bridge zajęłoby mi trzy, a może nawet cztery dni. Zdążę zawiadomić władze dopiero po czterech albo pięciu dniach od zaginięcia Katza. Gdybym zawrócił, dotarłbym do Monson już następnego dnia po południu. Byłoby najlepiej, gdybym spotkał kogoś idącego na południe i dowiedział się, czy widział Katza, ale na szlaku nie było nikogo. Spojrzałem na zegarek. No jasne, trudno, żebym kogoś spotkał parę minut po szóstej rano. Dziesięć kilometrów dalej był szałas na Chairback Gap. Przewidywałem, że dotrę tam około ósmej i przy odrobinie szczęścia jeszcze kogoś zastanę. Postanowiłem iść dalej, ale tym razem już ostrożniej. Nieprzyjemne uczucie niepokoju mnie nie opuszczało.

Ponownie wspiąłem się na szczyt Fourth Mountain — z plecakiem było to znacznie trudniejsze — i zszedłem do kolejnej lesistej doliny po drugiej stronie. Sześć kilometrów od Cloud Pond natrafiłem na niewielki strumień, który ledwo zasługiwał na to miano — po prostu strużka wilgotnego błota. W eksponowanym miejscu koło szlaku zobaczyłem nabite na gałąź puste pudełko po papierosach Old Gold. Katz właściwie nie palił, ale zawsze nosił przy sobie paczkę papierosów tej marki. W błocie obok kłody drzewa leżały trzy pety. Najwyraźniej siedział tam i czekał na mnie. Czyli żyje i nie opuścił szlaku, a na dodatek szedł tędy. Ogromnie mi ulżyło. Przynajmniej szedłem we właściwą stronę. Wiedziałem, że jeżeli Katz pozostanie na szlaku, to prędzej czy później go dogonię.

Znalazłem go po czterech godzinach od ruszenia w drogę. Siedział na kamieniu przy odbiciu na West Chairback Pond, z odchyloną do tyłu głową, jakby pracował nad opalenizną. Był gruntownie podrapany, poharatany i ubłocony, ale poza tym najwyraźniej nic mu nie dolegało. Oczywiście bardzo się ucieszył na mój widok.

— Bryson, stary góralu, jak miło cię widzieć. Gdzie się podziewałeś?

— Zadawałem sobie to samo pytanie na twój temat.

— Przegapiłem wodopój, tak?

Pokiwałem głową. On też.

— Tak się domyślałem. Jak tylko zszedłem po tej strasznej stromiźnie, pomyślałem sobie: „Kurde, coś mi tu nie gra".

— To czemu nie wróciłeś?

— Nie wiem. Ubzdurałem sobie, że na pewno poszedłeś dalej. Strasznie chciało mi się pić. Chyba byłem trochę otumaniony, ale przede wszystkim okropnie chciało mi się pić.

— I co zrobiłeś?

— Pomaszerowałem dalej i pomyślałem sobie, że prędzej czy później muszę znaleźć jakąś wodę i w końcu dotarłem do jakiejś błotnistej kałuży...

— Tam, gdzie zostawiłeś pudełko po papierosach?

— Zauważyłeś je? Jestem z siebie taki dumny. Moczyłem w wodzie chustę i wyciskałem z niej wodę, bo przypomniałem sobie, że tak zrobił kiedyś Fess Parker w *Davy Crocket Show*.

— Umiesz sobie radzić w ekstremalnych warunkach.

Skinieniem głowy podziękował mi za komplement.

— Zajęło mi to mniej więcej godzinę, a potem czekałem na ciebie drugą godzinę i wypaliłem parę papierosów, a jak zaczęło się ściemniać, rozbiłem namiot, zjadłem trochę salami i poszedłem spać. Dzisiaj rano znowu nabrałem chustą trochę wody i doszedłem tutaj. Kawałek stąd w dół jest fajne jeziorko, więc pomyślałem sobie, że zaczekam na ciebie w pobliżu wody. Nie podejrzewałem cię o to, żebyś mnie tutaj specjalnie zostawił, ale jesteś taki rozkojarzony, że byłbyś w stanie dojść aż do samego Katahdin, zanim byś zauważył, że mnie nie ma. Cóż za cudowny widok, zgodzisz się ze mną, Stephen? — parodiował mnie afektowanym tonem. — Stephen? Stephen? Gdzież on się podział, do diaska? — Poczęstował mnie swoim markowym uśmiechem. — Więc naprawdę się cieszę, że cię widzę.

— Skąd te wszystkie zadrapania?

Spojrzał na swoje ramię, które było pokryte zygzakami zaschniętej krwi.

— A, to? Nic takiego.

— Jak to nic takiego? Wyglądasz tak, jakbyś potraktował się skalpelem.

— Nie chciałem cię martwić, ale trochę się zgubiłem.

— Co się stało?

— Między straceniem cię z oczu a dotarciem do kałuży błota chciałem zejść nad jeziorko, które zobaczyłem z góry.

— Błagam cię, Stephen, powiedz mi, że żartujesz.

— Naprawdę strasznie chciało mi się pić i wydawało mi się, że jeziorko jest niedaleko. Więc wszedłem do lasu. To nie było zbyt mądre, prawda?

— Nie było.

— Sam szybko to zrozumiałem. Po paruset metrach kompletnie się zgubiłem, ale to kompletnie. To dziwne: myślisz sobie, że po prostu zejdziesz w dół nad wodę i wrócisz tą samą drogą, co nie powinno być trudne, jeśli będziesz uważał. Problem w tym, Bryson, że tam nie ma na co uważać. Jedno drzewo niczym się nie różni od drugiego. Nie ma nic oprócz lasu. Kiedy sobie uświadomiłem, że nie mam zielonego pojęcia, gdzie jestem, pomyślałem, że zgubiłem drogę, schodząc na dół, więc lepiej wrócę na górę, ale nagle pojawiły się dziesiątki możliwości pójścia w górę albo na dół. Nie sposób się w tym połapać. Szedłem i szedłem, aż w końcu stało się dla mnie oczywiste, że zejście zajęło mi znacznie krócej. Kurde,

Stephen, ty zasrany idioto, pomyślałem. Trochę się na siebie zdenerwowałem, przyznam szczerze. Poszedłeś za daleko, ty palancie, pomyślałem. No to wróciłem trochę na dół, ale nic to nie dało, więc spróbowałem przez jakiś czas iść w bok, no i chyba już wiesz, jak to wyglądało.

— Nigdy nie wolno schodzić ze szlaku, Stephen.

— Bardzo ci dziękuję, Bryson, na mądre rady nigdy nie jest za późno. To tak, jakbyś poradził kierowcy, który zginął w wypadku, żeby jeździł ostrożnie.

— Przepraszam.

— W porządku. Chyba dalej jestem troszeczkę roztrzęsiony. Myślałem, że już po mnie. Zabłądziłem, nie mam wody, a wszystkie ciasteczka z czekoladą są u ciebie.

— Jak ci się udało wrócić na szlak?

— To był cud, przysięgam ci. Kiedy już miałem się położyć na ziemi i oddać na pożarcie wilkom i rysiom, spojrzałem do góry i zobaczyłem na drzewie biały znak. No to spojrzałem pod nogi i okazało się, że stoję na AT. I to koło kałuży błota. Usiadłem i wypaliłem trzy papierosy jeden po drugim, żeby się uspokoić, a potem pomyślałem, kurde, Bryson na pewno tędy przechodził, kiedy ja błąkałem się po lesie, i nie wróci po mnie, bo już sprawdził tę część szlaku. I zacząłem się martwić, że już nigdy cię nie zobaczę. Więc naprawdę się ucieszyłem, kiedy się zjawiłeś. Prawdę mówiąc, nigdy w życiu tak bardzo się nie ucieszyłem z widoku innej osoby, nie wyłączając paru nagich kobiet.

W jego spojrzeniu było coś błagalnego.

— Chcesz wracać do domu? — zapytałem.

Zastanowił się chwilę.

— Tak.

— Ja też.

Postanowiliśmy pożegnać się ze szlakiem i przestać udawać, że jesteśmy prawdziwymi ludźmi gór, którymi nie byliśmy. U podnóża Chairback Mountain, sześć kilometrów dalej, od szlaku odchodziła droga tartaczna. Nie wiedzieliśmy, dokąd prowadzi, ale dokądś musiała prowadzić. Strzałka na skraju mapy wskazywała na południe ku Katahdin Iron Works, niezwykłej dziewiętnastowiecznej stalowni, dzisiaj pomniku historii przemysłu. Z mojego przewodnika wynikało, że koło huty jest parking publiczny, a zatem musiała tam dochodzić jakaś droga. U stóp góry napełniliśmy bidon wodą z potoku i pomaszerowaliśmy drogą tartaczną. Po kilku minutach usłyszeliśmy za plecami jakiś hałas. Odwróciliśmy się i zobaczyliśmy chmurę pyłu poprzedzoną przedpotopowym pikapem, który pędził ku nam z ogromną prędkością. Odruchowo wystawiłem kciuk do góry i ku mojemu zaskoczeniu auto zatrzymało się jakieś piętnaście metrów za nami.

Podbiegliśmy do okna kierowcy. W szoferce siedziało dwóch facetów, obaj w kaskach i ubrudzeni robotą — najprawdopodobniej drwale.

— Gdzie chcecie jechać? — zapytał kierowca.

— Gdzie bądź — odparłem. — Jak najdalej stąd.

# ROZDZIAŁ 21

Nie zobaczyliśmy więc Katahdin. Nie zobaczyliśmy nawet stalowni, której rozmazana sylwetka mignęła nam za oknem, ponieważ przemknęliśmy koło niej z prędkością ponad stu kilometrów na godzinę. Mam nadzieję, że był to zdecydowanie najbardziej wyboisty, ekspresowy i przerażający przejazd drogą gruntową na pace pikapa w całym moim życiu. Nigdy więcej.

Przytrzymywaliśmy się kurczowo, ale od czasu do czasu musieliśmy unosić nogi, żeby ich nie uszkodziła piła łańcuchowa albo inne ciężkie narzędzie przesuwające się po dnie paki. Las przelatywał obok nas, a brawurowy kierowca przejeżdżał przez dziury z takim wigorem, że wyrzucało nas na pół metra w powietrze, a w zakręty zaczynał wchodzić dopiero w ostatniej chwili, jakby dopiero teraz z zaskoczeniem je zauważał. Skutek był taki, że w oddalonym o trzydzieści kilometrów na południe miasteczku Milo wysiedliśmy na miękkich nogach. Błyskawiczna zmiana otoczenia mocno nas rozstroiła. Parę chwil wcześniej tkwiliśmy w leśnych ostępach, mając przed sobą perspektywę co najmniej dwudniowego marszu z powrotem do cywilizacji, a teraz staliśmy koło stacji benzynowej na skraju małego miasteczka. Odprowadziliśmy auto wzrokiem, a potem spróbowaliśmy się ogarnąć.

— Chcesz colę? — zapytałem Katza.

Obok drzwi stacji benzynowej stał automat.

— Nie — odparł po chwili zastanowienia. — Może później.

Z reguły Katz rzuca się jak drapieżne zwierzę na wszelkie napoje gazowane i fast foody, ale rozumiałem jego powściągliwość. Kiedy człowiek katapultuje się ze szlaku i wyląduje w świecie komfortu i nieskończonych możliwości wyboru, zawsze przeżywa szok, ale tym razem było inaczej. Tym razem mieliśmy tu pozostać na stałe. Zawieszaliśmy górskie buty na kołku. Od tej pory zawsze będzie cola, miękkie łóżka, prysznice i wszystko, czego dusza zapragnie. Cola przestała być sprawą życia i śmierci. Poczułem się jakoś dziwnie przygnębiony, kiedy to sobie uświadomiłem.

W miasteczku nie było motelu, ale pokierowano nas do pensjonatu o nazwie Bishop's. Mieścił się w dużym, starym białym budynku przy ładnej, porośniętej drzewami ulicy z solidnymi starymi domami, których garaże pierwotnie pełniły funkcje wozowni, a na górze znajdowały się pomieszczenia dla służby.

Właścicielka, Joan Bishop, powitała nas serdecznie i gościnnie. Była pogodną, siwowłosą staruszką z ciężkim akcentem ze Wschodniego Wybrzeża. Otworzyła nam drzwi, wycierając o fartuch oprószone mąką dłonie, po czym bez mrugnięcia zaprosiła nas do środka, gdzie było nienagannie czysto.

Pachniało świeżo upieczonymi ciasteczkami, pomidorami

z własnego ogródka i rześkim, wentylowanym albo klimatyzowanym powietrzem — staroświeckie zapachy lata. Gospodyni zwracała się do nas per „chłopcy" i zachowywała się tak, jakby czekała na nas od wielu dni, a może nawet lat.

— Rany boskie, chłopcy, jak wy wyglądacie! — cmoknęła z zaskoczeniem i zachwytem. — Jakbyście walczyli wręcz z niedźwiedziami!

Nasz widok chyba rzeczywiście robił wrażenie. Katz był mocno zakrwawiony po swojej pamiętnej przechadzce przez las, a zmęczenie mieliśmy wypisane na twarzach.

— Idźcie na górę, chłopcy, i umyjcie się. Potem zejdźcie na werandę i będzie na was czekał dzbanek pysznej mrożonej herbaty. A może wolicie lemoniadę? Zresztą nieważne, zrobię jedno i drugie. A teraz zmykajcie na górę!

Po tych słowach poszła krzątać się dalej.

— Dziękuję, mamo — wydukaliśmy jednogłośnie trochę oszołomieni, ale wdzięczni.

Katz przeszedł natychmiastową przemianę — w tak wielkim stopniu, że poczuł się chyba trochę za bardzo jak u siebie w domu. Powoli wyjmowałem jakieś rzeczy z plecaka, kiedy nagle zjawił się w moim pokoju bez pukania i szybko zamknął za sobą drzwi ze skonsternowaną miną. Jego nagość okrywał tylko niestarannie owinięty wokół bioder ręcznik.

— Staruszka — powiedział osłupiałym tonem.

— Słucham?

— Staruszka na korytarzu — powtórzył.

— To jest pensjonat, Stephen.

— Rzeczywiście, zapomniałem.

Ostrożnie wystawił głowę za drzwi i zniknął bez dalszego komentarza.

Kiedy byliśmy już wykąpani i przebrani, dołączyliśmy do pani Bishop na werandzie, gdzie ciężko i z wdzięcznością padliśmy na wielkie stare fotele i wyciągnęliśmy nogi, tak jak zwykle robi człowiek zmęczony w upalny dzień. Miałem nadzieję, że pani Bishop opowie nam o tym, jak przygarnia u siebie całą zgraję turystów pokonanych przez Hundred Mile Wilderness, ale okazało się, że jesteśmy pierwszymi przedstawicielami tej kategorii za jej pamięci.

— Czytałam kiedyś w gazecie, że jakiś człowiek z Portland poszedł na Katahdin, żeby uczcić swoje siedemdziesiąte ósme urodziny — powiedziała dla zagajenia rozmowy.

Jak możecie sobie wyobrazić, ogromnie podniosło mnie to na duchu.

— Myślę, że w jego wieku będę już gotowy na takie przedsięwzięcie — powiedział Katz, przebiegając palcem po zadrapaniu na przedramieniu.

— Góra wam nie ucieknie, chłopcy — stwierdziła staruszka.

Trudno jej było odmówić racji.

Kolację zjedliśmy w dosyć zatłoczonej restauracji, a potem poszliśmy na spacer, bo wieczór był ciepły i przyjemny. Milo to beznadziejna dziura — zero perspektyw, daleko od wszystkiego, nic się nie dzieje — ale na swój sposób sympatyczna. Takie odczucie być może wynikało z faktu, że spędzaliśmy tam ostatnią noc poza domem.

— Przykro ci, że porzuciłeś AT? — zapytał mnie Katz po dłuższej chwili.

Zastanowiłem się nad tym. Już wcześniej sobie uświadomiłem, że mój stosunek do Appalachian Trail jest pełen sprzeczności. Miałem dosyć szlaku, ale byłem nim zauroczony; niekończąca się wędrówka coraz bardziej mnie męczyła, ale również dodawała mi energii; bezkres lasu budził we mnie znudzenie, ale również podziw; podobała mi się ucieczka od cywilizacji, ale tęskniłem za jej wygodami. Wszystko to odczuwałem jednocześnie, w każdej chwili, na każdym metrze szlaku i poza nim.

— Nie wiem — odparłem. — Tak i nie. A ty?

Skinął głową.

— Tak i nie.

Pospacerowaliśmy jeszcze trochę, zatopieni w myślach.

— Mimo wszystko nam się udało — powiedział w końcu Katz, podnosząc wzrok. Na widok mojej zaskoczonej miny wyjaśnił: — To znaczy przejść przez Maine.

— Stephen, nie doszliśmy nawet do Mount Katahdin.

— Jeszcze jedna góra — zbył mnie takim tonem, jakbym się niepotrzebnie czepiał. — Ile gór musisz zaliczyć, Bryson?

Zareagowałem krótkim śmiechem.

— Tak też można na to spojrzeć.

— Tylko tak można na to spojrzeć — zareplikował Katz najzupełniej serio. — Jeśli o mnie chodzi, przeszedłem Appalachian Trail. Po śniegu i w upale. Na południu i na północy. Aż do krwi na stopach. Przeszedłem Appalachian Trail, Bryson.

— Całkiem sporo pominęliśmy.

— To są detale — żachnął się Katz.

Wzruszyłem ramionami, ale jego sposób myślenia w gruncie rzeczy mi się podobał.

— Może masz rację.

— Oczywiście, że mam rację — stwierdził takim tonem, jakby rzadko jej nie miał.

Dotarliśmy do stacji benzynowej na skraju miasta, przy której wysadzili nas drwale. Była jeszcze otwarta.

— Co powiesz na oranżadę waniliową? — powiedział radośnie Katz. — Ja stawiam.

Spojrzałem na niego z niemałym zainteresowaniem.

— Przecież nie masz pieniędzy.

— Wiem. Stawiam za twoje pieniądze.

Uśmiechnąłem się szeroko, wyjąłem z portfela banknot pięciodolarowy i dałem mu.

— Dzisiaj leci *Archiwum X* — powiedział przeszczęśliwy Katz i zniknął w środku.

Pokręciłem głową, zadając sobie pytanie, skąd on to zawsze wie.

Tym właśnie skończyła się nasza wspólna wyprawa — zakupem sześciopaku oranżady waniliowej w Milo.

Przez resztę lata i jesienią co jakiś czas chodziłem na niedługie wycieczki. Na początku listopada, kiedy zbliżała się zima i nie dało się już dłużej uniknąć konkluzji, że sezon wypraw pieszych dobiegł końca, wreszcie usiadłem przy kuchennym stole z dziennikiem wyprawy i kalkulatorem, żeby policzyć pokonany dystans. Dwa razy sprawdziłem liczby, a potem podniosłem wzrok z miną podobną do tej, która pojawiła się wiele miesięcy wcześniej na naszych twarzach, kiedy przed odpoczynkiem w Gatlinburgu uświadomiliśmy sobie, że nie mamy żadnych szans pokonać całego Appalachian Trail.

Zrobiłem 1400 kilometrów, znacznie mniej niż połowę, a raczej niewiele ponad jedną trzecią długości szlaku. Cały ten wysiłek, pot, odrażający brud, niekończące się dni mordęgi, noce na twardej ziemi — wszystko to złożyło się na zaledwie 39,5 procent szlaku. Nie wyobrażam sobie, jak można przejść całość. Jestem pełen niedowierzającego podziwu dla wszystkich, którzy tego dokonali. Z drugiej strony 1400 kilometrów to nie bułka z masłem.

Stephen Katz wrócił do Des Moines i do życia w trzeźwości. Dzwoni do mnie od czasu do czasu i mówi, że może kiedyś znowu wybierze się na Hundred Mile Wilderness, ale nie sądzę, żeby się na to porwał.

Nie powiem, że doświadczenie to zmieniło nasze życie (zresztą za Katza nie powinienem się wypowiadać), ale z całą pewnością nabrałem uznania i respektu dla lasów, ludzi i ogromu Ameryki. Straciłem mnóstwo kilogramów i przez jakiś czas byłem w znakomitej jak na mnie formie.

Ale najlepsze jest co innego: dzisiaj, kiedy widzę górę, patrzę na nią długo i fachowo, pewnym siebie spojrzeniem zmrużonych, granitowych oczu.